Zander/Zander · Neue Apothekenbetriebslehre

NEUE APOTHEKEN-BETRIEBSLEHRE

Ein Leitfaden für Apotheker

Von Apothekerin Erika Zander
und Prof. Dr. Ernst Zander

5., überarbeitete und erweiterte Auflage

Rudolf Haufe Verlag · Freiburg i. Br.

Die Deutsche Bibliothek – CIP-Einheitsaufnahme
Zander, Erika:
Neue Apothekenbetriebslehre: ein Leitfaden für Apotheker / von Erika Zander; Ernst Zander. – 5., überarb. und erw. Aufl. – Freiburg i. Br.: Haufe, 1994
ISBN 3-448-02871-1
NE: Zander, Ernst:

ISBN 3-448-02871-1 Best.-Nr. 00.15

1. u. 2. Auflage Verlag für Wissenschaft, Wirtschaft und Technik GmbH & Co KG., Bad Harzburg
3., überarbeitete und erweiterte Auflage 1984 (ISBN 3-448-01485-0)
4., überarbeitete und erweiterte Auflage 1991 (ISBN 3-448-02119-9)
5., überarbeitete und erweiterte Auflage 1994

Lektorat: Dipl.-Kfm. Richard Kastl, Freiburg i. Br.

Einband-Entwurf: Strehlau & Hofe, Freiburg i. Br.

Satz und Druck: Rombach GmbH Druck- und Verlagshaus

Vorwort zur 5. Auflage

In der dritten Auflage haben wir an dieser Stelle auf die drohenden Schwierigkeiten hingewiesen, die in der zweiten Hälfte der 80er und Angang der 90er Jahre auf die Apotheken zukommen werden. Heute, zehn Jahre danach, müssen wir feststellen, daß wir mit unserer Prognose leider nicht nur recht hatten, sondern daß die Entwicklung noch schlechter gelaufen ist, als von uns angenommen. Eine Besserung ist für die zweite Hälfte der 90er Jahre nicht in Sicht! Die Standesorganisationen rechnen damit, daß viele Apotheken in den nächsten Jahren schließen müssen, da sich die wirtschaftliche Lage durch das Gesundheitsstrukturgesetz dramatisch verschlechtert hat. Im 1. Halbjahr 1993 sind die Umsätze gegenüber dem Vorjahr um über 20 % zurückgegangen, was Einkommensverluste von durchschnittlich über 30 % nach sich zieht. Das gilt besonders für die alten Bundesländer.
Die betriebswirtschaftlichen Aspekte der Unternehmensführung rücken damit für die Apothekenleiter/innen – ob gewünscht oder nicht – immer stärker in den Vordergrund. Die Beherrschung des betriebswirtschaftlichen Instrumentariums wird für die Führung einer Apotheke zum unbedingten Muß.
Wir hoffen, mit dieser aktualisierten Neuauflage allen Apothekenleiter/innen das Rüstzeug zu bieten, das zur Erfüllung der unternehmerischen Aufgabe unerläßlich ist. Darüber hinaus soll das Werk den Studierenden und den Mitarbeitern Einblicke in die Apothekenbetriebslehre und in die Apothekenführung vermitteln.
Wiederum haben uns viele Persönlichkeiten beim Überarbeiten dieser Auflage unterstützt. Für die Hilfe bedanken wir uns besonders bei Frau P. Kauffeldt, den Herren Dr. E.-D. Ahlgrimm, R. Fahrenberger, Dr. H. J. Gelberg, Dr. Th. R. Hummel, F. Lauer, Dr. R. Menge, P.-H. Meurkes, Dr. H. Schwalbe, R. Steinmeyer. Ganz besonderen Dank schulden wir Herrn Dr. R. Hanpft, der das Manuskript durchsah.

Hamburg, Januar 1994 — *Erika und Ernst Zander*

Aus dem Vorwort zur 2. Auflage

Wenn jeder zweite Apothekenleiter in relativ kurzer Zeit ein aus pharmazeutischer Sicht nicht notwendiges Fachbuch erwirbt, überrascht das. Wenn dieser erfolgreiche Start möglich war, obwohl manche die wirtschaftliche Seite der Apotheken noch nicht voll erkannt haben, verwundert das ganz allgemein.
Anscheinend benötigen die Apothekenleiter mehr Information für die wirtschaftliche Führung ihrer Apotheke, als ihnen bisher geboten wurde. Das zeigten auch die Diskussionen in den Apotheker-Seminaren (Bad Harzburg und Kassel), aus denen zahlreiche Anregungen in die neue Auflage einflossen.
Vieles mußte in der neuen Auflage aufgrund der Entwicklung neubearbeitet werden. Auf dem Gebiet der Einrichtung sind ebenso viele Veränderungen eingetreten wie – nicht zuletzt durch das neue Betriebsverfassungsgesetz – in der Führung der Mitarbeiter.
Wir haben uns bemüht, den Lesern jeweils den neuesten Stand darzulegen. Trotzdem kann ein so vielschichtiges Gebiet wie die Führung einer Apotheke nicht vollkommen in einem Buch behandelt werden. Darum wären wir dankbar für Hinweise, die die Schrift Studierenden und Praktizierenden noch interessanter machen könnte.

Hamburg, Januar 1976 *Erika und Ernst Zander*

Inhaltsverzeichnis

Einleitung

Die Zahl der Apotheken hat weiter zugenommen, obwohl die wirtschaftliche Entwicklung der Apotheken stagniert oder sogar zurückgeht. Immer mehr Apotheken müssen den „Kuchen" teilen, der wohl eher noch kleiner werden wird. Wenn sich der Zuwachs der Apotheken verlangsamt hat, so ist dies wohl vor allem auf Auswirkungen des Gesundheitsreformgesetzes zurückzuführen. Wie sich die Apothekenzahl seit 1957 verändert hat, ist aus Abbildung 1 zu ersehen:

Abb. 1: Apothekendichte[1]

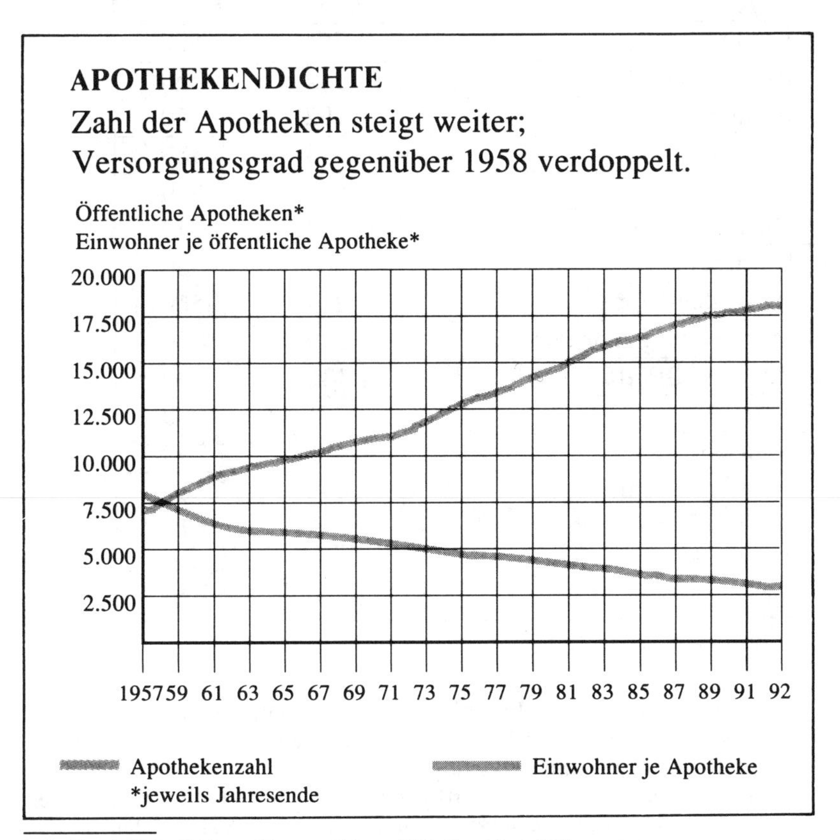

[1] Quelle: ABDA: Zahlen – Daten – Fakten 1992, Frankfurt 1993.

Da die Einwohnerzahl nicht wächst und bestenfalls aufgrund der vielen Übersiedler stagniert, geht die Zahl der Menschen, die von einer Apotheke im Durchschnitt versorgt wird, weiter zurück. Bezogen auf die einzelnen Bundesländer ist dies sehr unterschiedlich:

Abb. 2: Apothekendichte in den Ländern

Bundesland	öffentliche Apotheken 1992	Einwohner je Apotheke
Baden-Württemberg	2.788	3.530
Bayern	3.330	3.440
Berlin	764	4.500
Brandenburg	332	7.760
Bremen	192	3.560
Hamburg	475	3.480
Hessen	1.646	3.510
Niedersachsen	2.033	3.640
Nordrhein	2.609	3.560
Westfalen-Lippe	2.274	3.560
Mecklenburg-Vorpommern	249	7.720
Rheinland-Pfalz	1.132	3.330
Saarland	371	2.900
Sachsen	611	7.790
Sachsen-Anhalt	442	6.500
Schleswig-Holstein	729	3.610
Thüringen	373	7.000
Insgesamt	20.350	3.950

Angaben jeweils Jahresende

Da die unternehmerische Initiative für Apothekenleiter begrenzt ist und die Preisspanne seit Jahren bei steigenden Kosten sinkt, wird die betriebswirtschaftliche Sicht immer wichtiger.
Die Apotheken können ihren örtlichen Markt nicht beliebig ausweiten. Der Umsatz im Notdienst deckt selten die dadurch entstehenden Kosten. Arzneimittel müssen ohne Kostenersatz vernichtet werden, wenn die Ver-

fallsdaten überschritten sind. Schließlich ist auch die Werbung weitgehend untersagt.
Als schon in den 60er Jahren einige Apothekenleiter sehr weitsichtig nach der betriebswirtschaftlichen Zukunft der Apotheken fragten, konzipierten die Verfasser Apothekerseminare, an denen über 1000 Apothekenleiter teilnahmen und deren Erfahrungen hier ebenfalls verarbeitet sind.
Heute dürften wohl alle Standesvertreter einsehen, wie wichtig betriebswirtschaftliche Kenntnisse sind. Die entsprechenden Ausbildungsinhalte sollten weiter verbessert und die Bereiche, die für die praktische Tätigkeit in der Apotheke wichtig sind, etwa Betriebswirtschaft und Betriebsführung, intensiviert werden.
Mit dieser Apothekenbetriebslehre sollen den Apothekenleitern notwendige Kenntnisse vermittelt werden. Sie ist darum sehr breit gefaßt und greift die Schwerpunkte eingehender auf, die gegenwärtig besonders wichtig erscheinen.
Die Betriebswirtschaftslehre befaßt sich mit den Unternehmen und Betrieben und ist neben der Volkswirtschaftslehre das wichtigste Teilgebiet der Wirtschaftswissenschaft. Neben der allgemeinen Betriebswirtschaftslehre gibt es verschiedene spezielle Betriebswirtschaftslehren (Wirtschaftszweiglehren), wie die Bankbetriebslehre oder die landwirtschaftliche Betriebslehre. In diesem Sinne erschien es uns zweckmäßig, als Gegenstück zum rein pharmazeutischen Schrifttum eine an den Wirtschaftszweiglehren orientierte Apothekenbetriebslehre zu konzipieren.
Dabei mußten wir den Rahmen sehr weit fassen, um einen Gesamtüberblick zu geben, der manchem bei der Neueinrichtung und beim in letzter Zeit verstärkt praktizierten Umbau einer Apotheke helfen kann.

I Grundlagen: Anforderungen, Ausbildung und Praxis

Die an den Apotheker gerichteten Anforderungen sind vielfältig. Einerseits erfordert die Eröffnung bzw. Übernahme einer Apotheke die Approbation, die wiederum ein Studium der Pharmazie voraussetzt. Auf der anderen Seite ist der Apotheker aber zugleich Kaufmann, und zwar im wirtschaftlichen wie im juristischen Sinn.
Der Betrieb einer Apotheke gilt als Handelsgewerbe gem. § 1 Abs. 2 Nr. 1 HGB, wodurch der Apotheker die Eigenschaft eines Vollkaufmanns, genauer eines Mußkaufmanns nach § 1 Abs. 1 HGB, erwirbt. Das bedeutet, daß die an diese Eigenschaft anknüpfenden handelsrechtlichen Vorschriften auch für ihn gelten.
Aus steuerrechtlicher Sicht wird der Betrieb einer Apotheke als Gewerbebetrieb nach § 15 EStG angesehen, der Apotheker ist danach Gewerbetrei-

bender und kein Angehöriger der freien Berufe. Er bezieht Einkünfte aus Gewerbebetrieb, nicht solche aus selbständiger Arbeit, obwohl er ein freier Beruf ist[2].
Auch wenn der Apotheker aus handels- und steuerrechtlicher Sicht anderen Kaufleuten gleichgestellt ist, so unterliegt er aufgrund berufsrechtlicher Bestimmungen einigen Beschränkungen, die ihn von anderen Kaufleuten unterscheiden. Er kann seine Preise nicht selbst kalkulieren (Festpreise)[3], ist an die Vorschriften über die Mindesteinrichtung von Apotheken, an die Abgabevorschriften und die Verschreibung der Ärzte weitgehend gebunden – seine unternehmerische Entscheidungsfreiheit ist also deutlich beschnitten.

1. Historischer Rückblick

Betrachten wir die Ausbildung zum Apotheker, dann scheint ein grundsätzlicher Rückblick sinnvoll. Der Beruf des Apothekers hat eine lange Geschichte. Das Wort „Apotheke" leitet sich sprachlich vom Griechischen ab und bedeutet soviel wie Lager- oder Warenvorrat. Die begriffliche Verbindung dieses Wortes mit der Herstellung, Lagerung und Abgabe von Arzneimitteln reicht zurück bis ins 12. Jahrhundert. Die ersten nachgewiesenen Apotheken tauchen im 8. Jahrhundert in Bagdad und im 9. Jahrhundert in Frankreich auf. Unter den hundert ältesten Unternehmen finden sich immerhin 25 Apotheken.
In Deutschland soll es schon 1220 in Köln eine Apotheke gegeben haben. Genauere Angaben sind von der 1241 in Trier von Dr. Max Schmitz gegründeten Löwen-Apotheke bekannt[4]. Dann folgten 1264 die Apotheke zum Tiergarten, Dr. R. Hölzle Nachf., in Konstanz und 1268 die noch heute bestehende Hirsch-Apotheke in Straßburg. Um 1290 wurde die ebenfalls noch bestehende Marien-Apotheke in Augsburg gegründet. Um 1300 entstand die St.-Martini-Apotheke, früher Ratsapotheke, Inhaber Dr. Kurt Fracke, in Braunschweig, 1318 die Privilegierte Ratsapotheke Hildesheim, Inhaber Horst von Brien, 1322 die Ratsapotheke des Hans-Joachim Koch in Göttingen und 1337 Hofapotheken zum Malhaus in Konstanz. Etwa im Jahr 1400 wurde eine heute noch zu besichtigende, mit einem kleinen Museum verbundene Apotheke in Tallinn (Reval) gegründet. Die erste Apotheke in den USA soll erst 1646 in Boston entstanden sein.

---

[2] Schäuble, W.: Der Apotheker – freier Beruf in einem freien Staat, Apothekenreport 1991, Nr. 41.
[3] Vgl. Arzneimittelpreisverordnung vom 14. 11. 1980, BGBl I S. 2147.
[4] Dieses Datum ist auch Anlaß für eine 1991 erscheinende 750-Jahr-Sondermarke der Deutschen Bundespost.

Als Edikt von Salerno ist eine Medizinalordnung von Friedrich II. aus dem Jahr 1231 bekannt. Darin sind apothekenrechtliche Bestimmungen einbezogen, aus denen wir hier zitieren wollen:

> „Die Apotheker sollen die Arznei auf ihre Kosten unter Aufsicht der Ärzte gemäß der Anordnung der Konstitution herstellen, und zudem sollen sie nicht zur Führung von Apotheken zugelassen werden, wenn sie nicht einen Eid abgelegt haben, daß sie alle ihre Arzneien gemäß vorgenannter Anordnung ohne Trug herstellen werden. Wir wollen, daß in jedem unserer Hoheitsgewalt unterliegenden Bezirk unseres Reiches zwei umsichtige und zuverlässige Männer bestellt und durch einen von ihnen zu leistenden körperlichen Eid gebunden werden, deren Namen unserem Hof zu übermitteln sind und unter deren Begutachtung die Lektuarien, Sirupe und andere Arzneien ordnungsgemäß hergestellt und alsdann verkauft werden."

Auf die weitere Entwicklung der Apothekenordnung wollen wir hier nicht im einzelnen eingehen. Es bildeten sich aus den stadt- und landrechtlichen Bestimmungen allmählich Leitsätze heraus, die zum Teil heute noch als klassische Grundsätze des Apothekenrechts praktiziert werden. Dies sind insbesondere:

- das beschränkte Monopol der Apotheken zur Zubereitung und Abgabe von Arzneimitteln,
- die Approbation als Sachkundenachweis,
- die Qualifikation des Apothekers als Zusicherung gewissenhafter Berufsausübung,
- die freie Apothekenwahl für den Kranken,
- die ständige Dienstbereitschaft,
- das Verbot des Substituierens in uneingeschränkter Anerkennung des ärztlichen Verordnungsrechtes,
- die behördliche Apothekenaufsicht als Folge der öffentlichen Aufgabe der Apotheken.

Einzelne dieser klassischen Grundsätze sind heute nur noch teilweise anzutreffen, so z. B. der ständige Bereitschaftsdienst, der durch turnusmäßigen Wechsel für die einzelne Apotheke aufgehoben ist, oder die umfassende Vorratshaltung an Arzneimitteln, die sich zum Teil auf den Großhandel verlagert hat.
Im Zuge der internationalen Betrachtung vieler Probleme des täglichen Lebens sollten wir auch die Apothekenführung sehen. In diesem Sinne haben im Dezember 1958 die nationalen Verbände der Apotheker eine pharmazeutische Charta mit folgenden Prinzipien erstellt:

1. Die Pharmazie ist ein freier und unabhängiger Beruf mit akademischer Ausbildung.
2. Im Interesse des Kranken erfordert der Verkehr mit Arzneimitteln in allen Stadien, von der Herstellung bis zur Abgabe, die Anwesenheit des Apothekers.
3. Um dem Apotheker die völlige Erfüllung seiner Aufgaben im Interesse einer ordnungsgemäßen Arzneimittelversorgung der Bevölkerung zu ermöglichen, erweist es sich als unentbehrlich, eine sinnvolle Verteilung der Apotheken in den Hoheitsgebieten der verschiedenen Mitgliedstaaten durchzuführen.
4. Die freie Wahl des Apothekers durch den Patienten ist ein unverrückbarer Grundsatz, der gegen jeden moralischen oder materiellen Zwang geschützt werden muß.
5. Das Berufsgeheimnis muß gewahrt werden.
6. Die Beziehungen zwischen der Apothekerschaft und den Sozialversicherungsträgern müssen in frei vereinbarten Abkommen und im Rahmen obiger Grundsätze geregelt werden.
7. Die Honorare des Apothekers müssen in gerechtem Verhältnis zu seiner Verantwortung, seinen Verpflichtungen, seiner Aufgabe und sozialen Stellung stehen.

Diese Charta, auch wiedergegeben im Weißbuch der europäischen Pharmazie, wird mit einer Stellungnahme zur Ausbildung begründet, in der es u. a. heißt: „Der Apotheker ist der berufene Fachmann von der Herstellung der Arzneimittel bis zu deren Abgabe in der Apotheke."
Demzufolge ist es unerläßlich, daß seine pharmazeutischen Kenntnisse ihn in die Lage versetzen, die Rolle als Arzneimittelhersteller, Kontrolleur oder Dispensateur mit gleicher Befähigung zu erfüllen. Seine Ausbildung soll pharmazeutisch allumfassend sein. Das bedeutet, daß der Apotheker zur Ausübung aller beruflichen Betätigungen auf dem Gebiet des Arzneiwesens befähigt ist.

2. Ausbildung

Auf europäischer Ebene hat sich bei den Apothekern das Bewußtsein durchgesetzt, daß die Entwicklung der letzten Jahre eine Anpassung der akademischen Studienpläne unbedingt erfordert. Hierzu zwingt unter anderem der Fortschritt im Bereich der industriellen Herstellung, die in enger Beziehung zu der Erweiterung pharmazeutischer Kenntnisse steht.
Die Ausbildung des Apothekers verläuft in mehreren Stufen. Erforderlich ist ein achtsemestriges Studium, das durch ein dreigeteiltes Staatsexamen

mit Prüfungen nach dem 4. und 8. Semester sowie einem sich daran anschließenden praktischen Jahr, das zur Hälfte in der Industrie oder einem Hochschulinstitut absolviert werden kann, abgeschlossen wird. Vor der ersten pharmazeutischen Prüfung ist eine Famulatur von 8 Wochen – davon wenigstens 4 Wochen in einer öffentlichen Apotheke –, durch die sich der Studierende mit den Tätigkeiten eines Apothekers vertraut machen und Einblick in die Organisation und Betriebsabläufe gewinnen soll.[5]

An dieser Ausbildung wird noch immer Kritik geübt, die sich zum Teil auf die Ausbildungsinhalte – gefordert wird eine Erweiterung in den Bereichen organische und physikalische Chemie, Biologie, Mikrobiologie und Pharmakologie –, zum Teil auf die Ausbildungsdauer – hier reichen die Forderungen von einer Verlängerung des Studiums auf 10 Semester über eine zweijährige Einarbeitungszeit bis hin zu einer fünfjährigen Bewährung als Betriebserlaubnis für den Apotheker – richtet.

Doch auch die Ausbildung in anderen europäischen Staaten entspricht nicht diesen Anforderungen, wie die folgenden Beispiele zeigen:

In der ehemaligen DDR wich die Ausbildung insofern ab, als nach dem Reifezeugnis ein achtsemestriges Hochschulstudium ohne eine praktische Ausbildung vor oder nach dem Studium, allerdings mit einem Praktikum zwischen den einzelnen Studienjahren verlangt wurde. Außerdem gab es die Ausbildung zum „Pharmazieingenieur", der in etwa mit unserem PTA vergleichbar ist.

In Österreich ist nach dem Reifezeugnis ein dreijähriges Studium mit zwei Prüfungen, danach ein Diplom als Magister der Pharmazie Bedingung. Anschließend daran sind zwei praktische Ausbildungsjahre in einer Apotheke als Aspirant vorgesehen.

In der Schweiz sind nach dem Reifezeugnis drei Semester Naturwissenschaft mit anschließender naturwissenschaftlicher Prüfung vorgeschrieben. Dieser Ausbildung folgt ein 18 Monate langes Praktikum in Apotheken und anschließend eine Assistentenprüfung. Daran schließt ein fünfsemestriges Fachstudium mit Fachprüfung und Erteilung des A-Diploms an.

Wir sehen also, wie eindeutig in allen deutschsprachigen Gebieten der Schwerpunkt der Apothekerausbildung auf der pharmazeutischen Seite liegt.

3. Praxis

Vom Apotheker wird indirekt erwartet, daß er sich das zum Führen einer Apotheke notwendige kaufmännische Wissen in der Praxis aneignet, denn

[5] Vgl. Approbationsordnung für Apotheker v. 19. 7. 1989, BGBl I S. 1489.

das im 3. Prüfungsabschnitt des Studiums vorgeschriebene Pensum an Betriebswirtschaftslehre reicht hierzu nicht aus.
Wie notwendig die Kenntnis einer betriebswirtschaftlichen Unternehmensführung ist, sollen die nächsten Kapitel zeigen. Die starken Schwankungen in der Rentabilität der einzelnen Apotheken – ob es sich dabei um unrationelle Arbeitsabläufe, unrentable Warenhaltung, ungünstige Einkaufsbedingungen usw. handelt, ist ziemlich gleichgültig – geben ein aufschlußreiches Bild. Um so verwunderlicher ist es, daß die dringend erforderliche Fachliteratur noch nicht ausreichend zur Verfügung steht. Während schon im Jahre 1909 in Stuttgart eine Veröffentlichung zum Thema „Der Apotheker als Kaufmann" erschien, findet der junge Pharmazeut, der sich heute eine Apotheke einrichten will, selten die notwendigen Unterlagen.
Es empfiehlt sich daher, durch systematische Ausbildung Kenntnisse schneller und gründlicher zu erwerben als durch Erfahrung. Wieviel Verluste die Apotheker allein deshalb einstecken mußten, weil sie erst auf Grund von eigenen Erfahrungen und seltenem Erfahrungsaustausch mit Kollegen optimale Einkaufsbedingungen und ähnliches erreichten, läßt sich nicht einmal schätzen.

4. Schlußfolgerung

Was können wir nun aus dem über Ausbildung und Praxis Gesagten folgern?
Die Zwitterstellung des Apothekers geht schon aus der Kombination der Kaufmannseigenschaft und der besonderen Betriebsführung einer Apotheke hervor. Nach dem Gesetz über das Apothekenwesen[6] obliegt den Apotheken die im öffentlichen Interesse gebotene Sicherstellung einer ordnungsgemäßen Arzneimittelversorgung der Bevölkerung. Darüber hinaus hat das Bundesverfassungsgericht in einer Entscheidung vom 13. 2. 1964 klargestellt, daß der Apotheker einen Heilberuf ausübt und die Apotheke deutscher Prägung nicht in erster Linie ein in Gewinnabsicht betriebenes Unternehmen, sondern eine Einrichtung des öffentlichen Gesundheitswesens darstellt.
Schließlich heißt es, daß Arzneimittel nicht den Waren der Einzelhandelsgeschäfte gleichgesetzt werden dürfen:

[6] Vgl. Gesetz über das Apothekenwesen vom 15. 10. 1980, BGBl I S. 1963, zuletzt geändert durch Einigungsvertragsgesetz vom 23. 9. 1990, BGBl II S. 1082, bes. Anl. II Art. 5 Nr. 6 S. 1244.

„Der Gesetzgeber geht von der Erkenntnis aus, daß das Arzneimittel keine gewöhnliche Ware, sondern eines der wichtigsten Hilfsmittel der ärztlichen Kunst ist.“[7]

Aus der Apothekenbetriebsordnung[8] darf ebenfalls gefolgert werden, daß der Apothekenbetrieb auf die Erzielung eines Höchstmaßes an Qualität der Arzneimittelversorgung ausgerichtet ist und nicht auf ein Höchstmaß von quantitativem Verkauf.
Unabhängig von den zahlreichen Angriffen auf den Berufsstand hat sich das Image des Apothekers in der Bevölkerung erhalten. Nach Meinung der Bevölkerung[9] ist die Bewertung eines guten Apothekers unverändert hoch. Als Eigenschaften werden genannt: qualifizierte wissenschaftliche Ausbildung, gute Kenntnisse in der Medizin, Verantwortungsbewußtsein, Genauigkeit, gute Kenntnisse über Pflanzen und Naturwirkstoffe, Kenntnisse in der Chemie, Hilfsbereitschaft, Einsatzbereitschaft und ein freundliches Wesen. Weniger wichtig scheinen die kaufmännischen Fähigkeiten. Betrachtet man aber die Relation von Erträgen zu Aufwendungen der Apotheken, die sich im halbierten betriebswirtschaftlichen Ergebnis in den letzten 10 Jahren ausdrückt, dann wird die tatsächliche Bedeutung der kaufmännischen Grundlage für den Apotheker besonders deutlich. Ähnlich wie im Einzelhandel ist ein laufender Gewinnverfall und bei vielen Apotheken ein stagnierender Umsatz bei nicht selten realen Umsatzrückgängen zu verzeichnen.
Ungeachtet dieser Entwicklung steigt die Zahl der Apotheken weiter an und nimmt die Anzahl der Pharmaziestudenten weiter zu.
Ein Apotheker muß heute auf der einen Seite Pharmazeut sein, wenn man den Begriff der pharmazeutischen Tätigkeit, analog der Apothekenbetriebsordnung, sehr weit auslegt. Danach gehören nach § 3 sowohl Produktion (Herstellung von Arzneimitteln) als auch Verkauf (Abgabe von Arzneimitteln) zu den pharmazeutischen Tätigkeiten. Bemerkenswert ist vielleicht, daß manche als apothekentypisch angesehenen Arbeiten wie Harnanalysen oder physiologisch/chemische Untersuchungen nicht zu den pharmazeutischen Tätigkeiten gehören, es sind para-pharmazeutische Tätigkeiten.[10]
Der Apotheker soll zuerst Rat geben, helfen, ja oft muß er viel zuhören und auch „nein“ sagen können. Er muß den Kunden manchmal erst zum Arzt schicken und darf nicht das Ziel verfolgen, um jeden Preis verkaufen

[7] Kölle, S., Schiedermeier, R. (1968).
[8] Apothekenbetriebsordnung vom 9. 2. 1987, BGBl I S. 547, zuletzt geändert durch Einigungsvertragsgesetz vom 23. 9. 1990, BGBl II S. 885.
[9] Vgl. Herrmann, M. (1983).
[10] Vgl. Cyran, W., Rotta, Chr. (1987), § 3 Rdnr. 58 S. 21, § 25 Rdnr. 8 S. 6.

zu wollen. Er und seine pharmazeutischen Mitarbeiter müssen sich einfach Zeit zum Beraten nehmen. Dies wäre theoretisch möglich, da die durchschnittliche Kundenzahl pro Apotheker immer geringer wird.
Diese Folge der unbeschränkten Niederlassungsfreiheit macht aber in verstärktem Maße auf die wirtschaftliche Situation aufmerksam. Ein Apotheker kann seinen (pharmazeutischen) Aufgaben nur dann vollständig nachkommen, wenn er auf der anderen Seite ein guter Kaufmann ist. Das bedeutet nicht, daß er um jeden Preis verkaufen muß, heißt aber: günstiger Einkauf und ein optimales Warenlager, rationelle Arbeitsabläufe und Ausnutzen aller kaufmännischen Vorteile, wie sie auch jedes andere gutgeleitete Industrie- oder Handelsunternehmen in Anspruch nimmt. Der Apotheker muß in manchen Dingen noch viel genauer sein, zum Beispiel beim Überprüfen der Umschlaggeschwindigkeit der Arzneimittel, die in engem Zusammenhang mit den Verfalldaten steht.
Alles dies lernt er nicht in den Ausbildungsstätten, sondern in der Praxis.
Über die Neigung und Eignung zu einem Beruf, der durch die Verbindung von wissenschaftlicher Grundlage und täglicher Geschäftstätigkeit eine so vielseitige Spanne umfaßt, ist schon viel geschrieben worden. Über die normalerweise von jeder wirtschaftlichen Führungskraft zu erwartenden Eigenschaften hinaus muß der Apotheker ein besonderes Pflicht- und Verantwortungsbewußtsein haben. Insbesondere muß er jedem Ansinnen des Arzneimittelmißbrauchs widerstehen können, wie lukrativ dieses auch sein möge! Er muß sich – wie andere Führungskräfte der Wirtschaft – stets bewußt sein, daß jede Fehlhandlung schwere Folgen für andere Menschen und auch für ihn selbst haben kann.
Zu der dafür notwendigen Aufmerksamkeit und Konzentrationsfähigkeit kommen aber noch Einfühlungsvermögen und Taktgefühl, die beim Umgang mit dem kranken Mitmenschen notwendig sind. Das vielschichtige Berufsbild des Apothekenleiters setzt jedoch auch kaufmännische Begabung, Initiative und Phantasie als für den Erfolg der Arbeit besonders wichtig voraus. Schließlich muß auch ein starker Sinn für Ordnung vorhanden sein.
Es gibt praktisch keine Alternative, die heißen könnte „Apotheker oder Kaufmann“, sondern die Schlußfolgerung ist:

> „Ein Apotheker kann nur dann ein guter Pharmazeut sein, wenn er als guter Kaufmann auch die Grundlagen dafür schafft.“

Wie dies im einzelnen zu machen ist, sollen die verschiedenen Kapitel dieses Buches zeigen.

II Aufbau einer Apotheke

Oberstes Ziel einer Apotheke ist es, dem Gemeinwohl zu dienen. Dies ist aber nur möglich, wenn eine entsprechende wirtschaftliche Grundlage besteht, da eine Apotheke nicht auf einem System der Kostenerstattung geführt wird. Aus diesem Grunde ist es mehr denn je notwendig, daß die zukünftigen Apothekeninhaber die wesentlichen Voraussetzungen eingehend prüfen.

1. Voraussetzungen und Vorarbeiten

Die gesetzlichen Vorschriften und Pflichten betreffen vor allen Dingen die Vorbedingungen nach der Bundes-Apothekerordnung vom 19. 7. 1989[11]. Danach muß die Approbation erteilt werden, wenn der Antragsteller EU-Bürger ist, die bürgerlichen Ehrenrechte besitzt und die Gesamtausbildungszeit von z. Z. 5 Jahren erfolgreich absolviert hat. Eine gleichwertige Ausbildung wie in der ehemaligen DDR oder in anderen Staaten wird nach zusätzlicher Ausbildung und Prüfung anerkannt.
Nach der Apothekenbetriebsordnung müssen verschiedene wissenschaftliche und sonstige Hilfsmittel dem pharmazeutischen Personal während seiner Tätigkeit einsehbar und nach § 5 Apothekenbetriebsordnung vorhanden sein:

1. Wissenschaftliche Hilfsmittel, die zur Herstellung und Prüfung von Arzneimitteln und Ausgangsstoffen nach den anerkannten pharmazeutischen Regeln im Rahmen des Apothekenbetriebs notwendig sind, insbesondere das Arzneibuch, der Deutsche Arzneimittel-Codex und das vom Bundesminister für Gesundheit herausgegebene Verzeichnis der gebräuchlichen Bezeichnungen für Arzneimittel und deren Ausgangsstoffe (Synonym-Verzeichnis zum Arzneibuch),
2. wissenschaftliche Hilfsmittel, die zur Information und Beratung des Kunden über Arzneimittel notwendig sind, insbesondere Informationsmaterial über Zusammensetzung, Anwendungsgebiete, Gegenanzeigen, Nebenwirkungen, Wechselwirkungen mit anderen Mitteln, Dosierungsanleitungen und die Hersteller der gebräuchlichen Fertigarzneimittel sowie über die gebräuchlichen Dosierungen von Arzneimitteln. In der Amtl. Begründung zu § 5 wird ausdrücklich darauf hingewiesen, daß als wissenschaftliche Hilfsmittel auch Aufzeichnungen auf Bild- und

[11] Vgl. Bundes-Apothekerordnung vom 19. 7. 1989, BGBl I S. 1478, 1842, zuletzt geändert durch Art. 6 des Gesetzes vom 23. 3. 1992.

Tonträgern zulässig sind, sofern sie unverzüglich lesbar gemacht werden können. Damit wird dem Einzug der elektronischen Datenverarbeitung in die Apotheke Rechnung getragen. Z. Z. bietet die ABDA-Datenbank die Möglichkeit, über Btx oder Diskette Arzneimitteldaten abrufen zu können,
3. wissenschaftliche Hilfsmittel, die zur Information und Beratung der zur Ausübung der Heilkunde, Zahnheilkunde oder Tierheilkunde berechtigten Personen über Arzneimittel erforderlich sind,
4. Texte der geltenden Vorschriften des Apotheken-, Arzneimittel-, Betäubungsmittel-, Heilmittelwerbe- und Chemikalienrechts.

a) Standortwahl

Besondere Bedeutung kommt der Standortwahl zu. Sie hat auf die wirtschaftlichen Chancen der Apotheke den größten Einfluß. Um so wichtiger ist es, alle entscheidungsrelevanten Kriterien gründlich vorher zu prüfen. Die Mittel dazu reichen von eigenen Recherchen bis zur Beauftragung spezialisierter Berater. Angesichts der außerordentlichen Wichtigkeit der Standortwahl für den späteren wirtschaftlichen Erfolg und des sehr spezifischen und gleichzeitig komplexen Themas ist die Beauftragung eines Spezialisten vorzuziehen. Die Investition von 3000 DM bis 5000 DM für eine Standort- und Sortiments-Analyse ist gut angelegtes Geld.
Ein Patentrezept für die Standortwahl gibt es nicht. Dafür sind die Faktoren zu unterschiedlich. Schon die Region spielt eine gewisse Rolle. Darüber hinaus natürlich die Lage in Stadt und Land. Dann die Qualifikation des Ortsteils nach sozialen Schichten, nach Einkommensstrukturen, nach Altersgruppierungen etc. Die Intensität des Fußgängerverkehrs muß geprüft werden. Die Nähe von Arztpraxen ist wichtig. Nicht zuletzt ist zu klären, wieviel weitere Apotheken sich im unmittelbaren Umkreis befinden. Auch die Teil-Konkurrenz – z. B. Drogerien und Reformhäuser – muß beachtet werden, denn jeder dritte Konsument kauft nicht ausschließlich Medikamente in der Apotheke.
Wichtig sind vor allem die Größe und die Qualität des Kunden-Potentials! Hier einige Faktoren, die sich in der Praxis als besonders positiv bzw. negativ herausgestellt haben:

Positive Faktoren

1. Mehrere Ärzte in unmittelbarer Umgebung. Dabei ist es wichtig, daß die Zahl der praktischen Ärzte weitgehend proportional zur Wohnbe-

völkerung ist, während Fachärzte je nach ihrer Zahl das eigentliche Einzugsgebiet und damit den möglichen Umsatz der Apotheke vergrößern können.

2. Lage der Apotheke an wichtigen Verkehrswegen, in der Nähe von stark frequentierten Kaufhäusern, in der Nähe öffentlicher Gebäude mit starkem Publikumsverkehr, in der Nähe von Haltestellen usw. Außerdem muß guten Parkmöglichkeiten erhöhte Beachtung geschenkt werden.

Negative Faktoren

1. Reine Wohngegend ohne Geschäftszentren, in welchen die Bevölkerung die Bedürfnisse des täglichen Lebens, wie Nahrung und Kleidung befriedigen kann.
2. Fehlende Ärzte.
3. Starker Pendelverkehr: Die Menschen, die an einem von ihrem Wohnsitz weit entfernten Arbeitsplatz tätig sind, werden häufig dort den Arzt und damit auch die Apotheke aufsuchen. Zudem werden sie ihren weiteren Bedarf „en passant" in einer günstig gelegenen Apotheke auf dem Weg zum Arbeitsplatz kaufen. Demnach wäre es wohl ein Trugschluß, aus einer zwar vorhandenen Bevölkerung von beispielsweise 4000 bis 5000 Menschen in einer Peripherie- oder Landlage auf die Lebensfähigkeit einer neuen Apotheke schließen zu wollen, als auch aus einer fehlenden Wohnbevölkerung die Existenzchance für eine neue Apotheke zu verneinen. Gerade die lukrativen City-Apotheken mit Umsätzen von 2 Mio. DM und mehr bei völlig fehlender Wohnbevölkerung beweisen das.

   Jeder einzelne dieser Faktoren kann die Bewertung des Standortes entscheidend beeinflussen. Sekundär wichtig – weil logistisch unproblematisch – ist die Nähe zu Großhandelsfirmen oder Herstellern. Auch der Kostenaspekt für Boden, Raum, Miete oder Transport wirkt sich nicht so entscheidend aus, wie vielleicht häufig angenommen.

b) Sortimentsanalyse

Ein zweiter Fragenkomplex, der schon frühzeitig gründlich geklärt werden muß, ist die Zusammensetzung des Sortiments.
Beim Sortiment spielen die gleichen Faktoren eine Rolle, die bereits zum Thema „Standortwahl" genannt wurden. Darüber hinaus gibt es weitere Einflußkriterien: regional bedingte Stärken und Schwächen von Herstel-

lern, Marktdurchsetzung bestimmter Produkte, mentalitätsbedingte Eigenheiten des Kundenkreises etc.
Will man die Kosten für eine Sortimentsanalyse sparen, kann man die Sortimentszusammensetzung natürlich selbst durch sorgfältige Kontrolle der Nachfragehäufigkeit und Umschlagsgeschwindigkeit im Laufe einer längeren Zeit (Minimum 6 Monate, Norm 1 Jahr) optimieren. Das kostet allerdings viel Zeit und verlangt erheblichen zusätzlichen Kontrollaufwand. Der Vorteil einer **vorab** durchgeführten Sortimentsanalyse liegt darin, daß man von Beginn an mit optimalem Sortiment startet und lediglich bei aktuellen Verschiebungen korrigieren muß. Dies gilt sowohl für die Spezialitäten als auch für Sichtkauf und Freiwahl-Sortimente.
Es liegt auf der Hand, daß standort- und marktorientierte Sortimentsgestaltung direkte und erhebliche Auswirkungen auf die Raumgröße, Raumgestaltung, das Einrichtungskonzept, die Lagerorganisation und die Logistik haben. Eine gründliche Vorbereitung, wie beschrieben, ist deshalb nicht nur erforderlich, um die wirtschaftlichen Chancen einer neuen Apotheke beurteilen zu können, sie ist ebenso notwendig, um Baulichkeiten und Organisation bedarfsgerecht planen zu können.

c) Das „Firmengesicht“

Apotheken genießen – wie Untersuchungen beweisen – in der Bevölkerung besonderes Ansehen. Die medikamentöse Versorgung ebenso wie die weithin erwartete Beratung im Bereich der Gesundheitsvorsorge führen zu einem Vertrauenspotential, dem die Apotheke in allen ihren Darstellungsformen entsprechen sollte.
Da ist zunächst der **Firmenname.** Er sollte kurz und prägnant sein – dies kommt der Merkfähigkeit zugute. Er sollte einen Sinnbezug haben – z. B. auf eine Tradition, auf ein historisches Faktum, auf eine städtebauliche Eigenheit oder ähnliches. Apotheken waren schon immer in besonderer Weise in das Leben und die Geschichte ihres Gemeinwesens eingebunden. Dies galt nicht nur früher, sondern gilt in vielen Fällen auch noch heute. Ein in diesem Sinne gewählter kurzer, prägnanter, sinnenthaltender Name gibt auch einer neuen Apotheke von vornherein die notwendige Einbindung. Deshalb haben sich Namen wie z. B. „Burg-Apotheke“, „Dom-Apotheke“, „Roland-Apotheke“, „Stachus-Apotheke“, „Alster-Apotheke“ gut bewährt.
Nach § 3 der Apothekenbetriebsordnung muß im Firmennamen das Wort „Apotheke“ ebenso vermerkt sein wie der Familienname und der Vorname des Apothekers. Nicht zulässig sind irreführende Bezeichnungen (z. B. würden die Namen „Zentral-Apotheke“ oder „Haupt-Apotheke“

oder „Stadtapotheke“ den Eindruck einer übergeordneten Institution erwecken und somit zu Mißverständnissen führen). Weitere Beschränkungen in bezug auf die Namensgebung existieren nicht.
Wie der Firmenname gehört auch das äußere **Erscheinungsbild** zum „Firmengesicht“.
Wesentlichstes Erkennungszeichen einer Apotheke ist das „A“. Mehr als jede andere Firma sollte eine Apotheke im Straßenbild leicht erkennbar sein, denn nicht selten werden Medikamente vom Patienten dringend benötigt. Das optisch und stilistisch hervorragendste Mittel dazu ist das Apotheken-„A“. Es setzt sich auch im unruhigen Bild einer belebten Großstadtstraße deutlich von anderen optischen Signalen ab. Und es ist – dies ist noch wichtiger – ein „gelerntes“ Signal.
Ebenfalls von Bedeutung ist die Gestaltung der **Schaufenster.** Schaufenster haben die Aufgabe, in kurzer, prägnanter Form ein Angebot oder eine Leistung zu signalisieren. Da die Leistung der Apotheke nicht nur im Verkauf von Waren, sondern auch in der Beratung über Gesundheitsthemen liegt, sollte dies in der Gestaltung der Schaufenster zum Ausdruck kommen, indem allgemein interessante Gesundheitsthemen, aktuelle Bereiche der Gesundheitsvorsorge – nicht aber Verkaufsangebote mit Preisvorteilen – hervorgehoben werden.
Auch der **Eingang** kann für die Attraktivität einer Apotheke einiges tun. Psychologisch richtig gestaltet, vermeidet er Enge und Abgeschlossenheit. Er ist weit und offen und gibt bereits einen Zugang zum Apotheken-Inneren. Nachtdienstkästen, Hinweise auf Öffnungszeiten und Angaben über Bereitschaftsdienst, entweder eingearbeitet in den Eingang oder in das Schaufenster, werden vom Kunden als hilfreiche Informationen empfunden, wobei auf gute Lesbarkeit bereits vom Straßenrand her geachtet werden sollte.
Das äußere Bild einer Apotheke wird oft unterschätzt, weil man glaubt, eine konservative Gestaltung genüge auch heute noch. Tatsächlich bestätigt der Erfolg neu eingerichteter oder modern umgebauter Apotheken diese Ansicht nicht oder nicht mehr. Es gibt sogar Vorschläge, eine neue Bezeichnung für Apotheken unter Einbindung des Begriffs „Gesundheit“ zu suchen, da dieses höchste Gut des Menschen immer wichtiger erscheint. Vielleicht wird man in einiger Zeit von Apotheken auch als Gesundheitsläden sprechen.
Auf jeden Fall scheint es sehr wichtig, das Vertrauen, das die meisten Menschen mit einer Apotheke verbinden, sorgsam zu pflegen, denn gerade in einer von vielen Umwälzungen und Fehlbeurteilungen geprägten Zeit gewinnt das Vertrauen[12] einen immer höheren Wert.

---

[12] Vgl. Schwalbe, H., Zander, E. (1989), S. 41 ff.

2. Raumplanung

a) Arbeitsabläufe und Arbeitsplatzgestaltung

Sehr wichtig ist – auch für die Arbeitsabläufe und die Arbeitsplatzgestaltung – die Raumplanung. Der Kundenraum muß so gestaltet werden, daß für den Kunden einerseits eine vertrauenerweckende Atmosphäre entsteht, andererseits für ihn der Eindruck erwächst, sich in einer Erlebniswelt zu befinden. Dabei müssen selbstverständlich die gesetzlichen Bestimmungen, die Vorschriften der Apothekenbetriebsordnung, die Unfallverhütungsvorschriften für Apotheken und die baupolizeilichen Vorschriften eingehalten werden.
Durchdachte Raumplanung heißt optimale Ausnutzung des zur Verfügung stehenden Platzes und Rationalisierung der Arbeitsvorgänge. Auf diese Weise können die Produktivität der Apotheke wesentlich erhöht und Sachkosten gespart werden.
Ergonomisch richtige Arbeitsplatzgestaltung, rationelle Arbeitsabläufe, funktionell richtige Kommunikationssysteme gehören heute ebenso wie arbeitsphysiologische Erfordernisse (Belüftung und Belichtung an allen Arbeitsplätzen) zum Know-how guter Einrichtungsfirmen. Diese Kenntnisse sind jedoch nicht so selbstverständlich, wie man annehmen dürfte. Es lohnt sich deshalb, gründliche Informationen einzuholen.
Wichtig sind möglichst kurze Wege im Arbeitsbereich für die Warenauslieferung, das Sortieren mit anschließendem optimalen Einräumen in modernen Schubschrankanlagen. Die heute allgemein bevorzugte Organisation der Schubschränke bietet den Vorteil einer sehr übersichtlichen, dabei aber auf kleinstmöglichem Raum konzentrierten Unterbringung einer großen Anzahl von Spezialitäten und deren Angebotsformen. Die ebenso einfache wie effiziente Führung und Überwachung der Haupt- und Sonderläger mit Hilfe des Fahrenberger-Doppelkarten-Systems hat einen sehr hohen Stand an Rationalisierung erreicht. Die Kontrolle der Bestell- und Mindest-Mengen, die Einleitung der Bestellung und Überwachung der Warenlieferung, die Wiedereinräumung gestalten sich mit Hilfe dieses Systems unproblematisch.
Für die Anordnung des Spezialitätenlagers bedeutet dies, daß die Schubschränke nicht mehr wie früher hinter dem Handverkaufstisch, sondern heute hinter dem Sichtkaufbereich eingeplant werden.
Unterteilt man die Apotheke in zwei Bereiche, den Kundenraum und den Lager-/Arbeitsbereich, so gilt die Regel: im Arbeitsbereich die Wege so kurz wie nötig, im Kundenraum so lang wie möglich halten.

Die Mikro-Filmtaxe (Lauer) dürfte heute in nahezu jeder Apotheke vorhanden sein. Die Notwendigkeit, entsprechende Daten insbesondere im Zusammenhang mit dem GRG und GSG über ein EDV-Terminal sichtbar für Apothekenpersonal und Kunden werden zu lassen, wird bereits kurzfristig in jeder kundenorientiert geführten Apotheke gegeben sein.
In kleineren Apotheken ist es wichtig, daß vom Arbeitsplatz des Apothekers der Eingang zu überblicken ist.
Eine Telefonanlage, die sowohl vom Kundenraum als auch vom Bestelltisch erreichbar ist und bei langen Telefonwartezeiten über Lautsprecheranlagen verfügen muß, dürfte immer zu empfehlen sein.
Kleine, aber wichtige Annehmlichkeiten – wie Kurzwahl und Wahlwiederholung oder Umschaltung des Telefongesprächs auf Lautsprecher – vervollständigen die Arbeitsplatzordnung. Auch Klingelanlagen haben sich bewährt, damit die Helferin/PKA bei kleinen Apotheken immer erreichbar ist.
Wenn der Anteil der „Telefonkunden" hoch ist, sollte man die Installation von zwei Fernsprechanschlüssen in Erwägung ziehen. Ebenso haben sich Gegensprechanlagen – z. B. zwischen Kundenraum und Labor – bewährt.

b) Kundenraum (Offizin)

Die Offizin gliedert sich in den Handverkaufsbereich mit Sichtkauf und Freiwahl, Spezialitätenlager und Rezeptur, die wir im einzelnen ausführlich behandeln wollen.
Dabei ist es eine Frage der individuellen Ausrichtung einzelner Apotheken, ob sie die Rezeptur als Profilierungszone einsichtig für Interessenten und Kunden der Apotheke in der Nähe des Kundenraumes anordnen oder aber, soweit regional zulässig, Labor- und Rezepturräume im Arbeitsbereich z. B. aufgrund begrenzter Apothekengrundfläche eng aneinander angliedern.

Handverkaufsbereich

Mit jeder Apothekenum- oder -neugestaltung soll eine möglichst große Flexibilität erreicht werden, so daß man sich auf sich verändernde Randbedingungen ohne größere Kosten einstellen kann. Für den Handverkaufstischbereich bedeutet dies, daß Handverkaufstische nicht als trennende Barrieren, sondern vielmehr als Beratungs- und Verkaufstische durchlässig angeordnet und gestaltet werden. Dies hat den Vorteil, daß sich zwischen Apothekenpersonal und Kunden – nicht nur Patienten – ein

Dialog entwickeln kann, weil Apotheker und PTA z. B. verstärkt auf Kunden innerhalb des Kundenraumes zugehen können. Die Beratung, die profilierende und am meisten unterscheidbare Dienstleistung gegenüber anderen Handelstypen, kann damit z. B. direkt an den Warenträgern stattfinden, in denen verkaufsaktiv Freiwahlprodukte angeboten werden.
Das Aufeinanderzugehen, der intensivere Dialog und damit das Abbauen von Hemmschwellen werden durch entsprechende Handverkaufstischinseln erreicht, die einerseits selbstverständlich den Kundenraumbereich hinreichend zum Arbeitsbereich abgrenzen müssen und andererseits die individuelle Beratung mehrerer gleichzeitig anwesender Kunden sicherzustellen haben.
Aber auch die „Begleitumstände" in Form von Raum und Lichtwirkungen können viel dazu beitragen, eine kundenfreundliche Atmosphäre zu schaffen.
Eine zunehmende Bedeutung wird in der Apotheke der Beratung beigemessen, die mit hoher Vertraulichkeit und Sensibilität erfolgen muß. Dabei geht es um ganz persönliche Belange, die für den betreffenden Kunden mit einer hohen Hemmnisschwelle verbunden sind, so z. B. die Beratung über Inkontinenz- oder Stoma-Probleme. Eine derartige Beratung kann nicht mehr am Handverkaufstisch oder an einem Beratungstisch im Kundenraum durchgeführt werden. Hier ist im Rahmen der Einrichtungsplanung für die Intensivberatung ein separater Raum vorzusehen, der vom Kundenraum direkt zugänglich ist. Dieser Raum hat gegenüber dem sog. „Chefzimmer" des Apothekers den Vorteil, daß in einer ansprechenden Atmosphäre in Ruhe und ausführlich auf die Belange des Kunden eingegangen werden kann. Kein mit den verschiedensten Arbeitsvorgängen beladener Schreibtisch erschwert den Dialog wie auch nicht das Klingeln des Telefons. Neuere, zeitgemäße Apothekenkonzepte werden dieser Forderung zunehmend gerecht werden müssen.

Hier einige wesentliche Erkenntnisse:

● **Sparen Sie nicht mit Licht!**

Beim Licht unterscheiden wir zwischen der Raum-, Arbeitsplatz- und Akzentbeleuchtung. Gesetzliche Richtlinien sind dabei ebenso zu berücksichtigen wie zeitgemäße Erkenntnisse über die verkaufsfördernde Wirkung z. B. von Halogenlicht, ausgerichtet auf verkaufsaktive Packungsgestaltungen.
Licht ist ein sensibles Instrument der Raumgestaltung. Der Helligkeitsgrad sollte wohldosiert und die Farbtemperatur sorgsam ausgewählt sein. Zuviel Licht kann blenden, zuwenig Licht bedrückend wirken. Im Rahmen des erfolgreichen Einrichtungskonzepts setzen Sie Ihr Leistungsspek-

trum mit dem Produkt- und Dienstleistungsangebot ins rechte Licht und prägen auch in diesem Detail das unverwechselbare Erscheinungsbild Ihrer Apotheke.

- **Vermeiden Sie Enge und Schwere!**

Viele Menschen wehren sich unbewußt gegen „Bedrängung". Gemeint ist eine körperliche Enge, die die Bewegungsfreiheit einschränkt. Dieses Gefühl kann sowohl erzeugt werden durch enge oder überfüllte Räume als auch durch bedrückende Farbwirkungen. Der psychologisch richtig gestaltete Kundenraum gibt dem Kunden emotionelle Bewegungsfreiheit.

- **Setzen Sie dosiert Farben ein!**

Farben haben ihre emotionale und psychologische Bedeutung. Es leuchtet ein, daß aggressive Farben ebenso beeinträchtigen wie bedrückende. Für die psychologisch richtige Gestaltung des Kundenraums bedeutet das, daß Farben **harmonisch** eingesetzt werden müssen, also in einer Intensität und Mischung, die als freundlich, angenehm und unaufdringlich empfunden wird.

- **Vermeiden Sie Leere, überbrücken Sie Distanzen!**

Leer ist verwandt mit arm und karg. Leere Distanzen können zur psychologischen Belastung werden. Deshalb: Vermitteln Sie Ihrem Kunden durch eine entsprechende Raumaufteilung, durch entsprechende Angebote ein Gefühl der Nähe.

- **Vielseitigkeit macht interessant!**

Noch bis in die 70er Jahre hinein wurde in der Apotheken-Einrichtung nach „klassischen" Gestaltungsrichtlinien gearbeitet: klare Linien, ruhige Flächen, zurückhaltendes Dekor. Stilistisch ist gegen eine solche Gestaltung nach wie vor nichts einzuwenden. Sie hat lediglich unter dem Gesichtspunkt einer psychologisch richtigen Gestaltung der Apotheke in der Situation des Wettbewerbs den Nachteil der Passivität. Die moderne Form der Apotheke trägt der Erwartung des Kunden, in vielfältigen Bereichen der Gesundheitsvorsorge vom Apotheker „Lebenshilfe" zu bekommen, Rechnung (bei Themen wie Schnupfen, Erkältung, Magenverstimmung, Frühjahrsmüdigkeit, Gewichtsreduzierung, Diätetik, Gesundheitskost, Reiseprophylaxe etc.). In diesen Bereichen ist den Apothekern eine „Zuständigkeit" zugewachsen, der sie sich heute nicht entziehen können. Dem muß das Angebot im HV-Bereich (Sichtkauf und Freiwahl) entsprechen. Der Kunde hat hier vielseitige Interessen. Würde man die Beratung

heute auf den reinen Arzneimittelbereich beschränken, wäre dies ein erheblicher Wettbewerbsnachteil.
Der Apotheker ist erfolgreich, wenn er sich aufgrund seiner Kundenstrukturanalyse klar für und auch eindeutig gegen bestimmte Sortimentsbereiche entscheidet. Derjenige Apotheker, der gezielt dann auch noch innerhalb dieser Sortimente die entsprechende Breite und Tiefe festlegt, seine Entscheidungen regelmäßig überprüft und ggf. abändert, wird besonders erfolgreich sein.

- **Übersichtlichkeit hilft dem Kunden!**

Zwar gilt der Verkaufsgrundsatz „Wer sucht, bleibt länger – Wer länger bleibt, kauft mehr“ für verkaufsorientierte Handelsformen, nicht aber in dieser krassen Form für die Apotheke. Der Kunde kommt nicht allein in die Apotheke, um zu kaufen, sondern er kommt mit einem bestimmten Problem, zu dem er beraten werden möchte. Hier ist der Kauf eines bestimmten Produktes sekundär. Es entspricht deshalb sowohl der Interessenlage des Kunden als auch dem besonderen Stil der Apotheke, das Angebot von problemlösenden Artikeln in Sichtkauf und Freiwahl übersichtlich anzubieten. Übersicht heißt, durch Hinweisschilder und Blockbildung Themenbereiche bilden, die auf einen Blick übersehen werden können.

- **Ein bißchen Dekoration wirkt verbindend!**

Es nimmt der Apotheke etwas die wissenschaftliche Strenge, wenn man durch wohldosierten Einsatz von nicht-apothekenspezifischen Gestaltungsmitteln Atmosphäre schafft. Es kann nicht deutlich genug darauf hingewiesen werden, daß eine gute Dekoration im Schaufensterbereich die Aufmerksamkeit von Passanten und damit potentiellen Kunden auf einzelne Apotheken zieht. Viele Apotheker müssen allerdings noch lernen, daß sie eine Apotheke und keinen Blumenladen oder ein Antiquitätengeschäft führen. Einzelstücke als Akzente zu Schwerpunktthemen wirken besser.

- **Denken Sie auch an die alten Leute!**

Dies gilt generell: Kein Kunde wartet gern. Vor allem aber alten Leuten fällt das Stehen schwer. Eine kleine Sitzecke zum Warten mit etwas Lesematerial wird immer als Aufmerksamkeit empfunden.

- **Sichtkauf hinter dem HV-Tisch wirkt verkaufsfördernd!**

Sichtkauf-Warenträger hinter den Handverkaufstischen wirken nicht nur verkaufsfördernd, sie sind zwingend notwendig und ebenfalls ein ent-

scheidendes Profilierungssegment für die Apotheke. Wesentlich ist, daß die Produkte sichtbar für den Kunden in den Sichtkaufregalen attraktiv angeleuchtet oder mit hinterleuchteten Hinweisschildern versehen präsentiert werden, so daß die Aufmerksamkeit des Kunden geweckt wird. Schnelldreher gehören somit nicht unsichtbar für den Kunden in die Schubladen des Handverkaufstisches, sondern in die dahinter angeordneten Warenträger.
Bei der Warenplazierung wirkt die Präsentation einzelner Produkte wenig verkaufsaktiv, im Gegenteil, die Waren sollten in größeren Mengen präsentiert werden, dies bewirkt höhere Verkaufszahlen. Es gilt generell, daß die Sortimentsauswahl entsprechend der Bewertung des Umfeldangebotes konkurrierender Geschäfte wie anderer Apotheken, Drogerien, Parfümerien und entsprechend der gewünschten Kundenstruktur getroffen werden muß.

● **Freiwahl**

Freiwahl in einem bestimmten Umfange gehört heute zum „Profil" einer Apotheke. Sie ist deshalb nicht primär unter dem Gesichtspunkt eines Beitrags zur Gesamtrendite zu sehen, sondern unter dem der Attraktivität der ganzen Apotheke.
Die Freiwahl sollte dem besonderen Charakter und der besonderen Verpflichtung der Apotheke gegenüber dem Kunden Rechnung tragen und nur diejenigen Produkte enthalten, die in besonderer Weise für die Gesundheitsvorsorge konzipiert sind. Es sollte sich um interessante Produkte handeln, deren Qualität ein Apotheker jederzeit vertreten kann.
Wie sich ein Freiwahlsortiment zusammensetzt, kann nur für jeden Fall spezifisch bestimmt werden.
Freiwahl ist ihrer Natur nach „Selbstbedienung mit Beratungserwartung". Die Freiwahlpräsentation sollte deshalb auf die Verhaltenspsychologie des Kunden abgestimmt sein. Das gilt besonders nach dem GRG/GSG und der steigenden Bedeutung der Körperpflegemittel und Kosmetika[13].

● **Heiße Zonen beachten!**

Es gibt in einem Verkaufsraum heiße Zonen! Warum das so ist, weiß niemand. Tatsache ist aber, daß 90 % der Menschen sich in einem größeren Raum nach rechts orientieren (Rechtsdrall), wodurch bestimmten Stellen des Raumes besondere Aufmerksamkeit zukommt. Dies sind die Mittelstücke der Wände, Auflaufflächen, Kopfseiten von Gondeln und sog.

[13] Vgl. Werther, I. (1989), S. 29.

Wirbelnasen. Benachteiligte Stellen dagegen sind Ecken, Mittelgänge zwischen Regalen, Rückseiten von Gondeln in der Laufrichtung.
Dieses Verhalten kann genutzt werden, indem man besonders interessante Artikel an Stellen hoher Aufmerksamkeit plaziert. Man kann auch genau das Gegenteil tun, nämlich schwächere Artikel an Stellen hoher Aufmerksamkeit präsentieren, und die eher schwachen Stellen mit Produkten bestücken, die der Kunde sowieso kaufen wird.
Auch für die Regale gelten einige interessante Verhaltensweisen:
Ebenso wie der Kunde sich im Raum rechts herum bewegt, greift er vor einem Regal stehend eher nach rechts als nach links. Es hat sich bewährt, Produktbereiche in Themenblocks vertikal anzuordnen. Eine horizontale Ordnung ist deutlich verkaufsschwächer. Man hat außerdem festgestellt, daß es bevorzugte Regalhöhen gibt. Nämlich in dieser Reihenfolge:

1. Griffhöhe
2. Sichthöhe
3. Kniehöhe.

Einige Regeln zur Warenplazierung im Regal: Breite verkauft – Tiefe sieht keiner. Plazieren Sie also immer mehrere Packungen nebeneinander und weniger Packungen hintereinander. Plazieren Sie außerdem mit sog. „Grifflücken", d. h., schaffen Sie keine geschlossenen wohldekoriert wirkenden Produktfronten. Dies hat den Effekt, daß man die ästhetische Ordnung nicht zerstören mag und die Produkte deutlich weniger gekauft werden. Grifflücken heißt, bewußt Ordnung auflösen und den Eindruck erwecken, daß hier bereits gekauft wurde.

c) Spezialitätenlager

- **Ein Alphabet!**

Eine Trennung der vorrätig gehaltenen Spezialitäten nach Indikation, Verabreichungsform usw. in bis zu 25 und mehr Alphabete gehört endgültig der Vergangenheit an. Abgesehen von den sachlich notwendigen Trennungen – erwähnt seien in diesem Zusammenhang lediglich die kühl zu lagernden Spezialitäten, Großpackungen und HV-Artikel – sind heute alle Spezialitäten in einem einzigen Alphabet untergebracht. Organisatorisch werden jedoch auch diese nicht vermeidbaren Ausnahmen so behandelt, als seien sie im Haupt- oder Generalalphabet enthalten.
Vernünftigerweise wird der Apothekengestalter bei der Raumplanung versuchen, möglichst das gesamte Sortiment der Spezialitäten unter weitgehendem Verzicht auf Übervorräte in der Schrankanlage unterzubringen.

Im Übervorratslager – identisch mit der Materialkammer – lagern nur noch die in großen Mengen eingekauften Stapelartikel, der Übervorrat an Großpackungen und Artikeln des Nebensortiments, die Drogen und Chemikalien.
Es ist zu empfehlen, etwa 20 % Reserve im Spezialitätenlager einzuplanen. Zumindest sollte bereits bei der Raumplanung die Möglichkeit einer Erweiterung berücksichtigt werden.
Der Arbeitsablauf spielt in Industrie und Handel eine große Rolle. Bei einer Raumplanung sind kurze Wege entscheidend. Dies gilt auch für die Apotheken. So ist bei der Raumplanung zu berücksichtigen, daß zwischen HV und Spezialitätenlagerung möglichst kurze Wege anfallen. Dies bedeutet günstigstenfalls, daß die Schubschrankanlage direkt hinter den Sichtkaufregalen angeordnet wird.

- **Fördertechnik einsetzen!**

In den teuren Citylagen der Großstädte ist es nicht immer möglich oder wirtschaftlich, die Raumplanung der Apotheke im herkömmlichen Sinn vorzunehmen. Verschiedene Apotheker beschränken daher den Bedarf an teuren Quadratmetern im Erdgeschoß auf ein Minimum. Alle nicht unbedingt im Erdgeschoß benötigten Räume (Spezialitätenlager, Rezeptur, Labor, Materialkammer, Nachtdienstzimmer, sanitäre Räume) werden in das Obergeschoß oder ein rückwärtiges Gebäude verlegt. Nur ein ca. 40 bis 50 m^2 großer Kundenraum mit HV und den Schubschränken für die Spezialitäten liegen direkt an der Straße. Der Weg zwischen Verkaufsraum und den übrigen Räumlichkeiten wird durch moderne Fördertechnik überbrückt.

- **Spezialitätenlager für Kundenaufträge einrichten!**

Für nicht vorrätige, im Kundenauftrag besorgte Spezialitäten sollten im HV-Bereich oder im Arbeitsbereich Regale für die zeitlich begrenzte Lagerung der Medikamente vorgesehen werden. Die Lagerung und Aufbewahrung sollten für die Kunden nicht einsehbar erfolgen.

- **Einsatz von EDV**

Als direkte Unterstützung, insbesondere für den Apotheker, der umbaut, gibt es ein computergestütztes Einräum-System (CES), mit dem mehrere Mitarbeiterinnen in der Apotheke gleichzeitig Spezialitäten wieder in Schubschränke einräumen können. Dadurch kann bei laufendem Betrieb der Apotheke ohne großen Zeitaufwand kurzfristig wieder die gewohnte

Übersichtlichkeit erreicht werden. Das Fahrenberger-CES-Programm bietet die Chance, rechtzeitig zu erkennen, ob unter bestimmten Voraussetzungen die vorgesehenen Schubsäulen in ausreichender Anzahl für die zu lagernden Spezialitäten geplant sind.

d) Rezeptur

- **Plazierung in der Apotheke!**

Meist steht die Rezeptur im Blickpunkt des Verkaufsraumes in unmittelbarer Nachbarschaft der HV-Tische. Sie gilt mit den Standgefäßen als das „Gesicht der Apotheke“. Andererseits ist bekannt, wie wenige Rezepte der Apotheker heute noch selbst anfertigen muß. Da ist es doch viel wirtschaftlicher, den teuren Platz im Verkaufsraum von der Rezeptur freizumachen und verkaufsattraktiver zu nutzen. Die Rezeptur kann an das Spezialitätenlager angeschlossen oder, bei genügendem Raum, zwischen zwei Schrankreihen des Spezialitätenlagers nach wie vor als dekoratives Element eingebaut werden. Günstig ist auf jeden Fall, wenn von der Rezeptur aus ein Blick auf den HV-Bereich möglich ist.
Eine weitere Möglichkeit besteht darin, die Rezeptur an der Fensterfront einzurichten, abgegrenzt durch ein Regal, auf dem größere Arzneiflaschen mit den lateinischen Namen nach außen zum Kunden stehen.
Sofern das Anfertigen von Augentropfen oder Salben zu einer entsprechenden Profilierung aufgrund nahegelegener Arztpraxen geführt hat, ist die Entscheidung, die Rezeptur in den kundennahen Bereich zu legen, sicherlich richtig.

- **Notwendige Größe!**

In den meisten Fällen reicht eine Rezeptur von 1,60–2,00 m Breite aus. Jeder weitere Aufwand ist wirtschaftlich nicht gerechtfertigt.

e) Übrige Apothekenbetriebsräume

Ähnlich wie die Funktionsbereiche des Kundenraumes sollten bei der Raumplanung auch die übrigen Funktionsbereiche der Apotheke wohl durchdacht werden.
Auf Labor, Nachtdienstzimmer, Büro und sanitäre Einrichtungen braucht hier nicht näher eingegangen zu werden. Die gesetzlichen Vorschriften oder die Apothekenbetriebsordnung geben darüber ausführlich Auskunft. Auf zwei Bereiche sei jedoch noch kurz hingewiesen:

Warenannahme:

Die Warenanlieferung durch den Großhandel sollte nach Möglichkeit über einen separaten Eingang und nicht durch den Verkaufsraum erfolgen. In manchen Fällen ist auch der Einbau einer Anlieferschleuse empfehlenswert. Damit wird dem Großhandel eine zeitlich unabhängige Anlieferung ermöglicht, tagsüber geltende Halte- oder Parkverbote können ebenso wie Hauptverkehrszeiten umgangen werden.

Übervorratslager – frühere Materialkammer:

Ein besonders raumsparendes Lagerelement ist eine Rollschrankanlage. In einer ersten Ausbaustufe können dabei die feststehenden Seiten- und Rückwandregale eingebaut werden. Nach Bedarf wird der Endausbau durch die beweglichen Rollschrankelemente vorgenommen. Neben den Übervorräten für Spezialitäten und Artikel des Nebensortiments können in der Rollschrankanlage auch großvolumige Packungen gelagert werden.

f) Sicherheitsmaßnahmen

Besonders in Großstädten häufen sich Einbrüche in Apotheken. Darum ist es immer ratsam, Sicherheitsvorkehrungen am Betäubungsmittelschrank vorzusehen. Sicherheitsschlösser und besonders stabile Ausführung der Schränke haben sich als nicht ausreichend erwiesen. Bessere Erfolge erzielen Sie mit Sicherheitssystemen, wie z. B. dem Aufbau eines elektrischen Feldes, das nach Dienstschluß um den zu schützenden Schrank eingeschaltet wird. Bei einem derartigen Sicherungssystem wird bei einem Einbruch – manchmal in der Wohnung des Apothekers oder der nächsten Polizeistation – ein optisches oder akustisches Signal ausgelöst. Über nähere Einzelheiten und Kosten solcher Systeme geben die Kriminalpolizei oder die Hersteller bzw. Elektroinstallationsfirmen Auskunft.

g) Beispielhafter Grundriß einer zeitgemäßen Apotheke

Abb. 3: Apothekengrundriß

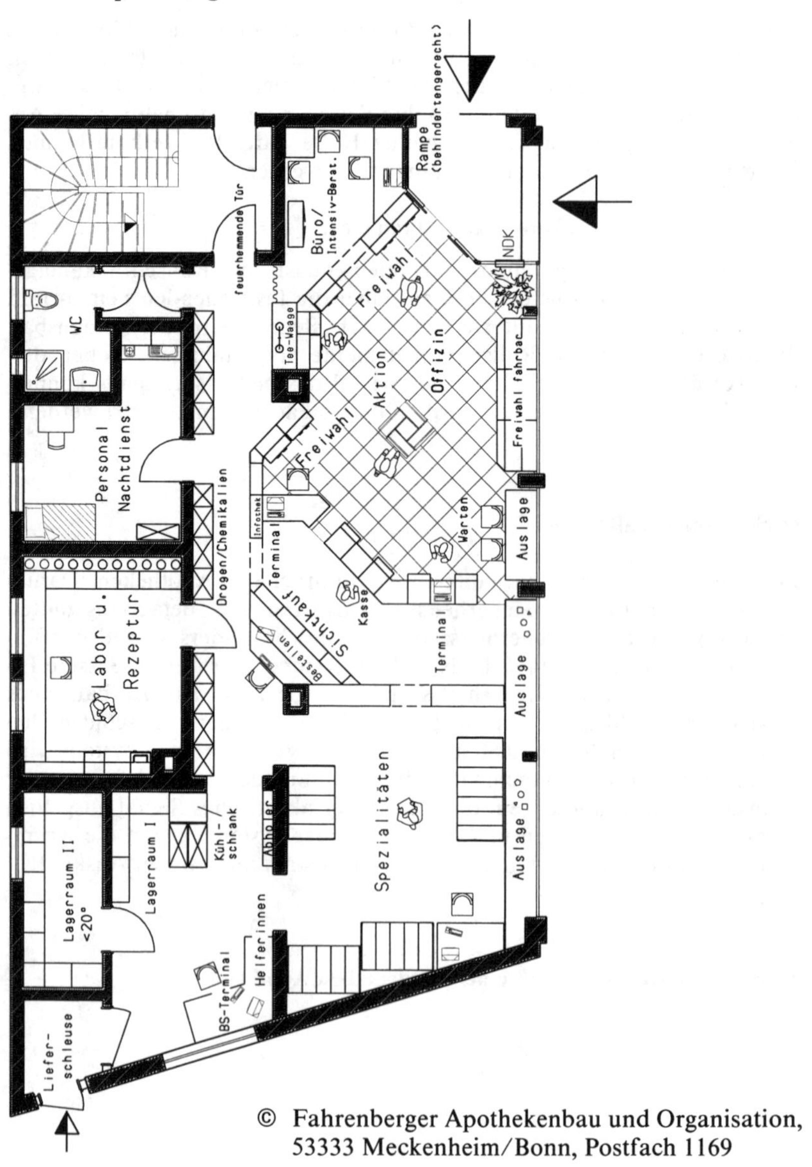

3. Finanzierung

Ein wichtiges Teilgebiet der Betriebswirtschaftslehre ist die Finanzierung. Sie ist eine entscheidende Voraussetzung jeder erfolgreichen Apothekenbetriebsführung. Es ist nicht immer sinnvoll, die Einrichtung einer neuen Apotheke mit Eigenkapital zu finanzieren, manchmal kann die Aufnahme von Fremdkapital sinnvoller sein, um das eigene Kapital für andere Zwecke freizustellen. Da eine planvolle Finanzierung der Apothekenbetriebe noch an Gewicht zunehmen wird, wollen wir uns ausführlicher damit beschäftigen.

Unter Finanzierung werden alle Maßnahmen verstanden, die für die Kapitalausstattung einer Firma notwendig sind. Wenn wir in diesem Zusammenhang von Liquidität im Sinne von Zahlungsbereitschaft sprechen, das heißt, daß eine Apotheke jederzeit in der Lage sein soll, ihren Zahlungsverpflichtungen nachzukommen, dann bedeutet die Finanzierung die zeitgerechte Kapitalbeschaffung und -bereitstellung. Erhebungen zufolge werden die Apotheken überwiegend durch eigene Mittel finanziert. Grundsätzlich sollte das Eigenkapital 50 % betragen. Es gibt aber – besonders in der letzten Zeit – Apotheken, die bis zu 90 %, in seltenen Extremfällen sogar ganz aus fremden Mitteln (Bankkredite, Großhandelsdarlehen, Einrichtungskredite usw.) finanziert worden sind. Wir wollen uns im folgenden mit dem Finanzbedarf beschäftigen, der durch die Eröffnung und das Anlaufen eines Apothekenbetriebes entsteht.

Von Wissenschaft und Praxis sind Finanzierungsgrundsätze entwickelt worden, die wir hier kurz vorstellen wollen:

1. Nach der goldenen Finanzierungsregel müssen die Kapitalüberlassungsfristen mit den Kapitalbindungsfristen übereinstimmen.
2. Das Anlagevermögen und die langfristig gebundenen Teile des Umlaufvermögens (eiserne Bestände) sollen durch Eigenkapital oder langfristiges Fremdkapital, das übrige Umlaufvermögen kann durch kurzfristiges Fremdkapital gedeckt werden.
3. Eigenkapital und Fremdkapital müssen in einem ausgewogenen Verhältnis zueinander stehen, um
   a) die Zahlungsfähigkeit (Liquidität) des Unternehmers zu gewährleisten,
   b) im Rahmen der strengen Bedingung a) die maximale Kapitalrentabilität zu erzielen.
4. Dort, wo eine Finanzierung mit langfristigem Kapital notwendig ist, sollte man soviel wie möglich mit langfristigem Fremdkapital arbeiten; dies gilt allerdings nur dann, wenn die Gesamtkapitalrentabilität über dem Fremdkapitalzins liegt.

Die Grundsätze der Finanzierung wollen wir nun am Beispiel des Apothekenbetriebes veranschaulichen.

a) Finanzplanung

Während aus der staatlichen Finanzwirtschaft die Finanzplanung – gerade durch die konjunkturell bedeutsame mittelfristige Finanzplanung – allmählich bekannt geworden ist, liegt die Finanzplanung in manchen Unternehmen sehr im argen. Viele Konkursfälle der letzten Jahre haben ihre Ursachen in der Illiquidität – also einer Finanzplanung, die zu wenig Spielraum bietet. Darum sollte jeder noch so kleine Betrieb alle wesentlichen Finanzierungsvorgänge – unterteilt nach Zeitabschnitten – vorausplanen. Dabei können ein Gründungs-Finanzplan sowie ein langfristiger und ein kurzfristiger Finanzplan unterschieden werden.
Da bei der Neueinrichtung einer Apotheke die notwendigen Finanzdaten nur sehr grob zu schätzen sind, muß anfänglich die lang- und kurzfristige Finanzplanung eventuell stärker korrigiert werden.

Beispiele:

1. LANGFRISTIGE FINANZPLANUNG

Eine langfristige Finanzplanung spielt für Apotheken eine große Rolle. Wie sie aussieht, mag ein Beispiel zeigen:

Einzahlungen (in 1000 DM)

Planungszeitraum	*1. Jahr*	*2. Jahr*	*3. Jahr*	*4. Jahr*
Verkaufserlöse	*240*	*288*	*320*	*370*
Summe der Einzahlungen	*240*	*288*	*320*	*370*

Auszahlungen (in 1000 DM)

Planungszeitraum	*1. Jahr*	*2. Jahr*	*3. Jahr*	*4. Jahr*
Einrichtung	*120*	*50*	–	–
Miete	*36*	*36*	*40*	*40*
Personal	*60*	*63*	*67*	*72*
Vorräte	*200*	*180*	*198*	*220*
Allg. Betriebs-kosten + Steuern	*12*	*12*	*13*	*14*
Summe der Auszahlungen	*428*	*341*	*318*	*346*

Mittelbedarf (in 1000 DM)

Planungszeitraum	*1. Jahr*	*2. Jahr*	*3. Jahr*	*4. Jahr*
Einzahlungen	*240*	*288*	*320*	*370*
Auszahlungen	*428*	*341*	*318*	*346*
Mittelbedarf (+/–)	*+188*	*+ 53*	*– 2*	*– 24*

Mittelbeschaffung (in 1000 DM)

Planungszeitraum	*1. Jahr*	*2. Jahr*	*3. Jahr*	*4. Jahr*
Fremdkapital-aufnahme	*100*	*70*	*17*	–
Tilgung + Zinsen	*– 12*	*– 17*	*–19*	*– 19*
Eigenkapital	*100*	–	–	–
Mittelbeschaffung	*188*	*53*	*– 2*	*– 19*
– Mittelbedarf	*–188*	*– 53*	*+ 2*	*+ 24*
Mittelfreisetzung	*0*	*0*	*0*	*5*

Erst nach dem dritten Jahr sind Überschüsse eingeplant. Bei Apotheken wird eine langfristige Finanzplanung nur notwendig sein, wenn es sich um sehr große Projekte handelt oder wenn der Inhaber zuerst geringe Eigenmittel einsetzen will und darum z. B. eine alte Einrichtung vorläufig übernimmt, einen Umbau hinauszögert, die Baukosten über Jahre verzinst und abbezahlt und das Warenlager über längere Zeit von Lieferanten finanzieren läßt.

2. KURZFRISTIGE FINANZPLANUNG

Durch die für Apotheken notwendige kurzfristige Finanzplanung bekommt der Inhaber einen Überblick über die voraussichtlichen Zahlungsverpflichtungen und über die voraussichtlichen Geldeingänge. Sie ist Voraussetzung für einen wirtschaftlichen Einsatz der Mittel.

Einzahlungen (in 1000 DM)

Planungszeitraum	*Januar*	*Februar*	*März*	*April*	*Mai*	*Juni*
Verkaufserlöse	*20*	*20*	*20*	*20*	*20*	*20*
Eigenkapital	*100*	*–*	*–*	*–*	*–*	*–*
Fremdkapital	*100*	*–*	*–*	*–*	*–*	*–*
Summe der Einzahlungen	*220*	*20*	*20*	*20*	*20*	*20*

Auszahlungen (in 100 DM)

Planungszeitraum	*Januar*	*Februar*	*März*	*April*	*Mai*	*Juni*
Einrichtung	*120*	*–*	*–*	*–*	*–*	*–*
Vorräte	*90*	*10*	*10*	*10*	*10*	*10*
Miete	*3*	*3*	*3*	*3*	*3*	*3*
Personal	*4,5*	*4,5*	*4,5*	*5*	*5*	*5*
Tilgung/Zinsen	*–*	*–*	*–*	*–*	*–*	*6*
Allg. Betriebskosten + Steuern	*0,5*	*0,5*	*2*	*0,5*	*0,5*	*2*
Summe der Auszahlungen	*218*	*18*	*19,5*	*18,5*	*18,5*	*26*

Zahlungsmittelbestand (in 1000 DM)

Planungszeitraum	*Januar*	*Februar*	*März*	*April*	*Mai*	*Juni*
Einzahlungen	*220*	*20*	*20*	*20*	*20*	*20*
Auszahlungen	*218*	*18*	*19,5*	*18,5*	*18,5*	*26*
Bestand (kumuliert)	+ *2*	+ *4*	+ *4,5*	+ *6*	+ *7,5*	+ *1,5*

b) Eigen- oder Fremdfinanzierung

Vertrauen und das Erbringen von Sicherheiten sind die entscheidendsten Voraussetzungen jeden Kredits. Solange das Vertrauen in die wirtschaftliche Aufwärtsentwicklung groß ist, gibt es wenig Schwierigkeiten bei der Kreditbeschaffung, besonders dann nicht, wenn als Sicherheit Privatvermögen oder eine Bürgschaft zur Verfügung stehen. Die Banken und Sparkassen berücksichtigen natürlich auch die Zukunftsaussichten der Branche und sahen dabei die Apotheken meist als gute Kreditnehmer an. Dabei erleichtert ein Finanzplan die Gespräche mit den Kreditgebern. In manchen Fällen, wie bei begünstigten Krediten, ist er unumgänglich.
Was spricht nun für und was gegen die Eigenfinanzierung?
Eigenkapital steht langfristig zur Verfügung, verursacht keine Zinsen und erhöht die Kreditwürdigkeit. Geldbeschaffungskosten und Überfremdung oder Fremdeinfluß werden vermieden. Andererseits ist es oft sehr nachteilig, wenn das Eigenkapital langfristig gebunden ist.
Im Rahmen der Kostenrechnung muß allerdings das eingesetzte Eigenkapital kalkulatorisch berücksichtigt werden, denn es könnte alternativ zinsbringend angelegt werden.
Wie wird hingegen die Fremdfinanzierung beurteilt?
Das Fremdkapital stärkt die Finanzkraft der Apotheke nicht immer ohne ein Mitspracherecht des Kapitalgebers. Es eignet sich meistens besser für einen kurzfristigen Finanzierungsbedarf.
Während bei Apotheken z. B. die im Großmaschinenbau üblichen Kundenkredite entfallen, gibt es eine andere Form der Fremdfinanzierung: den Lieferantenkredit. Er ist meist leicht zu beschaffen, führt aber zu hohen Kosten, die der Apotheker aus der Differenz zwischen Barverkaufs- und Kreditverkaufspreis ermitteln kann.

Um deutlich zu machen, wie teuer die Nichtinanspruchnahme des Skontos und damit der Lieferantenkredit ist, muß der effektive Jahreszins bestimmt werden:

$$\text{Effektivzins} = \frac{360 \times \text{Skontosatz}}{\text{Kreditzeitraum}}$$

Der Kreditzeitraum ist dabei = Zielzeitraum – Skontozeitraum. Der Zielzeitraum ist die Zeitspanne vom Rechnungsdatum bis zum letztmöglichen Zahlungstermin ohne Inanspruchnahme des Skontos.
Im Beispiel beträgt diese Zeitspanne 30 Tage. Der Skontozeitraum bezeichnet die Zeitspanne vom Rechnungsdatum bis zum letztmöglichen Zahlungstermin mit Skontoabzug. Es handelt sich im Beispiel um 10 Tage.
Für die angeführte Zahlungsbedingung gilt:

$$\frac{360 \times 2}{20} = \underline{36\,\%}$$

Kreditzeitraum = 30 Tage – 10 Tage = <u>20 Tage</u>

Der Effektivzinssatz für den Lieferantenkredit beträgt 36 %. Würde der Rechnungsbetrag über 1 500,– DM lauten und könnte statt des Lieferantenkredits ein Kontokorrentkredit mit einem Zinssatz von 9,5 % in Anspruch genommen werden, ergäbe sich folgende Vergleichsrechnung:

Rechnungsbetrag	1 500,– DM			
– 2 % Skonto	30,– DM	→	Kosten des Lieferantenkredits	30,– DM
Zahlbetrag	1470,– DM			
= Kreditbetrag des Kontokorrentkredits				
9,5 % Zinsen für 20 Tage		→	Kosten des Kontokorrentkredits	7,59 DM
			Finanzierungsgewinn	22,41 DM

Das Beispiel verdeutlicht, daß bei Inanspruchnahme des Skontoabzuges und Finanzierung der restlichen 20 Tage durch einen Kontokorrentkredit ein Finanzierungsgewinn von ca. 22 DM erzielt werden kann. Daß der Lieferantenkredit ein vergleichsweise teurer Kredit ist, verdeutlicht auch die folgende Tabelle. Für verschiedene Kreditzeiträume und Skontosätze wurde die Effektivverzinsung errechnet.

Abb. 4: Effektivverzinsung von Lieferantenkrediten

Skontosatz	Kreditzeitraum		
	15 Tage	20 Tage	45 Tage
1,0 %	24 %	18 %	8 %
1,5 %	36 %	27 %	12 %
2,0 %	48 %	36 %	16 %
2,5 %	60 %	45 %	20 %
3,0 %	72 %	54 %	24 %

Für den Apothekenbetrieb ist Barzahlung fast immer günstiger, ganz abgesehen von dem möglichen Einfluß des Kreditgebers (z. B. Großhändlers) auf den Einkauf u. a. durch Ausschließlichkeitsklauseln. Deshalb ist die finanzielle Unabhängigkeit für die Apothekenführung erforderlich.
Es empfiehlt sich, Fremdfinanzierungen über Banken oder Sparkassen vorzunehmen.
In diesem Zusammenhang ist der Kontokorrentkredit als in der Regel einfach und unbürokratisch zu realisierende Kapitalbeschaffungsmöglichkeit zu nennen. Die Banken gewähren hierzu ihren Kunden eine Kreditlinie, d. h., bis zu einem bestimmten vereinbarten Betrag dürfen die Kunden ihr Konto überziehen.

Abb. 5: Bewegungen auf einem Geschäftskonto unter Inanspruchnahme der Kreditlinie

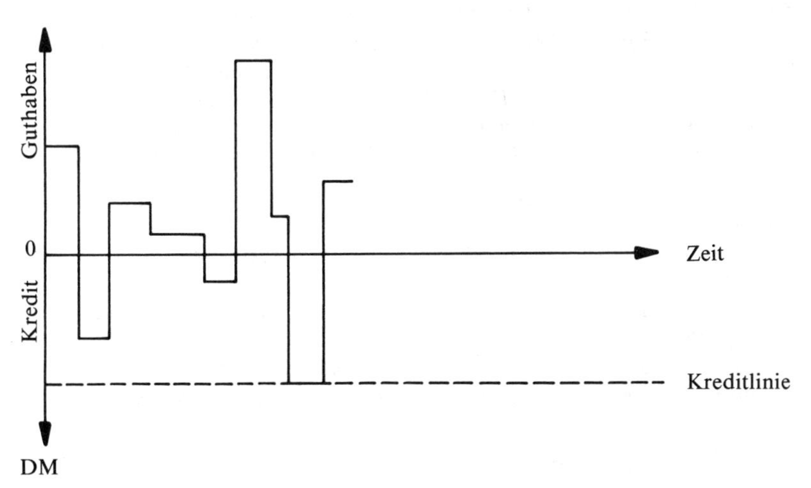

Die dargestellte Kurve zeigt eine mögliche Kontoentwicklung. Oberhalb des Nullpunktes hat der Kunde ein Guthaben auf seinem Konto. Unterhalb des Punktes wird der Überziehungskredit teilweise oder ganz in Anspruch genommen. Die gestrichelte Linie markiert die Kreditlinie. Für die Gewährung des Kontokorrentkredites erheben die Banken Zinsen und häufig auch eine Überziehungsprovision. Der derzeitige Zinssatz liegt zwischen 12 und 13%. Bis zu welcher Höhe und wie lange das Geschäftskonto überzogen werden kann, hängt im allgemeinen von der Bonität des Betriebes ab.
Daneben werden außerhalb des Geschäftsbankensektors zinsbegünstigte Kredite gewährt, die sich gerade der mittelständischen Apothekenbranche bieten. Neben Bundesmitteln und ERP-Krediten stellen auch die Länder Kapital zu Existenzgründungen, Standortsicherungen und Neueinrichtungen in Neubaugebieten zur Verfügung.
Welche günstigen Kreditmöglichkeiten für Apothekeninhaber unter gewissen Bedingungen bestehen, zeigen folgende Beispiele für Fördermaßnahmen:

1. Eigenkapitalhilfe-Programm zur Förderung der Gründung selbständiger Existenzen[14]

Bei der Eigenkapitalhilfe, die von der Deutschen Ausgleichsbank bereitgestellt wird, handelt es sich um ein zinsgünstiges Darlehen für Gründer im Bereich der gewerblichen Wirtschaft und der freien Berufe, für das keine banküblichen Sicherheiten erforderlich sind.
Mit der Eigenkapitalhilfe können zusätzliche risikotragende Mittel zur Verstärkung der Eigenkapitalbasis für angemessene und erfolgversprechende Vorhaben im Bereich der mittelständischen gewerblichen Wirtschaft und der Freien Berufe in den neuen Bundesländern und Berlin (Ost) zur Verfügung gestellt werden. Die Fördermittel haften unbeschränkt und erfüllen somit Eigenkapitalfunktion. Es können folgende Vorhaben gefördert werden:

a) *Gründung eines privaten Unternehmens bzw. einer freiberuflichen Existenz,*
b) *Erwerb von Unternehmen oder einzelner Betriebsstätten, auch im Zuge der Privatisierung,*
c) *Investitionen zur Festigung eines privaten Unternehmens, auch durch tätige Beteiligung,*
d) *Finanzierung eines tragfähigen Unternehmenskonzeptes mit überwiegendem Investitionsanteil zusammen mit einem Beteiligungspartner.*

[14] Auszug aus: Kirschbaum, G., Naujoks, W. (1994), S. 143ff.

Die Mittel aus der Eigenkapitalhilfe sind als haftende Mittel ausschließlich und unmittelbar für diese Vorhaben einzusetzen.
Antragsberechtigt zu a)–c) sind natürliche Personen, die im Regelfall nicht älter als 55 Jahre sein sollen und die eine fachliche und kaufmännische Qualifikation nachweisen können, soweit diese üblicherweise für die Ausbildung des Berufs verlangt wird.
Antragsberechtigt zu d) sind selbständige Unternehmen der mittelständischen Wirtschaft, die bereits bestehen oder sich in Gründung befinden, sofern sich ein unternehmerisch kompetenter Partner am Gesellschaftskapital mit bis zu 49% langfristig beteiligt. Partner können natürliche oder juristische Personen bzw. Personengesellschaften sein, die zur angemessenen Management-Unterstützung befähigt und bereit sind. Treuhänder sowie Verwandte und Verschwägerte nach §§ 1589, 1590 BGB können in der Regel nicht als Partner im Sinne der Richtlinie anerkannt werden. Bei juristischen Personen darf die Beteiligung nicht mit öffentlichen Mitteln oder Gewährleistungen gefördert sein. Eine Absicherung der Partnereinlage im Unternehmen und wechselseitige Partnerschaften sind nicht zulässig.
Ein Rechtsanspruch auf die Gewährung der Eigenkapitalhilfe besteht nicht. Eigenkapitalhilfe wird nur gewährt, wenn ohne sie die Durchführung des Vorhabens wesentlich erschwert würde.
Eigenkapitalhilfe darf mit Ausnahmen von c) nur einmal je Antragsteller bewilligt werden.

Zu a)–c):

- *Die Eigenkapitalhilfe wird als „Hilfe zur Selbsthilfe“ gewährt. Der Antragsteller muß daher vorhandene eigene Mittel in angemessenem Umfang für die Finanzierung des Vorhabens zur Verfügung stellen; es gilt Subsidiarität zu eigenen Mitteln und zu sonstigen privaten Finanzierungsmöglichkeiten. Als eigene Mittel gelten bare und unbare Vermögenswerte.*
- *Es werden nur Vorhaben gefördert, die eine nachhaltig tragfähige selbständige Vollexistenz erwarten lassen bzw. hierzu beitragen.*
- *Dem Antrag auf Gewährung von Eigenkapitalhilfe sind ein Investitions- sowie ein Kosten- und Finanzierungsplan beizufügen. Außerdem ist die Stellungnahme einer unabhängigen fachlich kompetenten Stelle beizubringen (z. B. Kammer, Wirtschaftsprüfer).*
- *Im Zeitpunkt der Antragstellung darf mit der Durchführung des Vorhabens noch nicht begonnen worden sein.*

Zu d):

- *Die Beteiligung des Partners muß zum Zwecke der nachhaltigen Steigerung der Wettbewerbs- und Leistungsfähigkeit des Unternehmens erfol-*

gen. Die Stellungnahme einer unabhängigen fachlich kompetenten Stelle (z. B. Kammer, Kreditinstitute, Wirtschaftsprüfer) ist beizubringen.

- *Die Deutsche Ausgleichsbank kann vom Antragsteller und vom Partner Angaben und Nachweise, insbesondere über Beteiligungsverhältnisse und eventuelle Treuhandverhältnisse, über alle wirtschaftlichen Beziehungen zwischen dem Antragsteller, seinen Inhabern und dem Partner sowie über die Finanzierung der Partnerbeteiligung verlangen.*
- *Alle von dem Partner aufgrund seiner Beteiligung an dem Unternehmen erbrachten finanziellen Leistungen müssen langfristig, mindestens jedoch für fünf Jahre gebunden sein. Für den Fall einer Kündigung dieser Beteiligung besitzt die Deutsche Ausgleichsbank das Recht zur Kündigung des Eigenkapitalhilfedarlehens oder zur Anpassung der Konditionen an das Marktzinsniveau. Das gleiche gilt in Fällen der Rückgewährung der Partnereinlage oder Vereinbarung unangemessener Entgelte zu Lasten des geförderten Unternehmers.*
- *Im Zeitpunkt der Antragstellung darf sich der Partner noch nicht zur Einbringung der Partnerschaftseinlage verpflichtet haben.*

Zu a)–c):

- *Bemessungsgrundlage für die Eigenkapitalhilfe ist die Höhe der Investitionssumme einschließlich der Beschaffung des ersten Warenlagers oder der Kaufpreis bzw. das Anlagevermögen sowie die im Rahmen des Erwerbs erforderlichen Investitionen einschließlich des ersten Warenlagers, ferner branchenübliche Markterschließungsaufwendungen mit absehbar längerfristiger Kapitalbindung bis zu 10 % der Bemessungsgrundlage.*
- *Die eingesetzten eigenen Mittel sollen 15 % der Bemessungsgrundlage nicht unterschreiten; sie können mit Eigenkapitalhilfe bis auf 40 % der Bemessungsgrundlage aufgestockt werden. Bei Festigungsinvestitionen (außer tätigen Beteiligungen) kann Eigenkapitalhilfe unter Einbeziehung anderer öffentlicher Mittel auch darüber hinaus bis auf 100 % der Bemessungsgrundlage (einschl. betriebsnotwendige Materialien und Ersatzteile) aufgestockt werden, sofern hierdurch erst eine angemessene Basis an haftendem Kapital – keinesfalls jedoch mehr als 40 % des Betriebsvermögens – erreicht wird.*
- *Mindestbetrag: 5000 DM.*
- *Höchstbetrag: 700 000 DM insgesamt je Antragsteller für alle Vorhaben, bei Privatisierungs- und Reprivatisierungsfällen bis 2 Mio. DM je Antragsteller. Etwaige vorherige Eigenkapitalhilfe-Förderungen nach a)–c) sind anzurechnen.*
- *Bei der Zahl tätiger Beteiligungen im Sinne von c) ist betriebswirtschaftlichen Erfordernissen Rechnung zu tragen.*

Zu d):

- *Die Eigenkapitalhilfe wird bis zur Höhe des 2,5fachen des eingezahlten haftenden Beteiligungsbetrages des Partners gewährt, soweit hierdurch erst eine angemessene Basis an haftendem Kapital – keinesfalls jedoch mehr als 40% des Betriebsvermögens (nach Verwirklichung des Unternehmenskonzeptes) – erreicht wird.*
- *Die Partnerschaftseinlage muß mindestens 100000 DM betragen. Vor Inkrafttreten der Richtlinie eingezahlte Partnerschaftsbeteiligungen bleiben unberücksichtigt.*
- *Die Eigenkapitalhilfe darf 5 Mio. DM nicht übersteigen.*

Zinssatz, Bankgebühren, Garantieentgelt:

- *Der bei der Gewährung der Eigenkapitalhilfe festgelegte Zinssatz gilt bis zum Ende des 10. Jahres. Der Zinssatz wird aus Bundesmitteln wie folgt verbilligt:*
- *Im 1., 2. und 3. Jahr ist die Eigenkapitalhilfe zinslos, danach beträgt der Zinssatz*
- *2% im 4. Jahr*
- *3% im 5. Jahr und*
- *5% im 6. Jahr.*
- *Der Zinssatz kann unter Zugrundelegung des ggf. veränderten Zinsniveaus am Ende des 10. Jahres für die Restlaufzeit neu festgelegt werden.*
- *Vom Antragsteller sind eine einmalige Bearbeitungsgebühr in Höhe von 2 % der gewährten Eigenkapitalhilfe sowie ein Garantieentgelt in Höhe von 0,5 % p.a. der jeweils valutierenden Eigenkapitalhilfe zu tragen. Das Garantieentgelt für die ersten 3 Jahre ist im 4. und 5. Jahr nachzuentrichten, so daß das gesamte Garantieentgelt im 4. Jahr 1,5 % und im 5. Jahr 1,0 % beträgt. Weitere Bankgebühren – mit Ausnahme einer eventuellen Bereitstellungsprovision – werden nicht erhoben.*

Auszahlung:
100%

Laufzeit:
In der Regel 20 Jahre. Die Eigenkapitalhilfe gemäß a)–c) ist in jedem Fall spätestens bis zur Vollendung des 70. Lebensjahres des Antragstellers zurückzuzahlen.

Tilgung:

- *Nach 10 tilgungsfreien Jahren in 20 gleichen Halbjahresraten. Bei Antragstellern, die Eigenkapitalhilfe nach a)–c) als persönliches Darlehen erhalten haben und älter als 50 Jahre sind, verkürzt sich die tilgungsfreie Zeit um die Zahl der Jahre über 50.*
- *Eine vorzeitige Tilgung ist unter Einhaltung einer dreimonatigen Kündigungsfrist bis zum 31. Mai und 30. September eines jeden Jahres möglich. Bei einer vorzeitigen Tilgung innerhalb der ersten 7 Jahre sind die vom Bund übernommenen Zinsen nachzuentrichten; dies gilt nicht bei einer Tilgung, die im Zusammenhang mit der Aufgabe der selbständigen Existenz steht.*

Sicherheiten:

- *Bei Eigenkapitalhilfe nach a)–c):*
  Persönliche Haftung des Antragstellers und seines Ehepartners; keine weiteren Sicherheiten.
- *Bei Eigenkapitalhilfe nach d):*
  Keine dinglichen Sicherheiten. Die Anteilseigner des Unternehmens stellen ihr Engagement für die Rückzahlung der Eigenkapitalhilfe durch quotale selbstschuldnerische Haftung oder auf andere geeignete Weise dar.

Anträge können über jedes Kreditinstitut bei der Deutschen Ausgleichsbank, Wielandstraße 4, 53170 Bonn, bzw. bei deren Niederlassung Berlin, Sarrazinstraße 11–15, 12159 Berlin, gestellt werden. Im Falle von Partnerschaftsbeteiligungen können die Anträge auch direkt bei der Deutschen Ausgleichsbank gestellt werden.
Eigenkapitalhilfe-Darlehen werden über Kreditinstitute gewährt.
Anträge auf Gewährung von Eigenkapitalhilfe nach dieser Richtlinie können bis zum 31. Dezember 1995 gestellt werden.

2. ERP-Darlehen zur Förderung von Existenzgründungen[14a]

Im Rahmen des ERP-Programms stellt der Bund über die Deutsche Ausgleichsbank Existenzgründern zinsgünstige Darlehen bereit. Es muß sich um eine Gründung in den Bereichen produzierendes Gewerbe, Handel, Handwerk, Kleingewerbe, Gaststätten- und Beherbergungsgewerbe in den neuen Ländern (einschl. Berlin [Ost]) – auch um Angehörige der freien Berufe (ohne Heilberufe) – handeln.

[14a] Auszug aus: Kirschbaum, G., Naujoks, W. (1994), S. 143 ff.

Zu den förderungsfähigen Gründungsvorhaben rechnen:

- *Investitionen zur Errichtung und Einrichtung von Betrieben sowie hiermit im Zusammenhang stehende Investitionen innerhalb von 3 Jahren nach Betriebseröffnung,*
- *Übernahme von Betrieben oder Beteiligungen mit leitender Tätigkeit,*
- *Beschaffung eines ersten Warenlagers oder einer ersten Büroausstattung.*

Ein Existenzgründer kann ein ERP-Darlehen bis zu 500000 DM bzw. 1 Mio. DM (neue Länder und Berlin) erhalten. Dieses wird zu 100% ausgezahlt. Es muß banküblich abgesichert werden. Reichen die Sicherheiten nicht aus, können u. U. Bürgschaften der Kreditgarantiegemeinschaften oder der Länder herangezogen werden.
Der ERP-Finanzierungsanteil beträgt im allgemeinen 50%, in besonderen Fällen kann er bis zu zwei Dritteln betragen. Dabei ist der Existenzgründer gefordert, in angemessenem Umfang Eigenmittel und ggf. weitere Fremdmittel einzusetzen.

Die Laufzeit des Programms stellt sich wie folgt dar:

- *bei Vorhaben in den westdeutschen Bundesländern:*
  bis zu 10 Jahren, bei Bauvorhaben bis zu 15 Jahren, davon tilgungsfrei max. 3 Jahre,
- *bei Vorhaben in den ostdeutschen Bundesländern/Berlin:*
  bis zu 15 Jahren, bei Bauvorhaben bis zu 20 Jahren, davon tilgungsfrei max. 5 Jahre.

Der Zinssatz beträgt 6,1% p.a. für Vorhaben in den alten Bundesländern und Berlin (West) bzw. 5,9% p.a. für Vorhaben in den neuen Bundesländern und Berlin (Ost) – fest für die gesamte Laufzeit.
Die Auszahlung erfolgt zu 100%.
Das ERP-Darlehen kann vom Existenzgründer bei jedem beliebigen Kreditinstitut (Hausbank) beantragt werden. Von dort wird der Antrag mit einer Stellungnahme an die Deutsche Ausgleichsbank weitergeleitet, die über den Antrag entscheidet und die Hausbank über ihren Entscheid unterrichtet.

3. LAB-Bürgschaften für freie Berufe

Die Existenzgründung freier Berufe erleichtert der Bund durch das von der Lastenausgleichsbank durchgeführte Programm der Bürgschaften für Kredite von Kreditinstituten an Angehörige freier Berufe.
Verbürgt werden Darlehen zur Finanzierung von Investitionen, Übernahme bestehender Apotheken oder Betriebsmittel. Die Bürgschaften decken max. 80 % eines Ausfalles an Kapital, Zinsen und Kosten ab.

In allen Fällen laufen die Anträge über die Hausbank zur Lastenausgleichsbank.

Weiter sei hier die Kauf- oder Leihmiete (Leasing) erwähnt. Leasing ist u. a. möglich bei Geschäftsausstattung, Firmenfahrzeug, im EDV-Bereich und sogar bei Personal und der Berufskleidung. Beim Leasing sind Vergleichsdaten genau zu überprüfen und auch die evtl. Vorteile – wie Eigenkapitaleinsparung, Liquiditätsschonung – zu beachten.
Die Beteiligten am Leasinggeschäft heißen Leasinggeber und Leasingnehmer. Zwischen ihnen wird ein Leasingvertrag geschlossen, der den Leasinggeber zur Nutzungsüberlassung und den Leasingnehmer zur Zahlung der Leasingraten verpflichtet.

Abb. 6: Beziehungen zwischen Leasinggeber und -nehmer

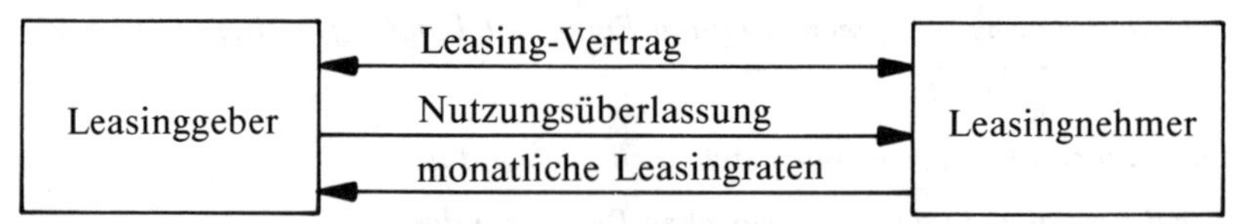

Die wichtigsten Vor- und Nachteile des Leasings aus der Sicht des Leasingnehmers sind in der nachstehenden Gegenüberstellung zusammengefaßt.

Abb. 7: Vor- und Nachteile des Leasings

Vorteile	Nachteile
● Keine Eigenkapitalbindung	● Höhere Finanzierungskosten als bei anderen Finanzierungsformen
● Schonung der Kreditlinien bei anderen Kreditgebern	● Belastung der Liquidität durch die Leasingraten ist von der Ertragssituation abhängig
● Anpassungsfähigkeit an den technischen Fortschritt und an betriebliche Veränderungen wird erhöht	● Zinssenkungen auf dem Kapitalmarkt wirken sich nicht auf die fest vereinbarten Leasingraten aus
● Gute Kalkulationsgrundlage	● Kein Kapazitätserweiterungseffekt wegen fehlender Abschreibungen

Die Finanzierung einer Apotheke ist für die spätere Rentabilität so wichtig, daß sie nicht als Nebensache behandelt werden darf. Für Apotheker empfiehlt sich deshalb neben Gesprächen mit Banken und Sparkassen auch eine Beratung in steuerlicher und rechtlicher Hinsicht. Fehler in der Finanzierung treten vor allem dann zutage, wenn es der Apotheke wirtschaftlich schlecht geht, denn dann ist eine Korrektur meistens sehr schwierig.

c) Finanzierung durch Lebensversicherungen

Schließlich sei auf eine vor allem steuerlich interessante Form der Finanzierung durch Lebensversicherungen hingewiesen, die in letzter Zeit häufiger angewandt wird.
Bei der üblichen Finanzierung mit Fremdkapital fallen während der Darlehensdauer Zins- und Tilgungsleistungen regelmäßig in gleicher Höhe an, wobei im Zeitablauf der Tilgungsanteil steigt, der Zinsanteil dagegen sinkt. Steuerlich können die Schuldzinsen bei der Einkommensteuer als Betriebsausgaben abgezogen werden, allerdings sinkt dieser Abzugsbetrag im Laufe der Zeit.
Andere Konsequenzen hat der Abschluß einer Lebensversicherung zur Darlehenssicherung. In der Regel entsprechen sich Darlehensbetrag und Versicherungssumme. Der Unterschied zur üblichen Darlehensfinanzierung liegt nun darin, daß das Darlehen erst am Ende der Laufzeit durch die fällig werdende Lebensversicherung getilgt wird. Da keine Tilgung während der Laufzeit erfolgt, verbleiben hohe Schuldzinsen, die steuerlich abzugsfähig sind. Dadurch ist eine Steuerersparnis gewährleistet.
Aus der abgeschlossenen Lebensversicherung fallen zudem Überschußanteile an, die im Gegensatz zu anderen Kapitalanlagen einkommensteuerfrei ausgezahlt werden, wenn eine Versicherungsdauer von wenigstens 12 Jahren vereinbart wurde. Die jährlich anfallenden Überschußanteile können entweder verzinslich angesammelt und bei Ablauf an den Darlehensnehmer ausgezahlt werden, oder sie werden zur Verrechnung mit den Beiträgen verwendet, wodurch der jährliche Beitragsaufwand entfällt.
Die Lebensversicherungsgesellschaften haben eine Vielzahl von Gestaltungsmöglichkeiten gefunden. Gemeinsam haben sie das Ziel, die Darlehenssumme bei Tod und bei Ablauf sicherzustellen, die Belastung, insbesondere in den ersten Jahren, aber so gering wie möglich zu halten. Im allgemeinen wird eine „gemischte“ Kapitalversicherung abgeschlossen, die sowohl im Todesfall als auch im Erlebensfall die Versicherungsleistung erbringt. Durch den Abschluß der Lebensversicherung ist bei Ableben des Darlehensnehmers das Darlehen in voller Höhe abgesichert. Eine solche

Absicherung erfordert bei der herkömmlichen Finanzierung einen zusätzlichen finanziellen Aufwand. Apotheker, die eine eigene Apotheke vor Augen haben, aber diese erst in der Zukunft realisieren wollen, können mit dem Wissen um die günstige Finanzierungsform schon jetzt den Grundstein legen. Die Lebensversicherung wird heute abgeschlossen und später als Tilgungsversicherung in die Finanzierung eingebaut. Vorteil: Durch das niedrige Eintrittsalter und die längere Laufzeit ergibt sich ein niedriger Lebensversicherungsbeitrag. Zusätzlich entsteht ein Finanzierungsvorsprung, denn das Darlehen kann früher zurückgezahlt werden.

III Betrieb einer Apotheke

Die wichtigsten wirtschaftlichen Schwerpunkte des Apothekenbetriebes sollen hier ausführlicher behandelt werden, da sie für den Fortbestand der Apotheke entscheidend sind.

1. Einkauf und Warenlager

a) Rationeller Einkauf

Durch vorteilhaften Einkauf wird in der Wirtschaft oft mehr verdient als durch Rationalisierung der Produktion. Wenn der Einkauf schon in Industrieunternehmen als wichtige Funktion angesehen wird, um wieviel bedeutsamer muß er dann in Handelsunternehmen sein. Da Einkaufen das Beschaffen der Güter in richtiger Menge und gewünschter Qualität zur rechten Zeit bedeutet, können Fehler oder Verzögerungen im Einkauf z. B. den Kunden verärgern, dem Ansehen der Apotheke sehr schaden und wirtschaftliche Nachteile bringen.
Nach Erfahrungswerten der letzten Jahre sind auf den Gesamtwert des Einkaufs 1% bis 2% Skonto zu erzielen, wenn der Apotheker geschickt einkauft. Darüber hinaus kann er Rationalisierungsrabatte erzielen, wenn er sich in der Bestellart dem Großhandel anpaßt. Die Rabattgewährung – sei es aus Gründen der Rationalisierung, des Kampfes um den Kunden oder zur Einführung eines neuen Medikamentes – unterliegt oft Schwankungen. Der Apotheker muß davon ausgehen, daß Rabatte in sehr unterschiedlicher Höhe gewährt werden und durch Bonus- und Malusregelungen nicht klar zu erkennen sind. Er hat als Kaufmann die optimale Lösung für sich anzustreben.
Um die günstigsten Bedingungen zu erreichen, muß der Apotheker die Frage prüfen, wo er einkaufen soll. Die Antwort wird allerdings unterschiedlich sein. Erfahrungswerte aus der Bundesrepublik zeigen eine Verteilung der Bezugsquellen von zwei Drittel auf den Großhandel und dem Rest zu etwa gleichen Teilen als Direktbestellung oder Sammelbestellung.
Da der Großhandel, ähnlich wie fast alle Handelsunternehmen, mit steigenden Personalkosten fertig werden muß, ist er sehr darauf bedacht, seine Arbeit zu rationalisieren. Das kann er nur, wenn der Apotheker seinerseits das möglichste dazu tut. Hierzu gehört ebenso das automatische Übermitteln der Bestellungen durch das elektronische Bestellsystem wie die Häufigkeit, mit der Packungen gleicher Art bestellt werden.

Dabei sind allerdings zwei Dinge zu beachten: einmal die Umschlagshäufigkeit der Packungen selbst und zum zweiten die Gegenüberstellung der erhöhten Lagerkosten zu den möglichen Rabatten durch größeren Einkauf. Außerdem müssen die ausgehandelten Rabatte der einzelnen Großhandlungen von Zeit zu Zeit überprüft und auf den aktuellen Stand gebracht werden.
So werden nach Erfahrungswerten etwa die Hälfte aller Packungen höchstens fünfmal im Jahr umgesetzt. Sie sind also für eine Mengenbestellung denkbar ungünstig. Nach verschiedenen Untersuchungen wird ein Viertel des Einkaufs 6- bis 20mal und ein Achtel 21- bis 50mal umgeschlagen, nur rund ein Zehntel häufiger. Entsprechende Rabattstaffeln sind im Großhandel üblich. Dabei geben verschiedene Großhandelsunternehmen Mengenrabatte mit Rabattsätzen in unterschiedlicher Höhe. Diese Rabatte – die früher üblichen Treuerabatte gehen immer mehr zurück – veranlassen nun den Apotheker, die Mehrkosten für die Lagerhaltung, die durch Mengenbezug entstehen, genau zu berechnen.
Eine wichtige Voraussetzung für den günstigen Einkauf ist vor allen Dingen ein übersichtliches Bestellwesen. Bestellt der Apotheker z.B. täglich fünf Packungen Nasentropfen, so erhält er unter Umständen 4 % Rabatt und 2 % Skonto. Bestellt er alle 10 Tage 50 Packungen, so kann er möglicherweise 6 % bis 8 % Rabatt und 2 % Skonto erhalten.
Allerdings müßten heute auch die stark angestiegenen Kosten für Banküberweisungen, Schriftverkehr und Warenpflege berücksichtigt werden.
Jedem Apothekeninhaber ist sehr zu empfehlen, die Rabattstaffel und die Lagerhaltung der gängigen Artikel einmal gegenüberzustellen. Wenn mehr als 10 % Rabatt gegenüber der täglichen Bestellung zu erreichen sind, lohnt sich immer der Einkauf für einen größeren Zeitraum – also nicht nur der Einkauf für den Wintervorrat.
Manche Großhandelsunternehmen gewähren auch Zeilenrabatte. Das heißt, sie geben neben Fünfer- oder Zehner-Positionen Rabatte, wenn die Bestellzeile z. B. DM 15, DM 20 oder mehr überschreitet.
Erfahrungen guter Apotheken haben gezeigt, daß über 5 % der Einkaufsrabatte, auf das ganze Warenlager bezogen, erreichbar sind, wenn der Apotheker sich an die Arbeit des Großhandels bei Bestellungen anpaßt. Die Mehrkosten, die sich durch erhöhte Lagerhaltung ergeben, betragen in den meisten Fällen weniger als 1 %, so daß schon allein aus der Bestellung heraus sichtbar wird, warum die Gewinnspannen der Apotheken nur aus dieser Sicht Unterschiede von mehr als 3 % ausmachen können.
Obwohl der Großhandel zu erheblichen Konzessionen bereit ist, wird ein nicht unbeträchtlicher Teil der Arzneimittel direkt bestellt. Das ist u. a. zum Teil im Vorgehen der Vertreter begründet, die oft als Mitarbeiter der Herstellerfirmen ein bestimmtes Medikament auf den Markt bringen müs-

sen. Bei diesen Sonderangeboten nur über Direktbestellung ist Vorsicht geboten. Das bezieht sich sowohl auf ein manchmal umstrittenes Rückgaberecht, das man sich daher schriftlich bestätigen lassen sollte, als auch auf die ausgefallene Art oder Güte der Spezialität.
Trotzdem gibt es Beispiele, wo es sinnvoll erscheint, aus wirtschaftlichen Gründen direkt zu bestellen. Allerdings sollte der Apotheker genau prüfen, ob er einschließlich der Lieferbedingungen und der Nachkauffrist beim Großhandel evtl. besser bedient ist. Kein Hinderungsgrund dürften für Direktbestellungen die in großen Zeitabständen erfolgenden Vertreterbesuche sein, da bei notwendigen Zwischenbestellungen auch direkt das Herstellerwerk angeschrieben werden kann.
Diese Rabattvorteile sind aber nur zu erreichen, wenn der Apotheker nicht „von der Hand in den Mund" wirtschaftet, sondern seine Einkäufe, seine Lagerhaltung und sein Bestellsystem gut durchdacht hat. Im Gegensatz beispielsweise zu Schweden (ca. 3500 Spezialitätenarten) gibt es in der Bundesrepublik mehr als 80000 Spezialitätenarten. In der Praxis machen zwar in der Regel

ca. 400 Spezialitäten ca. 30 %
ca. 800 Spezialitäten ca. 40 %
ca. 1200 Spezialitäten ca. 50 %
ca. 2000 Spezialitäten ca. 65 %

des gesamten Arzneimittelumsatzes aus. Der Apotheker ist jedoch gezwungen, zwischen 6000 und 16000 Spezialitätenarten ständig vorrätig zu halten. Die Toleranz zwischen 6000 und 16000 Spezialitätenarten erklärt sich durch unterschiedliche Lage, Zahl und Art der Ärzte, Größe und Einzugsgebiet einer Apotheke.
Als Organisationssystem für das Bestellwesen hat sich in Apotheken das Doppelkartensystem bewährt: Jeder Artikel, gleichgültig, ob Arzneispezialität, Artikel des Nebensortiments, Droge, Chemikalie usw., erhält z. B. eine weiße Bestellkarte und eine gelbe Standortkarte. Beide Karten stekken am Lagerort des Artikels in einem Kartenhalter.
Die ABDA-Lochkarten enthalten Daten, die für die Beratung eines Patienten wesentlich sind. Mehr noch: Sie halten Mindest- und Bestellmengen fest, weisen auf Übervorräte oder Kühllagerung hin, überwachen Verfalldaten, nennen weitere Normpackungsgrößen und warnen, wenn Nebenwirkungen möglich sind. – Ein einfaches, kompaktes, aber hocheffizientes Organisationssystem.

Diese von der Kommission für Datenverarbeitung in der Apotheke festgelegten Daten und Zeichen haben eine leicht erfaßbare Logik. Sie sind so angeordnet, wie es dem täglichen Umgang mit Lochkarten entspricht.

Abb. 8: Taktgelochte Karte

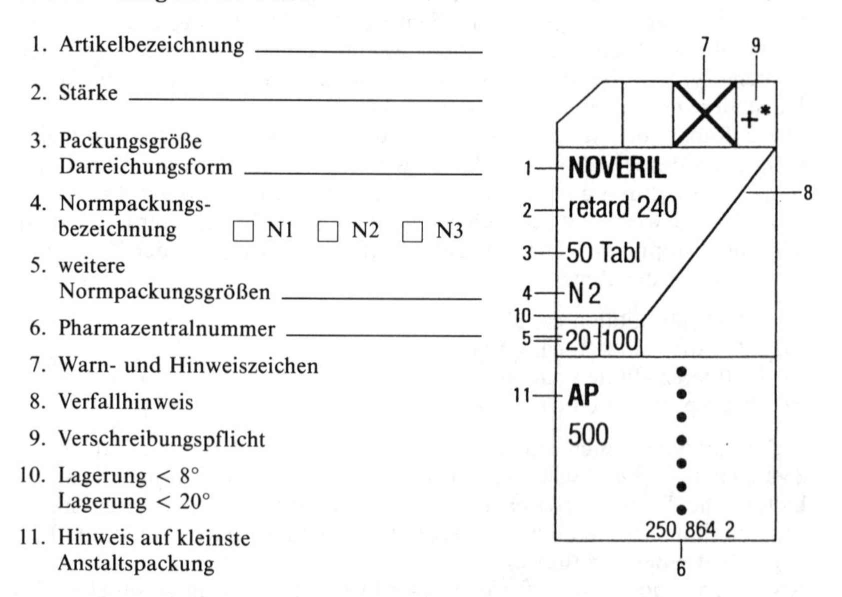

Bei Erreichen der Mindestbestandsmenge im Lagerfach wird die weiße Karte gezogen und der Helferin zum Bestellen gegeben. Die gelbe Standortkarte bleibt am Lagerort. Ebenso wie die weiße Bestellkarte gibt sie nur über alle wichtigen Kenndaten des Artikels Auskunft. Die gelbe Farbe zeigt dem Apotheker an, daß der zur Neige gehende oder fehlende Artikel bereits bestellt wurde.

Auf der Rückseite tragen die Bestellkarten z. B. ein zwölfgeteiltes Rasterfeld. Jede Bestellung wird in dem entsprechenden Monatsfeld durch einen Strich festgehalten. Bei konsequent durchgeführten Eintragungen aller Bestellungen läßt sich so die Verkaufsentwicklung mit allen saisonalen und jahreszeitlichen Schwankungen exakt verfolgen. Der Apotheker weiß damit ganz genau, wie häufig er einen Artikel in einem bestimmten Zeitraum verkauft und wieder bestellt hat. Die Praxis hat bewiesen, daß der Kontrollzeitraum von einem Jahr in den meisten Fällen ausreicht.
Je nach Lage und Struktur der Apotheke werden mit codierten Lochkarten bis über 90 % der in der Apotheke vorrätig gehaltenen Spezialitäten abgedeckt.
Codierte Karten ermöglichen automatisches Bestellen beim Großhandel. Dem Apotheker stehen zur automatischen Bestellaufgabe z. B. Geräte der Firmen Siemens und SEL zur Verfügung. Das automatische Bestellgerät der Firma SEL gestattet es, daß der pharmazeutische Großhandel die Bestellung aus der Apotheke abruft, ohne daß eine Bedienungsperson in der Apotheke vorhanden sein muß. Das Übertragen erfolgt über ein Modem der Bundespost.

Um den Kärtchenbestand aktuell zu halten, bietet pharma daig + lauer als Hilfsmittel

- vorgedruckte Preisetiketten zur Preisumzeichnung (bei Festbetragsartikeln in roter Farbe mit Angabe des Differenzbetrages),
- einen Ergänzungsdienst, der nach ausgewählten Kriterien der ABDA bereits gestanzte und beschriftete Kärtchen unmittelbar nach der Veröffentlichung liefert (s. Abb. 8).

Abb. 9: Preisänderungsdienst auf Etiketten

ANGIONORM forte **Tabletten** **50St. N2**	3424249	D– 10.45 **31.75** F 42.20	1040001882 **31.75** D– 10.45
EFFEKTON 50 Suppos. **10St.**	2760028	D– 0.81 **6.50** F 7.31	1040000352 **6.50** D– 0.81

Für den Rest sollte der Apotheker handbeschriftete Doppelkarten anlegen. Hierzu sollten taktgelochte Blankokarten verwendet werden. Mit Hilfe eines Handlochers, der von verschiedenen Einrichtern angeboten wird, kann die Codierung selbst vorgenommen werden. Die Pharmazentralnummer ist aus der Lauer-Taxe ersichtlich.

Die Große Deutsche Spezialitäten-Taxe – Lauer-Taxe ist heute ein wichtiges Hilfsmittel. Sie enthält rund 125 000 Einzelpositionen der am Markt befindlichen Spezialitäten, darunter Homöopathika, Diätetika, Kosmetika, Tierarznei mit allen notwendigen Informationen zur Abgabe in der Apotheke.
Für Festbetragsartikel werden rote Etiketten verwendet:

1. Etikett mit Verkaufspreis
   Festbetrag o. Differenzbetrag +/–
2. Etikett mit Einkaufspreis
   Verkaufspreis
   Differenzbetrag +/–

Die Informationen erscheinen 14tägig auf Mikrofilm 18 × 24 cm nach DIN 19064. Das Fassungsvermögen sind 1242 DIN-A4-Seiten bei 48facher Verkleinerung.
Für die Rückvergrößerung bietet pharma daig + lauer Lesegeräte vom einfachen Handgerät bis zum komfortablen Automatikgerät an. Abgestimmt auf die Anforderungen in der täglichen Praxis informiert die Taxe über alle wichtigen Einzelheiten eines Präparates. Dabei wurde durch die Verwendung von Symbolen eine Form gefunden, die leicht einprägsam ist. Nach Ansteuerung der alphabetisch sortierten Artikel werden folgende Hinweise geboten:

- Artikelname mit Angabe des „Wirkstoffes“
- Zubereitungsform
- Rezeptpflicht unter Angabe der Stoffnummern, die für die Verschreibungspflicht ausschlaggebend sind
- Betäubungsmittelkennzeichen unter Angabe der Höchstdosierung
- Indikationsnummer (= Hinweis auf Mikropharm II)
- Interaktionskennzeichen (= Hinweis auf Mikropharm I)
- Verfall oder Herstellungskennzeichen
- Hinweis auf Kühllagerung
- Hinweis auf Lieferbarkeit durch den Pharma-Großhandel
- alle Abpackungen, unter Angabe der 14tägig aktualisierten AEK und AVK-Preise; Festbetragsartikel werden kursiv dargestellt mit AEK – Festbetrag – AVK

Kennzeichnung von:

- Packungen, die nicht mehr hergestellt werden
- Packungen, die durch Hersteller zurückgerufen werden bzw. deren Zulassung widerrufen wurde

- Anstaltspackung
- Normalpackung
- Nichtarzneimittel
- nicht apothekenpflichtige Arzneimittel
- Preisempfehlung
- Fabrikabgabepreis für vorgenannte Gruppe
- Artikel mit verminderter Mehrwertsteuerbelastung

Bei der Vielfalt der Informationen, die heute anfallen, insbesondere auch die ständige Aufnahme von Generika, kommt man kaum noch mit einem Mikrofilm aus, wenn man nicht auf wichtige Zusatzinformationen wie Herstellerverzeichnis, Zentralkosten-Artikel etc. verzichten möchte.
Ergänzt wird die Taxe durch eine separate Auflistung aller Änderungen zur jeweils neuen Ausgabe. Mit dieser Auflistung lassen sich rationell die notwendigen Preisänderungen und Sortimentsanpassungen vornehmen.
Beim Abwägen, ob Großhandel-, Direkt- oder Sammelbestellung, darf nicht unbeachtet bleiben, daß insbesondere in den Großstädten der Service von Großhandelsunternehmen (Zuverlässigkeit, Sortierung des Lagers, Lieferzeiten, Eingehen auf Retouren und Gutschriften) eine wichtige Rolle spielt.
Beim Vergleich der verschiedenen Einkaufsarten ist zu beachten, welche Unterschiede unter Umständen durch verschiedene Sortierung, Zuverlässigkeit in Zeit und Dauer der Lieferung und anderen Dienstleistungsarten, wie Retourenrückgabemöglichkeiten, bestehen. Der Sammel- oder Gemeinschaftseinkauf hat sich in manchen Gegenden unterschiedlich stark entwickelt. Er kann für die Apotheke Vorteile bringen, wenn unter Berücksichtigung der durch die Sammlung der Bestellungen anfallenden Mehrarbeit noch Gewinne erzielt werden. Allerdings ist beim Gemeinschaftseinkauf, besonders benachbarter Apotheken, eine vertrauensvolle und unbürokratische Arbeitsweise Voraussetzung. Nach Erstaufträgen, aber auch bei ungünstigen Inventurergebnissen, sind Absatzuntersuchungen sinnvoll. Sie werden durch farbige Kartenrückseiten erleichtert.
Sehr wichtig ist in Apotheken die Beachtung der Verfalldaten. Um nicht alle Packungen nachsehen zu müssen, empfiehlt sich die Anlage einer Kartei nach monatlicher Gliederung der Verfalldaten, die von einer Hilfskraft überprüft werden kann. Dazu werden z. B. Verfalltafeln oder Verfallkästen angeboten, bei welchen lediglich eine zusätzlich ausgeschriebene Identitätskarte der Spezialität unter den Verfallmonat abgesteckt wird. Damit ist es nicht mehr notwendig, in relativ kurzen Abständen das gesamte Spezialitätenlager nach Verfalldaten durchzusehen.

Es genügt, einmal im Monat die Karten aus dem entsprechenden Kästchen herauszunehmen. Ohne große Arbeit werden daraufhin die betreffenden Spezialitäten aus dem Lager aussortiert und evtl. dem Großhandel oder dem Hersteller zurückgegeben. Nach Erhalt des neuen Präparates wird die zusätzliche Identitätskarte wieder unter den entsprechenden Verfallmonat der Verfalltafel oder des Verfallkastens gesteckt. Die Verfalltafel oder der Verfallkasten haben ihren Platz im Helferinnenbereich. Die Kontrolle für das Aussortieren von verfallenden Medikamenten ist – erfahrene Apotheker wissen das – ein Punkt, auf welchen bei Revisionen besonders geachtet wird.
Auf die noch immer im Wandel befindlichen Anwendungsmöglichkeiten der EDV in der Warenbewirtschaftung (POR- und POS-System) sei später eingegangen.

b) Wirtschaftliche Lagerhaltung

Ein Warenlager kann totes Kapital darstellen. Die Forderung, das Lager möglichst klein zu halten, ist bei Liquiditätsschwierigkeiten oder bei der Neueinrichtung einer Apotheke von Bedeutung. Für die wirtschaftliche Apothekenführung ist sie gefährlich. Es ist zwar interessant, in Betriebsvergleichen festzustellen, wie hoch der wertmäßige Lagerbestand im Vergleich zum Umsatz ist, ob er also im Jahr durchschnittlich fünf-, acht- oder elfmal umgeschlagen wird. Das ist aber nur aussagefähig bei einer Gegenüberstellung ähnlich strukturierter Apotheken.
Sind die höchstmöglichen Rabatte ausgenutzt, spielt natürlich auch der Lagerumschlag eine wichtige Rolle. Eine lange Lagerfrist bringt allerdings bei den häufig wechselnden Verpackungen ein gewisses Risiko mit sich, das durch das GRG verstärkt wird.
Ein Vorteil besteht außerdem bei der vorhandenen Tendenz der steigenden Preise darin, daß der Apotheker die Ware billiger eingekauft hat.
Für die Lagerhaltung und besonders bei den Inventuren zum Geschäftsjahresabschluß ist ein Vermerk über den Absatz auf der Rückseite der Kärtchen wichtig, da dadurch schwer- oder unverkäufliche Packungen sofort erkannt und herausgefunden werden. Das vereinfacht wesentlich die Inventur.
Nun ist auch bei der Lagerhaltung zu beachten, wie die Apothekenführung von sonstigen Handelsunternehmen abweichen muß. Sie ist verpflichtet, zahlreiche Medikamente zu halten, auch wenn der Verkauf mit an Sicherheit grenzender Wahrscheinlichkeit nicht in Frage kommt.
So müssen die Apotheken Impfstoffe lagern, die nach zwei Jahren verfallen sind, oder sie müssen Spezialitäten lagern, die in den Apotheken selten

gekauft werden. Die Apothekenbetriebsordnung führt eine Reihe von Medikamenten an, zu deren Lagerung die Apotheken verpflichtet sind. Verschiedene Untersuchungen aus den letzten Jahren zeigen, daß die wirtschaftlich gut geführten Apotheken meistens einen überdurchschnittlich hohen Lagerbestand haben.
Tatsächlich findet sich bei kleinen Apotheken häufig ein Warenumschlag von nur fünf- oder sechsmal im Jahr, während bei großen, kaufmännisch gut geführten Apotheken ein zehnmaliger Umschlag im Jahr vorkommt. Dies wirkt sich wirtschaftlich aber – wie die Beispiele zeigen – nur dann positiv aus, wenn entsprechend günstig eingekauft wird. Im Bundesdurchschnitt liegt der Lagerumschlag bei etwa siebenmal jährlich.
In der Zukunft wird die optimale Lagerhaltung sehr erschwert, da ein Originalpräparat (z.B. Adalat) viele Nachahmepräparate hat. Das Warenlager wird dadurch breiter, unrationeller und arbeitsintensiver.
Das Optimum der Lagerhaltung ist aber immer nur im Vergleich zu den Rabatten zu sehen, so daß Übervorräte durchaus sinnvoll sein können.
Schließlich soll noch auf die Inventur eingegangen werden, die praktisch die Bilanz des Lagers darstellt. Dies ist für den Apotheker schon rein arbeitstechnisch wichtig.

Grundsätzlich kann auch der Apotheker zwischen drei Möglichkeiten der Inventurvornahme unterscheiden:

1. der verlegten Inventur,
2. der Stichtagsinventur,
3. der permanenten Inventur.

Für die **verlegte Inventur** gilt im einzelnen: Am Aufnahmetag der Inventur erfolgt eine Bewertung nach den herkömmlichen allgemeinen Grundsätzen. Der sich danach ergebende Gesamtwert muß dann auf den Bilanzstichtag fortgeschrieben bzw. zurückgerechnet werden.
Der Bestand am Bilanzstichtag braucht nicht nach Art und Menge festgestellt zu werden. Es genügt, den Gesamtwert des Bestandes auf den Bilanzstichtag zu ermitteln. Dafür müssen die Bestandsveränderungen zwischen dem Inventurstichtag und dem Bilanzstichtag wertmäßig anhand der Buchführung erfaßt werden.
Voraussetzung für dieses Verfahren ist, daß die Zusammensetzung des Warenbestandes am Bilanzstichtag von der des Warenbestandes am Aufnahmestichtag nicht wesentlich abweicht. Die Fortschreibung des Warenbestandes kann nach folgender Formel berechnet werden:
Wert des Warenbestandes am Inventurstichtag zuzüglich Wareneingang abzüglich Warenausgang (Umsatz abzüglich des durchschnittlichen Rohgewinns).

Bei der **Stichtagsinventur** müssen die Bestandsveränderungen zwischen dem Bilanzstichtag und dem Tag der Bestandsaufnahme anhand von Belegen oder Aufzeichnungen ordnungsgemäß für das Inventar berücksichtigt werden. Treten die „besonderen Umstände" und damit Verzögerungen ein, so werden an die Belege über die zwischenzeitlichen Bestandsveränderungen strenge Anforderungen gestellt. Daran ändert sich nichts. Wenn es zeitlich nicht klappt und Sie plötzlich „mittendrin" auf die „verlegte Inventur" überwechseln wollen, so berücksichtigen Sie die dafür geltenden speziellen Vorschriften.
Die **„permanente Inventur"** – die dritte Möglichkeit – ist nur mit einer EDV (POS-System) durchzuführen.
Die Aufnahme des Warenlagers ohne EDV ist für den ungeübten Mitarbeiter, sofern er nicht mit dem elektronischen Inventurerfassungsgerät arbeitet, strapaziös. Aus diesem Grunde lassen viele Apotheken sie von außenstehenden Experten durchführen. Die Spezialisten unterscheiden dann im Ergebnis auf Grund ihrer Erfahrungen nach verkäuflichen, schlecht verkäuflichen und nicht verkäuflichen Waren. Der Gesetzgeber verlangt die Bewertung des einzelnen Lagerartikels nach dem Vorsichtsprinzip, d. h., der Artikel darf nicht höher bewertet werden, als er am Tage der Inventur wert ist.
So wird allgemein der Tagespreis als Grundlage genommen und nicht der mögliche durch Skonti oder Rabatte verminderte Einkaufspreis. Hier ergibt sich eine Überbewertung des Warenlagers, die durch Wertberichtigung als Ausgleich für Skonti und Rabatte korrigiert werden muß. Mit Hilfe des Inventurwertes wird auch der Wareneinsatz festgestellt. Er errechnet sich aus dem Wert der alten Inventur zuzüglich Einkauf während des laufenden Jahres abzüglich dem Wert der neuen Inventur und gilt als wichtige Kennziffer „Wareneinsatz" bei Apothekenvergleichen. Er liegt bei den Apotheken in der Bundesrepublik um 66,1 %.

Diese Betrachtungen mögen zeigen, welche Einwirkungsmöglichkeiten der Apotheker hat, um so die wirtschaftliche Situation der Apotheke entscheidend verbessern zu können.
Seit 1970 hat sich die betriebswirtschaftliche Situation in den alten Bundesländern wie folgt entwickelt[15]:

---

[15] Vgl. Apothekenreport 1993, Nr. 44, S. 8.

Abb. 10: Betriebswirtschaftliche Situation 1992
(alte Bundesländer) – ABDA-Statistik (in %)

	1970	1980	1988	1989	1990	1991	1992*
Bruttoumsatz	100,0	100,0	100,0	100,0	100,0	100,0	100,0
Mehrwertsteuer	9,8	11,4	12,2	12,2	12,2	12,2	12,2
Nettoumsatz	90,2	88,6	87,8	87,8	87,8	87,8	87,8
Wareneinsatz	54,5	55,9	58,5	59,0	59,0	59,1	59,4
Rohertrag	35,7	32,7	29,3	28,8	28,8	28,7	28,4
steuerl. abzugsf. Kosten	20,5	21,5	19,9	20,1	19,9	19,6	19,6
Gewinn vor Steuern	15,2	11,2	9,4	8,7	8,9	9,1	8,8
kalkulat. Kosten	7,5	8,3	7,6	7,6	7,4	7,0	6,7
Betriebsergebnis	7,7	2,9	1,8	1,1	1,5	2,1	2,1

* vorläufig

Quelle: Institut für Handelsforschung, Köln, und eigene Berechnungen

In die Betriebshandelsspanne, die manchmal auch als Rohertrag bezeichnet wird, fließen die Gewinne und erhaltenen Rabatte, Skonti und Boni ein. Diese negative Entwicklung hat sich weiter fortgesetzt. Die rechnerische Handelsspanne, die aufgrund der Arzneimittelpreisverordnung ermittelt wird, ist auch weiter abgesunken.
Für einige ausgewählte Umsatzklassen sind in den alten Bundesländern folgende Zahlen errechnet worden[16]:

Abb. 11: Typische Apotheke
(alte Bundesländer) – ABDA-Statistik

	1980 TDM	1990 TDM	1991 TDM	1992 TDM	1993* TDM
Bruttoumsatz	914	1377	1500	1620	1513
Mehrwertsteuer	–105	– 169	– 184	– 199	– 197
Nettoumsatz	809	1208	1316	1421	1316
Wareneinsatz	–510	– 811	– 890	– 965	– 890
Rohertrag	299	397	426	456	426
Personalkosten	– 95	– 139	– 150	– 162	– 167
sonstige Kosten	–105	– 140	– 146	– 156	– 161
Einkommen vor Steuern	99	118	130	138	98

* bei Einhaltung der Budgets!

[16] Apothekenreport 1993, Nr. 44, S. 10.

2. Elektronische Datenverarbeitung (EDV)

In vielen Apotheken ist inzwischen die elektronische Datenverarbeitung eingezogen.

a) Grundsätzliche Fragen und Tendenzen

In der Apotheke fallen die Hauptkosten in den Bereichen Lagerhaltung, Personal, Organisation und Verwaltung sowie Finanzierung an.
Um die zu treffenden kostensenkenden Maßnahmen abgesichert durchführen zu können, bedarf es jedoch einer Vielzahl von Informationen. Die erforderlichen Daten sind zwar alle vorhanden, die Frage ist aber, wie die Daten zusammengetragen, verarbeitet und ausgewertet werden können, ohne daß ein zusätzlicher Aufwand an Personalkosten entsteht.
In Wirtschaftsunternehmen mit erheblichem Datenanfall wie Banken, Versicherungen, Warenhandelsgesellschaften usw. werden seit längerem zur Bewältigung der Datenmengen Elektronische Datenverarbeitungsanlagen, oder einfacher „Computer", eingesetzt. Derartige Anlagen ermöglichen es, sämtliche anfallenden Daten zu speichern, zu bearbeiten, zu verändern, zu sortieren, zu vergleichen, mit ihnen zu rechnen oder – sie zu löschen. Diese Aufgaben erledigt der Computer mit einer Geschwindigkeit von etwa 200 000 Rechenoperationen pro Sekunde (bei einer Anlage der mittleren Größenordnung).
Wie sieht nun ein derartiger Computer aus und vor allen Dingen – wie funktioniert er.
Einige Begriffe aus der Elektronischen Datenverarbeitung (EDV) werden Sie mit Sicherheit bereits gehört oder gelesen haben: Hardware – Software – Rechner – Betriebssystem – Programm – Programmiersprache – Bit und Byte – Zentraleinheit – Bildschirm – Drucker – Diskette – Magnetplatte.
Wir wollen diese Begriffe erst einmal ordnen und kurz erläutern.

● Hardware

Unter Hardware versteht man die gesamte gerätemäßige (technische) Ausrüstung einer Datenverarbeitungsanlage. Hierzu gehören der Rechner (auch Zentraleinheit oder CPU = Central Processing Unit) als das Kernstück des Computers, in dem sämtliche Rechenoperationen stattfinden; der Bildschirm mit der dazugehörigen Tastatur zur Eingabe der Daten; der Drucker zur Ausgabe der Daten mit Druckgeschwindigkeiten von 20 Zeichen pro Sekunde bei einem Schönschreibdrucker, bis zu 800 Zeichen pro Sekunde bei einem Schnelldrucker (eine gute Schreibkraft kommt auf etwa 6–7 Anschläge pro Sekunde); die Datenträger, d. s. die Einrichtungen, auf denen sämtliche Daten gespeichert werden, wie z. B. Disketten (vergleichbar einer flexiblen Schallplatte), Magnetplatten (vergleichbar einer normalen Langspielplatte), Magnetband (vergleichbar einer Musikkassette).

- **Betriebssystem**

Das Betriebssystem besteht aus einzelnen Programmen, die erst den Betrieb einer Datenverarbeitungsanlage ermöglichen. Das Betriebssystem steuert den Betrieb und das Funktionieren sämtlicher angeschlossener Hardware.

- **Programm**

Die Programme einer Datenverarbeitungsanlage stellen eine Folge von Befehlen zur Lösung einer bestimmten Aufgabe dar. Das Programm steuert die Arbeiten der jeweiligen Funktionseinheiten. Von der Zentraleinheit werden die Befehle des Programms zur Lösung einer Aufgabe nacheinander ausgeführt. Neben dem Betriebssystem als Programm zur Steuerung der Hardware werden zur Lösung der individuellen Aufgabenstellungen sog. Anwenderprogramme eingesetzt, die von Programmierern dem jeweiligen Bedarf entsprechend ausgearbeitet worden sind.

- **Software**

Mit Software bezeichnet man allgemein die in einer Datenverarbeitungsanlage eingesetzten System- und Anwenderprogramme.

- **Programmiersprache**

Ursprünglich wurden Datenverarbeitungsanlagen in Maschinensprache programmiert, d. h., die entsprechenden Befehle konnten sofort in der eingegebenen Form von der Maschine ausgeführt werden. Wegen des erheblichen Aufwands bei erforderlichen Programmänderungen hat man eigene Sprachen entwickelt: die Programmiersprachen, z. B. Assembler, Cobol, Fortran, Basic, Pascal. Der Vorteil dieser Programmiersprachen ist, daß die verwendeten Elemente (Anweisungen) in Wortform eine ganze Befehlsfolge in der Maschinensprache bewirken. Somit konnte die Programmierzeit verkürzt werden, der Programmablauf wurde überschaubarer und der Zeitaufwand für den erforderlichen Testlauf eines Programms geringer.

- **Bit und Byte**

Dies sind zwei der wohl am häufigsten in der EDV-Sprache verwendeten Begriffe.
Ein Bit ist die kleinste Darstellungseinheit für Binärdaten, das sind Daten in einem System, das sich bei der Darstellung von allen Begriffen, Zahlen usw. auf zwei Zeichen beschränkt. Binärsysteme stellen die einfachsten Systeme zum Codieren von Begriffen überhaupt dar – deshalb auch ihre große Bedeutung für die elektronische Datenverarbeitung.
Ein Byte, d. s. acht Datenbits, ermöglicht die Verschlüsselung (Codierung) von 256 verschiedenen Zeichen (alphanumerisch, numerisch und Sonderzeichen), d. h., in der EDV-Sprache bedeutet ein Byte ein darstellbares Zeichen, das maschinell verarbeitet werden kann.

Generell ergeben sich beim Einsatz eines Computers zwei herausragende Vorteile:

- Sämtliche anfallenden Daten brauchen nur einmal erfaßt zu werden, die weitere Be- und Verarbeitung erfolgt programmgesteuert durch die Anlage.
- Die hohe Rechengeschwindigkeit der EDV-Anlagen ermöglicht jederzeit den Zugriff auf alle gespeicherten Daten.

Ein Beispiel soll dies verdeutlichen.

Eine Firma erstellt ihre Ausgangsrechnungen manuell. Folgende Tätigkeiten fallen an:

1. *Kundennamen eingeben*
2. *evtl. Kundennummer eingeben*
3. *Kundenadresse eingeben*
4. *Rechnungsdatum eingeben*
5. *Rechnungsnummer eingeben*
6. *evtl. Lieferscheinnummer eingeben*
7. *Artikelnummer eingeben*
8. *Artikelbezeichnung eingeben*
9. *verkaufte Menge eingeben*
10. *Einzelpreis eingeben*
11. *Gesamtpreis ausrechnen und eingeben*
12. *Mehrwertsteuer ausrechnen und eingeben*
13. *Bruttogesamtpreis ausrechnen und eingeben*
14. *Zahlungskonditionen eingeben*
15. *Skontobetrag ausrechnen und eingeben*

Die gleiche Rechnung wird mit einem Computer geschrieben.

1. *Eingabe der Kundennummer oder des Kundennamens*
2. *Eingabe der Artikelnummer*
3. *Eingabe der Menge*
4. *Eingabe Rechnungsende*

Hinzu kommt, daß beim Einsatz eines entsprechenden Buchhaltungsprogramms sämtliche in Frage kommenden Buchungen automatisch ausgeführt werden, während bei der Fakturierung ohne Computer jede einzelne Buchung manuell durchgeführt werden muß.

Wie schon seit den letzten Jahren in der Wirtschaft, so entwickelten sich auch im Apothekenbereich Einsatzweise und Typenvielfalt der Geräte und Systeme sehr stürmisch.
Die Stufen der Informationsverarbeitung in der Apotheke lassen sich am besten in der folgenden Übersicht darstellen:

Abb. 12: Stufen der Informationsverarbeitung in der Apotheke

Nutzen

V. Perfekt	„Automatisches System"	PROKAS/2
		POS m. Kassen
IV. Dynamisch		POS m. Etiketten
III. Elementar-dynamisch		POR-System
II. Statisch		ABDA-Karten
I. Elementar		Defektbuch

Kosten

In welchem Stadium die einzelne Apotheke sich befindet, hängt einmal von der Einstellung des Inhabers, aber auch von der Größe der Apotheke ab. Langfristig wird wohl kein Apotheker daran vorbeikommen, sich mit der EDV zu befassen. Auf dem Datenverarbeitungssektor gibt es zahlreiche Systeme. Manche sind inzwischen wieder vom Markt verschwunden.

Grundsätzlich unterscheidet man zwischen POR (point of reordering)- und POS (point of sale)-Systemen. Die Unterschiedlichkeit beider Systeme wird aus folgender Übersicht deutlich:

Abb. 13: Systemvergleich POR und POS

	POR	POS
Ermittlung von Bestellzeitpunkt	visuell lfd. Prüfung des Mindestbestandes	automatisch Erfassung der Abverkäufe sofortiger Hinweis beim Unterschreiten der Mindestmenge
Mindestbestand	visuell Apotheken-Erfahrungswerte	automatisch Mindestbestand-Optimierung (math. Modell)
Bestellmenge	automatisch Basis: bisheriges Bestellverhalten	automatisch Basis: tägliches Abverkaufsverhalten und saisonale Trends
Verfalldaten-Überwachung	visuell	automatisch
Artikelgängigkeit (Ladenhüter)	automatisch letzter Bestelltermin	automatisch letzter Abverkauf
Inventur	nur richtig bei Einermengen	genauer Bestand
Stapelaufträge	ohne Trend	mit Trend

b) Verbreitete EDV-Systeme

Der Fischer-Computer

Der Apotheker Klaus Fischer aus Stuttgart hat mit seinem Warenwirtschaftsprogramm „FIDOS“ eine apothekengerechte Lösung entwickelt, die heute bereits über 400mal im Einsatz ist.

Fischer hat sich mit seinem „FIDOS“ – Warenwirtschaftsprogramm für das POR-System entschieden.
POR besagt, daß die Warenlagerbewegungen nur zum Zeitpunkt der Wiederbeschaffung registriert werden, d. h., eine Veränderung der Computerdaten erfolgt mit der Nachbestellung. Dieses Verfahren erscheint deshalb sinnvoll, da aufgrund der Spezialitätenvielfalt ein Lagerbestand von einem Stück vorherrschend ist. Eine Bestandsfortschreibung ist zumindest für diese Artikel sinnlos und führt bestenfalls zu Fehlern.
Weitere gewichtige Gründe sprechen für das POR-System:
Das ABDA-Kärtchen hat sich als Datenträger bestens bewährt. Und solange die Industrie sich nicht zu einer einheitlichen, genormten Auszeichnung der Verpackungen durchringen kann, gibt es zur ABDA-Lochkarte keine vernünftige Alternative.
Die Auszeichnung aller Verpackungen mit maschinenlesbaren Etiketten hat für den Apotheker einen erheblichen Mehraufwand zur Folge. Und dieser Mehraufwand entsteht zusätzlich zu den Kosten für die erforderlichen Erfassungs- bzw. Erkennungsgeräte wie Lesepistole oder elektronische Kasse. Für die Durchschnittsapotheke ist der möglicherweise eintretende Rationalisierungseffekt aufgrund der hohen Kosten manchmal fraglich. Die Vorteile beim Einsatz von Datenverarbeitungsanlagen können nun auch – nicht nur unter dem Gesichtspunkt der Kostensenkungsmaßnahme – in der Apotheke genutzt werden.
Die anfallenden Datenmengen sind erheblich. Das Warenlager ist mit im Durchschnitt etwa 15000 Artikeln ungewöhnlich umfangreich, die Warenlagerkontrolle dementsprechend aufwendig, Wareneinkäufe mit den damit verbundenen Wareneingängen finden täglich statt, die vorgeschriebenen Preise werden geändert, Bestellmengen müssen festgelegt werden, Rabattstaffeln sollen ausgenutzt werden, beim Abverkauf treten saisonale Schwankungen auf – diese Reihe von unregelmäßigen Arbeitsabläufen in der Apotheke ließe sich beliebig fortsetzen, das Ergebnis bleibt: In der Apotheke besteht eine gewaltige Informationsflut bei einem ebenso gewaltigen Informationsbedarf.
Das Erstellen einer theoretischen Inventur zu jedem beliebigen Zeitpunkt ist – obwohl bei „FIDOS“ als POR-System keine Bestände fortgeschrieben werden – gleichwohl möglich. Der wahrscheinliche aktuelle Bestand wird aus Lagerzeit, Dispositionszeit und letztem Einkauf errechnet. Da die meisten Artikel in der Apotheke als Einer-Positionen am Lager sind und Fischer zusätzlich einen Bewertungsfaktor mitführt, kann bei der theoretischen Inventur mit „FIDOS“ eine Genauigkeit von plus/minus 1 % erreicht werden.

Letztlich sollte aber in jedem Fall die Entscheidung für ein POR- oder POS-System vom Organisationsstand und der Umsatzgröße der jeweiligen Apotheke abhängig gemacht werden. Ein weiteres Entscheidungskriterium sollte das Preis-/Leistungsverhältnis des betreffenden Computersystems sein.
Unabhängig jedoch von der Entscheidung für POR oder POS sollten durch den Einsatz eines Apotheken-Computers folgende Ziele erreicht werden:

- Abbau des Warenlagers bei verbesserter Lieferfähigkeit
- optimale Rabattausnutzung
- genaue Verfalldatenkontrolle
- Reduzierung der Warenverluste
- aktuelle Warenbestandsermittlung
- Transparenz des Warenlagers
- Reduzierung der Großhandelslieferungen
- zeitsparende Retourenbearbeitung
- Inventurerstellung
- gezielter Ausdruck von Etiketten für Packungen und Kärtchen
- rasche Informationen

Die IBM-Produktfamilie

Wie fast überall in Industrie, Handel, Forschung und Lehre bietet IBM auch dem Apotheker ein maßgeschneidertes Konzept zum hilfreichen Einsatz in seiner Apotheke. Programme und Rechner sind dabei flexibel ausgelegt, um den individuellen Bedürfnissen jeder Apotheke Rechnung zu tragen.
Eine Reihe von Anbietern im Bereich der Apothekensoftware arbeitet mit IBM zusammen und bietet die unterschiedlichsten Lösungen vom Informationsterminal über POR- bis hin zu ausgefeilten POS-Systemen auf Basis von IBM-Computern an.
Zusätzlich engagiert sich IBM in enger Zusammenarbeit mit der Pro Medisoft GmbH in Mannheim auch auf der Softwareseite. Bereits 1978 wurde das „Kaufmännische System für Apotheken KSA“ auf Basis der mittleren Datentechnik (IBM Serie/1) in Zusammenarbeit mit Apothekern entwickelt. 1988 wurde die PC-Version des Programms unter dem Namen PROKAS angekündigt. Schließlich wurde die Software auf Basis des Betriebssystems OS/2 neu entwickelt und 1993 unter dem Namen PROKAS/2 erstmals vorgestellt.
Die geeigneten Rechner dafür bietet die IBM-PC-Produktfamilie mit 100 Basismodellen. Insbesondere die IBM-ValuePoint-Modellgruppe

empfiehlt sich für den Einsatz in der Apotheke, da sie modular aufgebaut ist und dem Industriestandard der AT-Bus-Architektur entspricht. Damit kann jede Lösung individuell nach den Anforderungen des kostenbewußten Apothekers „maßgeschneidert" werden.

PROKAS/2 – das Praxisorientierte Kaufmännische Apothekensystem

Seit der Einführung der ersten POS-Warenwirtschaftssysteme haben sich grundlegende Veränderungen in den Rahmenbedingungen ergeben. Die Einführung von maschinenlesbaren Strichcodes auf den Arzneimittelpakkungen ermöglicht inzwischen auch eine „etikettenlose" POS-Organisation auf Basis von Scannerkassen. Neue gesetzliche Regelungen, wie die Einführung von Festbeträgen und im speziellen die Notwendigkeit, Pharmazentralnummern auf die Rezeptformulare aufzubringen, stellen neue Anforderungen an die Apothekenorganisation. Gleichzeitig haben die Personalcomputer durch das ständig verbesserte Preis-/Leistungsverhältnis Einzug auch in die kleinste Apotheke gefunden.
PROKAS/2 wurde auf modernster technischer Basis speziell für die Anforderungen der 90er Jahre entwickelt. Folgende grundsätzliche Ziele wurden erreicht:

- einfache und effiziente Bedienung durch Verwendung einer objektorientierten grafischen Benutzeroberfläche (IBM OS/2 2.x);
- beliebige Ausbaufähigkeit durch Einsatz von Lokalen Netzwerken wie IBM Token Ring, Ethernet und der IBM-LAN-Software;
- hohe Verfügbarkeit durch autonome Scannerkassen (IBM 4694), moderne Sicherheitsmechanismen wie Plattenspiegelung und systemunabhängiger tragbarer Scanner;
- Flexibilität der Software hinsichtlich neuer zu erwartender Aufgabenstellungen aufgrund von gesetzlichen Auflagen durch Verwendung einer relationalen Datenbank (IBM DB 2/2);
- Flexibilität in der Hardware für den Einsatz zukünftiger Technologien durch Einsatz von Standards in der Programmierung wie im Betriebssystem;
- universelle Einsetzbarkeit des Systems auch für zusätzliche Anwendungen neben und zusammen mit PROKAS/2. IBM OS/2 bietet die Möglichkeit, gleichzeitig Standard-DOS-Anwendungen und sogar WINDOWS-Programme auszuführen;
- Zeitersparnis durch wartungsfreie Abläufe, Vollautomatisierung des Warenkreislaufs und etikettenlose POS-Organisation;
- hohe betriebswirtschaftliche Kompetenz für optimale Transparenz der wirtschaftlichen Zusammenhänge durch exakte Werterfassung und umfangreiche Statistiken.

Die typische Konfiguration von PROKAS/2 in der Apotheke besteht aus:

- Arbeitsplätzen, bestehend aus eigenständigen Personalcomputern
  - Helferinnenbereich für Warenbewirtschaftung
  - Büro für betriebswirtschaftliche Steuerungsaufgaben
  - HV für Kundenberatung und Information
- Scannerkassen für Abverkaufserfassung, Rezeptverarbeitung
- tragbarer Scanner für Wareneingangskontrolle und Datenpflege
- Drucker für Etiketten und Listen
- ISDN-Schnittstellenkarte für Datenübertragung zum Großhandel, Datenübertragung (z. B. Preisänderung), Fernwartung, sonstige Telematikdienste (z. B. Datex-J <BTX>)
- CD-ROM für pharmazeutische Informationen aus ABDA-Datenbank, Rote Liste
- Streamer für optimale Datensicherheit

Der moderne Warenkreislauf in der „etikettenlosen“ POS-Apotheke beginnt mit dem „Scanning“ der Artikel am Kassensystem. Automatisch errechnet PROKAS/2 Eigenanteile und Zuzahlungen. Auf das Rezept werden neben Apothekenidentifikation und Preisen auch die Pharmazentralnummern gedruckt. Falls gewünscht, wird ein Bon erstellt, der alle notwendigen Informationen über den Einkauf bis hin zu Einnahmehinweisen oder wahlweise auch Nebenwirkungen enthält. Dabei erhält der Kunde auch den Hinweis, von wem er beraten wurde. PROKAS/2 unterstützt am Kassensystem auch die Verarbeitung von apothekeneigenen Kundenkarten genauso wie das bargeldlose Bezahlen per Lastschriftverfahren oder Kreditkarte. Rezepte mit defekten Artikeln können trotzdem sofort bearbeitet werden. Das System speichert alle Kundennachfragen und führt wahlweise Bestellungen durch oder hält sog. Neinverkäufe für eine spätere Bearbeitung fest. Das Kassensystem druckt auch die Abholscheine.
Das zentrale Warenwirtschaftssystem bestellt nun automatisch die nötigen Artikel auf Basis der vorgegebenen Lieferantenkonditionen, dem aktuellen Abverkaufstrend und Abrufplan der Großhändler. Auch die Sonderangebotslisten der Großhändler werden im System per Diskettenaustausch oder ISDN-Datenübertragung gepflegt. PROKAS/2 erkennt auf- und absteigende Abverkaufstrends und berechnet den jeweils optimalen Mindestbestand vollautomatisch.
Auch Direktbestellungen stellt PROKAS/2 automatisch zusammen, wobei hier besondere Gesetzmäßigkeiten berücksichtigt werden.
Der Anwender kann nun die fertigen Bestellungen natürlich korrigieren und beliebig verändern. Dies ist aber nur noch in Ausnahmefällen notwendig.

Ohne weiteres Zutun des Anwenders werden die Bestellungen vom Großhandel abgerufen. Der Großhandel meldet seine Defekte per Datenfernübertragung, die dann von PROKAS/2 automatisch beim nächstliefernden bzw. rabattoptimalen Großhandel bestellt werden.
Die gelieferte Ware wird mittels eines tragbaren Laserscanners eingescannt. Dabei werden auch die Verfalldaten auf einfache Weise mit dem Scanner erfaßt. Da der Scanner alle laufenden Bestellungen kennt, können Lieferdifferenzen und Retouren sofort am Scanner bearbeitet werden.
Zur Vereinfachung der Warenverteilung gibt der Scanner Hinweise auf den Lagerort der Artikel bzw. auf Kundenbestellungen. Der Scanner tauscht anschließend alle Daten mit dem Warenwirtschaftssystem aus.
Die Verbuchung des Wareneingangs geschieht ebenfalls ohne weitere Aktion des Anwenders.
Die Vision eines vollautomatischen Warenkreislaufs ist damit Wirklichkeit geworden und erspart der Apotheke viel Zeit bei gleichzeitiger optimaler Transparenz durch Bestandsführung und Abverkaufsstatistiken.

Zur Abrundung des Warenkreislaufs gehören noch folgende Funktionen von PROKAS/2:

- Artikelsuche und -informationen
- Verwaltung des Randsortiments mit Datenpflege
- Übervorratsverwaltung
- Retournierungshilfe für Verfallartikel und Ladenhüter
- Kundenverwaltung, Auftragsverwaltung und Fakturierung
- Preisänderungsdienst und eigene Preispflege
- Kassenbuch
- betriebswirtschaftliche Informationen über
  - Artikel/Artikelgruppen
  - Kunden/Kundengruppen
  - Lieferanten/Lieferantengruppen
  - Mitarbeiter
  - Hersteller
  - Lagerorte
  - freie Erlösgruppen
  - Warengruppen
  - Kassen usw.
- Listeninformationen nach allen erdenklichen Kriterien
- Mehrapothekenversion
- Krankenhausbelieferung

3. Buchführung

Apotheker gelten als Gewerbetreibende i. S. d. § 15 EStG. Als solche sind sie gesetzlich verpflichtet, Bücher zu führen und regelmäßig Abschlüsse zu machen.
Die gesetzliche Verpflichtung hierfür ergibt sich aus den handelsrechtlichen Vorschriften der §§ 238 ff. HGB sowie aus den steuerrechtlichen Vorschriften der §§ 140 ff. AO 1977.
In der Regel ermittelt der Apotheker seinen Gewinn durch Vermögensvergleich i. S. d. § 5 Abs. 1 EStG. Nur in den Fällen, in denen die Wertgrenzen des § 141 AO 1977 nicht überschritten werden, nämlich

Jahresumsatz	DM 500 000,–
oder	
Betriebsvermögen	DM 125 000,–
oder	
Gewerbeertrag	DM 36 000,–

kann der Gewinn durch die Gegenüberstellung der Einnahmen und Ausgaben nach § 4 Abs. 3 EStG ermittelt werden.

a) Grundsätze

Durch die Übernahme der „Grundsätze ordnungsmäßiger Buchführung" (GoB) in das EStG (§ 5 Abs. 1 EStG) ergibt sich danach für alle buchführenden Gewerbetreibenden – also auch für die Apotheker – diese handelsrechtliche Verpflichtung.

Die wichtigsten Grundsätze lauten:

Die Buchungen sind
- vollständig, d. h. lückenlose Erfassung sämtlicher Geschäftsvorfälle
- richtig, d. h. Buchung nach den tatsächlichen Geschäftsvorfällen und in Übereinstimmung mit dem Beleg
- zeitgerecht, d. h. zeitnahe Erfassung
- geordnet, d. h., der Zusammenhang zwischen Buchung, Beleg und Geschäftsvorfall muß für einen Sachkundigen ohne Schwierigkeiten zu erkennen sein,

vorzunehmen.

Nach § 140 AO gehört zur Ordnungsmäßigkeit der Buchführung auch die vorschriftsmäßige Führung folgender Apothekenbücher:

1. Herstellungs- und Prüfungsbücher,

2. Lagerbücher über Ein- und Ausgang sowie die Verarbeitung von Betäubungsmitteln[17],
3. Betäubungsmittelbücher.

Dem Buchführungspflichtigen ist zwar grundsätzlich freigestellt, welches Buchführungssystem er verwendet, sofern das gewählte System die Anforderungen an die Ordnungsmäßigkeit der Buchführung erfüllt.

b) Buchführungssysteme

Da jeder Kaufmann gem. § 242 HGB einen aus Bilanz sowie Gewinn- und Verlustrechnung bestehenden Jahresabschluß aufzustellen hat, stellt die doppelte Buchführung das handelsrechtlich allein zulässige Buchführungssystem dar.
Neben der manuellen Art, die Geschäftsvorfälle in Journalen, Haupt- und Nebenbüchern zu erfassen, setzt sich immer mehr die Datenverarbeitung in der Buchführung durch.
Die steuerberatenden Berufe werden durch das auf genossenschaftlicher Basis gegründete Rechenzentrum „Datev" in dem Bemühen unterstützt, den Apothekern neben der laufenden Buchführung auch betriebswirtschaftliche Auswertungen an die Hand zu geben.
Ob die Buchführung in der Apotheke oder im Büro des steuerlichen Beraters durchgeführt wird, ist von der Einstellung des Apothekers zur Buchführung abhängig.
In über 90 % der Fälle wird heute bei den Apotheken die Buchführung außer Haus in den Steuerberatungsbüros mit Hilfe der EDV erstellt. Für diese Handhabe sprechen eine Reihe von Vorteilen:

1. Der Apothekenleiter braucht sich über die Hard- und Software, deren Ergänzungen und Erneuerungen keine Gedanken zu machen.
2. Der Apothekenleiter hat die Gewähr, daß die EDV-Systeme des Datev-Rechenzentrums den Grundsätzen ordnungsmäßiger Speicherbuchführung (GoS) entsprechen.
3. Neben der Erstellung der laufenden Buchführungen erhält der Apothekenleiter Auswertungen, die ihm die notwendigen Daten für einen Betriebsvergleich liefern und dadurch eine bessere Steuerung des Betriebes erlauben.

---

[17] Verordnung über das Verschreiben, die Abgabe und den Nachweis des Verbleibs von Betäubungsmitteln (Betäubungsmittel-Verschreibungsverordnung – BtMVV) v. 1.2.1993.

In der Praxis lassen sich folgende Verfahren antreffen:

1. Der Apotheker gibt dem Steuerberater die pro Monat anfallenden Belege einschließlich der Kassenaufzeichnung. Im Steuerberatungsbüro werden diese Belege kontiert, erfaßt und dem Rechenzentrum (RZ) per DFÜ übermittelt. Das RZ verarbeitet die Daten und sendet die fertige Buchhaltung, bestehend aus
   - Journal,
   - Konten,
   - Summen- und Saldenlisten,
   - betriebswirtschaftlicher Auswertung (kurzfristige Erfolgsrechnung),
   - USt-Voranmeldungen,

   an den Steuerberater zurück, der dann die entsprechenden Unterlagen an den Apotheker weitergibt.
2. Der Apotheker macht nach seinen Belegen Grundaufzeichnungen (Kassen-Liste, Bank-Liste, Wareneingangs-Liste etc.), die er dann dem Steuerberater zur Verfügung stellt; weiterer Ablauf wie 1.
3. In der Apotheke werden die Belege oder Grundaufzeichnungen kontiert. Der Steuerberater erfaßt die vorkontierten Belege auf Datenträger; weiterer Verlauf wie bei 1.
4. In der Apotheke werden die Buchungsdaten in das eigene Erfassungsgerät eingegeben. Der Datenträger wird an ein RZ geschickt; der Apotheker erhält die fertige Buchführung zurück; weiterer Ablauf wie bei 1.

Die Entscheidung für eine der vier angesprochenen Möglichkeiten ist nicht so einfach zu treffen, da hier auch nicht quantifizierbare Faktoren eine Rolle spielen. In den meisten Fällen wird die Personalsituation bzw. die Kostenbelastung der einzelnen Versionen den Ausschlag für die Entscheidung geben.

Version 1):

Hinsichtlich des Arbeitsanfalls ist dieses Verfahren am wenigsten zeitaufwendig. Weder der Apotheker noch ein Mitarbeiter müssen sich mit den „lästigen Arbeiten“ der Buchführung befassen; es muß jedoch sichergestellt sein, daß auch wirklich alle Belege an die Buchstelle/Rechenzentrum weitergegeben werden. Die Vertrautheit des Apothekers mit den wirtschaftlichen Vorgängen scheint auf den ersten Blick eingeschränkt zu sein; die vom Rechenzentrum wenig später erhaltene betriebswirtschaftliche Auswertung/kurzfristige Erfolgsrechnung ermöglicht ihm jedoch letztlich doch – und das in konzentrierter und aufbereiteter Form –, die kaufmännischen Vorkommnisse zu verfolgen und entsprechende Entscheidungen zu treffen. Die Kosten für diese Form der Buchführung können sich nach dem Volumen aller Buchungen richten, die wiederum letztlich vom Umsatz der betreffenden Apotheke abhängen.

Version 2):

Die Version 2) unterscheidet sich von der Version 1) in bezug auf die Vorteilhaftigkeit kaum. Es müssen lediglich in der Apotheke Grundaufzeichnungen angefertigt werden, die ihrerseits dem Steuerberater/Buchstelle zugesandt werden. Da hier schon eine gewisse Vorarbeit geleistet wird, sind die Gebühren im Vergleich zu Version 1) etwas niedriger.

Version 3):

Hier sind neben dem buchhalterischen Verständnis auch steuerrechtliche Kenntnisse erforderlich, damit die Buchführung den steuergesetzlichen Anforderungen entspricht. Soweit diese Tätigkeiten vom Apotheker nicht selbst vorgenommen werden, muß er sich – wenn auch stundenweise – einer dafür ausgebildeten Fachkraft bedienen. Zwar reduzieren sich die Kosten beim steuerlichen Berater nur auf die Tätigkeit der Erfassung, dafür erwachsen dem Apotheker erhöhte Personalkosten einschließlich der gesetzlichen sozialen Aufwendungen.

Version 4):

Die letzte Version unterstellt die Anschaffung eines Datenverarbeitungsgerätes, in das die Kontierungen von einer perfekten Buchhaltungskraft eingegeben werden. Die Kosten setzen sich aus mehreren Einzelpositionen zusammen:

- den Abschreibungsgegenwerten des Erfassungsgerätes
- der Verzinsung des hierfür eingesetzten Kapitals
- Wartungskosten
- den Personalkosten für die Eingabe bzw. die Kontierungen
- den pauschalen Kosten des Rechenzentrums (falls der „Apotheken-Computer“ nicht so weit ausgelegt ist, daß er die Buchhaltungsergebnisse selbst ausdruckt).

Im Grunde genommen fallen im Falle 4) noch weitere Kosten an, die aber nicht so leicht zu ermitteln sind. Dazu gehören die Raumkosten, die Kosten bei Unterbrechung des Datenerfassungsgerätes, die durch zusätzliche organisatorische Maßnahmen entstehen zwecks Aufrechterhaltung des Ablaufes der Betriebsbuchführung.

Wie bereits in Version 3 dargelegt, sind neben den buchhalterischen auch steuerrechtliche Kenntnisse erforderlich. Darüber hinaus werden jedoch auch Kenntnisse beim Programmieren von Buchhaltungsprogrammen oder dem Erwerb solcher Programme auf dem freien Markt notwendig sein, da diese Programme den steuergesetzlichen Änderungen angepaßt werden müssen. Hierbei ist auch zu beachten, daß diese Programme den Grundsätzen ordnungsmäßiger Speicherbuchführung (GoS) entsprechen.

c) Kontenrahmen

Da für die Kontierung kein Pflichtkontenrahmen vorgeschrieben ist, sind verschiedene Varianten möglich. Wir zeigen hier einen Kontenrahmen, wie er sich für Apotheken mit EDV-Buchhaltung besonders eignet.
Besonders bei den kurzfristigen Monatsabschlüssen, die durch die EDV ermöglicht werden, ist ein übersichtlicher Kontenplan von großem Nutzen. Durch die EDV können monatliche Zwischenergebnisse erstellt werden, die dem Apotheker eine gute Übersicht über seine Buchführung auch schon während des Jahres erlauben. In den Zwischenergebnissen fehlen lediglich die Erhöhung oder Verminderung des Warenbestandes, die Rechnungsabgrenzung und die Abschreibungen, die aber auch kalkulatorisch einbezogen werden können.
Von den in der Apotheke zu erstellenden Grundaufzeichnungen über die Kontierung und Erstellung der Datenträger und die Auswertung dieser Datenträger durch das Rechenzentrum wird diese kurzfristige Erfolgsrechnung unter gleichzeitiger Erstellung von Umsatzsteuer-Voranmeldungen möglich gemacht. Wenn am Geschäftsjahresende durch Inventur der Wert des Warenbestandes ermittelt worden ist, können die Bücher endgültig abgeschlossen und der Jahresabschluß erstellt werden. Die Bilanz ergibt dann eine lückenlose Rechnung über das Betriebsvermögen und die Betriebsschulden sowie das verbleibende Kapital, während in der Gewinn- und Verlustrechnung die Erträge zunächst dem Wareneinsatz gegenübergestellt werden – die Differenz ist der Rohgewinn – und dann durch Abzug der Betriebskosten der Reingewinn ermittelt wird.
Wir haben bewußt diese kurze Darstellung der Buchführung gewählt, da sich normalerweise der Apothekenleiter diesem Gebiet weniger widmet. Abschließend seien aber noch Bilanzstrukturen für drei Apothekentypen wiedergegeben, die sich durch Miete, Pacht und eigene Räume stark unterscheiden (s. Abb. 14).

Der speziell für Apotheken erarbeitete Kontenrahmen sieht wie folgt aus:

Apotheken-Kontenplan

Klasse 0	Anlagen und Kapitalkonten
Klasse 1	Finanz- und Privatkonten
Klasse 2	Außerordentliche und betriebsfremde Aufwendungen
	Haus- und Grundstücksaufwendungen
	Außerordentliche und betriebsfremde Erträge
	Haus- und Grundstückserträge
Klasse 3	Wareneinkauf 7 %
	Wareneinkauf 14 %
	Wareneinkauf Labor 7 %
	Wareneinkauf Labor 14 %
	Fremdarbeiten und Fremdleistungen
	Bezugs- und Nebenkosten
	Gutschriften
	Erhaltene Boni
	Erhaltene Skonti
Klasse 4	Gehälter approb. Mitarbeiter u. Kand.
	Gehälter PTA u. Vorexam.
	Gehälter und Löhne übriges Personal
	Aushilfen
	Gesetzlich soziale Aufwendungen
	Freiwillige soziale Aufwendungen
	Beiträge zu Berufsgenossenschaften
	Miete
	Pacht
	Heizung
	Beleuchtung, Gas, Wasser
	Reinigung und Reinigungsmittel
	Reparaturen an Geschäftsräumen
	Sonstige Raumkosten
	Gewerbesteuer
	Beiträge
	Versicherungen
	Werbekosten
	Repräsentation

	Bewirtung
	Warenzustellung
	Verpackungsmaterial
	Auszeichnungsmaterial, Kassenblocks
	Sonstige Sachkosten für Warenabgabe
	Nebenkosten des Finanz- und Geldverkehrs
	Kontokorrentzinsen
	Akzeptdiskont
	Geringwertige Wirtschaftsgüter
	Abschreibungen auf Anlagevermögen
	Abschreibungen auf Umlaufvermögen
	Sonstige Abschreibungen
	Kfz-I-Kosten
	Kfz-II-Kosten
	Büromaterial, Zeitungen, Zeitschriften
	Porto, Telefon, Fernschreiber
	Rechts- und Beratungskosten
	Instandhaltung des Inventars, Laborkosten
	Reisekosten AN
	Reisekosten UN
	Km-Geld-Erstattung
	Buchhaltungs-„außer Haus"-Kosten
	Ausgaben ARZ
	Sonstige Einzelkosten
Klasse 8	Warenverkauf Hand
	Warenverkauf Kr. K.
	Warenverkauf Großhandel
	Warenverkauf Drogerie
	Warenverkauf Personal
	Eigenverbrauch
	Labor-Erlöse
	Sonstige Erlöse

Abschließend sind noch Bilanzstrukturen für drei Apothekentypen wiedergegeben, die sich durch Miete, Pacht und eigene Räume stark unterscheiden (s. Abb. 14).

4. Kennzahlen und Vergleiche

„In der Tat, die Lage der Pharmazie ist keine glänzende. Längst sind die Zeiten dahin, in denen der Apotheker ruhig und beschaulich seiner eigent-

Abb. 14: Bilanzstrukturen

Pachtapotheke		Apotheke in Mieträumen		Apotheke in eigenen Räumen	
Aktiva	Passiva	Aktiva	Passiva	Aktiva	Passiva
				Grundstück/ Gebäude 138 000	
	langfristige Schulden 5 000		langfristige Schulden 46 000		langfristige Schulden 67 000
		Umbauten 5 000			
Geschäfts-ausstattung 13 000		Geschäfts-ausstattung 40 000		Geschäfts-ausstattung 38 000	
Warenlager 97 000		Warenlager 100 000		Warenlager 101 000	
	Waren-schulden 52 000		Waren-schulden 51 000		Waren-schulden 52 000
	Wechselver-bindlichkeiten 5 000		Wechselver-bindlichkeiten 3 000		Wechselver-bindlichkeiten 1 000
Forderungen 73 000		Forderungen 67 000		Forderungen 80 000	
	kurzfristige Schulden 51 000		kurzfristige Schulden 40 000		kurzfristige Schulden 50 000
flüssige Mittel 15 000		flüssige Mittel 19 000		flüssige Mittel 25 000	
	Rückstellungen 8 000		Rückstellungen 8 000		Rückstellungen 8 000
sonstige Aktiva 17 000		sonstige Aktiva 39 000		sonstige Aktiva 38 000	
	Eigenkapital 94 000		Eigenkapital 122 000		Eigenkapital 242 000
215 000	**215 000**	**270 000**	**270 000**	**420 000**	**420 000**

Quelle: Archiv Deutsche Apotheken-Buchstelle e. V., Hannover

lichen und ursprünglichen Tätigkeit, der Anfertigung von Arzneien nach ärztlicher Verordnung und der Herstellung der zu den Arzneien benötigten Chemikalien und der Präparate, in seinem Laboratorium obliegen konnte. Eine neue Zeit mit ihren Anschauungen, mit ihren Interessenkämpfen, ... geht langsam, aber sicher auch gegen die Apotheke ... zu Feld."
Dies hat der damalige Vorsitzer des Deutschen Apotheker-Vereins Dr. H. Salzmann am 22. 1. 1913 vorgetragen[18]. Er fügte auch noch Fragen hinzu, die er positiv beantwortete:

> „Die große Frage der Pharmazie im 20. Jahrhundert lautet: Hat die deutsche Apotheke in ihrer bisherigen Gestalt überhaupt eine Daseinsberechtigung, gebraucht das Kulturleben noch einen wissenschaftlich gebildeten Apotheker, oder genügen nicht vielmehr die Großindustrie und Abgabestellen durch deren Angestellte? Haben die Apotheker selbst oder mit Staatshilfe die Kraft, ihr Leben zu erhalten und ihre Daseinsnotwendigkeit zu beweisen?"

Wie aktuell muten diese Formulierungen heute an. Um nun auch in Zukunft bestehen zu können, müssen die Apothekenleiter stärker die wirtschaftliche Lage beachten, und zwar bis hin zum täglichen Geschäft.

a) Allgemeine Übersichten

In der Betriebswirtschaft wird häufig folgende Kosten/Nutzenregel angewandt: Ein kleiner Teil des Nutzens ist mit unverhältnismäßig hohen Kosten verbunden und umgekehrt. „80" steht hier für „viel" und „20" für „wenig".
Die Verteilung in der Größenordnung 80:20 ist tatsächlich häufig anzutreffen, z. B. 20 % der Artikel eines Sortiments bewirken 80 % des Gesamtumsatzes oder 20 % der Kunden bewirken 80 % des Gesamtumsatzes.
Man könnte nun den einfachen Schluß ziehen, im ersten Fall auf die 80 % Artikel mit geringerem Umsatzanteil, im zweiten Fall auf 80 % der Kunden mit nur 20 % Umsatzanteil zu verzichten.
So einfach ist das in der Praxis nicht. Insbesondere kann die Apotheke nicht so vorgehen. Im Durchschnitt machen die ersten 10000 Artikel von 70000 Artikeln 94 % des Umsatzes und die ersten 3000 Artikel sogar bereits 76 % des Umsatzes aus.
Im gewissen Rahmen bietet sich auch für Apotheken an, das Nebensortiment zu verstärken. Der Anteil der Kosmetik, besonders der apothekenexklusiven Kosmetik, steigt in letzter Zeit wieder, da viele Apotheker –

[18] Zitiert nach Pharmazeutische Zeitung vom 23. 10. 1980.

teils durch Konkurrenzdruck, teils aus Freude an der Erweiterung ihrer Apotheke zum Haus für Gesundheit – aktiver geworden sind. Bei allgemein sinkenden Rezeptzahlen kommt der Erhöhung der Kundenfrequenz große Bedeutung zu. Dies läßt sich am besten durch qualitativ hochwertige Produkte erreichen, die von der Industrie beworben werden. Über eine aktive Kommunikation mit dem Kunden (Schaufensterwerbung, persönliche Ansprache, Probenausgabe von Kosmetika) können der Apotheker und seine Mitarbeiter zum aktiven Verkauf kommen. Eine planmäßige Schulung der Mitarbeiter, wie sie in großen Unternehmen längst üblich ist, wird hierbei allerdings immer dringender. Beim Nebensortiment darf nicht vergessen werden, wie schwierig die Wettbewerbslage bei den relativ hohen Personalkosten sein kann.
Grundsätzlich wird die Wirtschaftlichkeit durch das Gegenüberstellen von Leistungen und Kosten in einer Rechnungsperiode geprüft. Abweichend von zahlreichen anderen Veröffentlichungen haben wir bewußt den Begriff „Rentabilität" in den Hintergrund gestellt. Rentabilität bedeutet nämlich das Verhältnis des Gewinnes zum eingesetzten Kapital. Je nach Bezugsgröße unterscheidet man dabei:

$$\text{Unternehmensrentabilität} = \frac{\text{Reingewinn} + \text{Fremdkapitalzinsen}}{\text{Unternehmenskapital} \times 100}$$

oder

$$\text{Eigenkapitalrentabilität} = \frac{\text{Reingewinn}}{\text{Eigenkapital} \times 100}$$

Natürlich darf die Rentabilität auch bei Apotheken nicht außer acht gelassen werden. Für die meisten Apothekeninhaber lohnt es sich sogar, die Frage der Rentabilität ihres Unternehmens eingehend zu prüfen, da der Kapitaleinsatz – zum Teil aus Tradition oder Gefühl – nicht immer optimal erfolgt. Wenn der Apotheker sein ganzes privates Vermögen in die Apotheke eingliedert, hat er in den meisten Fällen keine Zinsen für Fremdkapital aufzubringen und daher ein sehr gutes Betriebsergebnis, jedoch auch eine höhere steuerliche Belastung.
Während – nach Branchen oft sehr unterschiedlich – in der Wirtschaft allgemein lediglich rund ein Viertel der Unternehmen ohne Bankkredite wirtschaftet, arbeitet fast die Hälfte der Apotheken ohne Fremdkapital. Dementsprechend niedrig sind die Belastungen mit Kreditzinsen. Abweichend von anderen Branchen beträgt dieser Kostenfaktor bei den Apotheken für 1988 weniger als 1 %. Nun soll hier den Apothekeninhabern nicht empfohlen werden, großzügige Kredite aufzunehmen, aber jeder Unter-

nehmer sollte prüfen, ob das Eigenkapital nicht an anderer Stelle besser angelegt werden kann und ob die notwendigen Mittel für die Apotheke auf dem Kreditwege beschafft werden können. Die steuerlichen Vorteile – Fremdkapitalzinsen mindern den einkommensteuerlichen Gewinn – können hier nicht näher erläutert werden.
Wie wesentlich dieser Gesichtspunkt im Einzelfall ist, das muß jeder Apothekeninhaber selbst einmal durchrechnen. Als die einfachste Form der Rentabilitätsverbesserung erscheint den meisten Apothekern, die Kredite abzuzahlen und so die Schuldzinsen zu vermindern.
Wirtschaftlichkeitsberechnungen haben das Ziel, Möglichkeiten zur Kostensenkung bei gleichbleibender Leistung oder zur Leistungssteigerung ohne Kostenerhöhung aufzuzeigen. Die Möglichkeit einer Verbesserung ist am besten durch Vergleich mit ähnlichen Betrieben zu erkennen. Dies ist aber bei der zurückhaltenden Art der meisten Apothekeninhaber nicht ganz einfach.
Erleichtert werden Betriebsvergleiche, wenn sie nicht absolute Daten, sondern relative Größen umfassen. Ergebnis derartiger Betriebsvergleiche sind Richtzahlen, auch Kennzahlen genannt, die Anhaltspunkte für eine Beurteilung der unterschiedlichen Betriebsführung ergeben.
Wichtigstes Ziel des Betriebsvergleichs ist es, der einzelnen Apotheke betriebsnotwendige Informationen als Entscheidungsgrundlage zur wirtschaftlichen Erfüllung der langfristig störungsfreien und leistungsfähigen Heilmittelversorgung der Bevölkerung zu erarbeiten. Durch die Gegenüberstellung der eigenen betriebswirtschaftlichen Daten über Umsatz, Leistung, Kosten und Ertrag mit den Werten strukturell ähnlich gelagerter Apotheken wird die mögliche Betriebsblindheit reduziert, und durch die objektive Beurteilung der eigenen Lage und Entwicklung werden Ansatzpunkte für erfolgversprechende Rationalisierungsmaßnahmen für einen leistungsfähigen Geschäftsablauf aufgezeigt. Die Notwendigkeit überbetrieblicher Vergleichsinformationen wird in den Apotheken verstärkt durch die gesetzlichen Auflagen, die beim Einsatz des Personals, der Betriebsräume und der Ware zu beachten sind.
Wer die Wirtschaftlichkeit seiner Apotheke verbessern will, sollte sich deshalb an Betriebsvergleichen beteiligen, danach aber auch die entsprechenden Konsequenzen daraus ziehen.
Der Aussagewert derartiger Betriebsvergleiche hängt natürlich sehr von der repräsentativen Auswahl der Beteiligten und auch vom Erfassen und Bewerten des Zahlenmaterials ab. Wenn auch gerade auf dem Apothekensektor repräsentative Betriebsvergleiche nur sehr zögernd und anfänglich mit sehr grober Unterteilung durchgeführt wurden, liegen heute doch recht interessante Daten vor.

Der Betriebsvergleich ist aber nicht nur für die Verbesserung der eigenen Betriebsführung wichtig, sondern bildet auch Anhaltspunkte für Richtsätze, die die Finanzverwaltung aufstellte. Bekanntlich haben die Finanzverwaltungen auch bei buchführenden Gewerbetreibenden Richtsätze angewandt, wie sie für einen Normalbetrieb zugrunde gelegt werden. Weicht also das Betriebsgeschehen einer Apotheke sehr stark von dem Normalfall ab, dann kann geschätzt werden. Wie diese Richtsätze der Finanzverwaltung aussahen, zeigen die amtlichen Gewinnrichtsätze, wie sie 1987 bekanntgegeben wurden.

Jahr	Rohgewinn-Aufschlag auf den Wareneinsatz in %	Rohgewinn in % vom wirtschaftlichen Umsatz
1986	47–64	32–39
(1985)	(55)	(35)

Rechenschema: Wirtschaftlicher Umsatz (= 100 %)
./. Wareneinsatz
= Rohgewinn
./. Gemeinkosten
= Halbreingewinn
./. Personalkosten, Mieten, Gewerbesteuer
= Reingewinn.

Die Wirtschaftlichkeit einer Apotheke wird am einfachsten überprüft, indem man Leistungen und Kosten z. B. eines Jahres gegenüberstellt. Die Kosten-Ertrag-Schere der Apotheken schließt sich immer mehr. Erst bei Apotheken mit einem Umsatz von über 1,5 Millionen DM errechnet sich dann ein positives betriebswirtschaftliches Ergebnis.
Jährliche Übersichten, wie sie auch das Institut für Handelsforschung in Köln erstellt[19] (Abb. 15), und ähnliche synoptische Tertialtabellen geben brauchbare Anhaltspunkte, wenn die Daten auch leider erst mit großer Verzögerung erscheinen.

[19] Vgl. Wirtschaft und Handel, in: PZ Nr. 21 v. 27.5.1993, S. 61.

Abb. 15: Betriebsvergleichsergebnisse der Apotheken für die Jahre 1982 bis 1991

Lfd. Nr.	Auswertungspositionen	1982	1985	1988	1989	1990	1991
1	Zahl der Berichtsbetriebe	1 009	944	820	735	715	633
2	Zahl der beschäftigten Personen je Betrieb	5,5	5,7	5,8	5,8	5,8	6,0
3	Zahl der qm Geschäftsraum je Betrieb	166	167	164	165	165	165
4	Umsatz (einschl. Mehrwertsteuer) je Betrieb in Tausend DM	1 441	1 650	1 875	1 900	2 034	2 250
5	Aufgliederung des Absatzes nach Warengruppen in %						
	a) Arzneimittel	92	93	93	93	93	93
	b) Drogen und Chemikalien	1	1	1	1	1	1
	c) Verbandsstoffe, Pflaster und Krankenpflegeartikel	3	2	2	2	2	2
	d) Kosmetika und Körperpflegemittel	2	2	2	2	2	2
	e) Diätetische Lebensmittel, Nähr- und Kräftigungsmittel	1	1	1	1	1	1
	f) Kindernahrung	1	1	1	1	1	1
	g) Sonstige Waren	–	–	–	–	–	–
6	Aufgliederung des Absatzes nach Umsatzwegen in %						
	a) Umsatz an private Barzahler	31	31	30	30	29	30
	b) Umsatz an Kassenmitglieder	68	68	69	69	69	68
	c) Umsatz an gewerbliche Verwender	1	1	1	1	1	1
	d) Umsatz an Krankenanstalten	–	–	–	–	1	1
7	Kreditverkäufe in % des Umsatzes	67,8	69,1	70,8	70,3	70,6	70,8
8	Außenstände am Ende des Geschäftsjahres in % des Umsatzes	6,2	6,0	6,5	6,1	6,1	6,1
9	Wertmäßige Umsatzentwicklung (Vorjahr = 100)	102	105	107	101	106	110
10	Verkaufspreisentwicklung[1] (Vorjahr = 100)	103,8	103,1	101,7	101,6	100,3	101,1
11	Preisbereinigte Umsatzentwicklung (Vorjahr = 100)	98,3	101,8	105,2	99,4	105,7	108,8
12	Umsatz je beschäftigte Person in DM	269,7	295,0	328,3	332,2	354,2	378,6
13	Umsatz je Kassenrezept in DM	35,10	43,80	49,10	50,80	53,00	54,90
14	Umsatz je Geschäftsraum in DM	8 980	10 170	11 660	11 760	12 210	13 550
15	Zahl der qm Geschäftsraum je beschäftigte Person	30	29	28	28	29	28

Lfd. Nr.	Auswertungspositionen	1982	1985	1988	1989	1990	1991
16	Beschaffungsentwicklung (Vorjahr = 100)	103	105	107	102	107	110
17	Aufgliederung der Beschaffung nach Bezugswegen in %						
	a) Direktbezug von Herstellern	13	12	11	11	12	12
	b) Bezug von Großhändlern (einschl. genossenschaftliche Großhändler)	87	88	89	89	88	88
	c) Bezug aus eigener Erzeugung	–	–	–	–	–	–
18	Lagerumschlag[2]	6,6	6,8	7,5	7,6	7,9	8,0
19	Durchschnittl. Lagerbestand[3] je besch. Person in DM	23 800	25 700	26 300	26 500	27 600	28 700
20	Durchschnittl. Lagerbestand[3] je qm Geschäftsraum in DM	780	870	920	930	940	1 010
21	Lagerentwicklung (Endbestand in % des Anfangsbest.)	104	105	101	100	105	107
	In % des Umsatzes						
22	Personalkosten einschließlich Unternehmerlohn	18,2	17,4	16,9	17,1	16,9	16,6
23	Miete oder Mietwert	2,1	2,1	2,0	2,0	1,9	1,8
24	Apothekenpacht[4]	0,8	0,8	0,7	0,7	0,6	0,6
25	Sachkosten für Geschäftsräume	0,8	0,7	0,6	0,6	0,6	0,6
26	Kosten für Werbung	0,5	0,5	0,6	0,6	0,6	0,6
27	Gewerbesteuer	1,4	1,3	1,3	1,2	1,2	1,2
28	Kraftfahrzeugkosten	0,5	0,4	0,4	0,4	0,4	0,4
29	Zinsen für Fremdkapital	0,8	0,8	0,7	0,7	0,8	0,8
30	Zinsen für Eigenkapital	0,7	0,6	0,5	0,5	0,5	0,4
31	Abschreibungen	1,2	1,2	1,2	1,3	1,2	1,1
32	Alle übrigen Kosten	3,0	2,7	2,6	2,6	2,6	2,5
33	Gesamtkosten (Nr. 22 bis 32)	30,0	28,5	27,5	27,7	27,3	26,6
34	Betriebshandelsspanne (ohne Mehrwertsteuer)	31,6	30,2	29,3	28,8	28,8	28,7
35	Betriebswirtschaftliches Betriebsergebnis (34 minus 33)	+ 1,6	+ 1,7	+ 1,8	+ 1,1	+ 1,5	+ 2,1
36	Mehrwertsteuer-Inkasso	11,4	12,2	12,2	12,2	12,2	12,2

[1] Ermittelt vom Statistischen Bundesamt.
[2] Jahresabsatz zu Einstandspreisen dividiert durch den durchschnittlichen Lagerbestand zu Inventurwerten, d. h.: zu Einstandspreisen ohne Abzug der aussortierten (zu vernichtenden) Waren und der Abschreibungen für schwerverkäufliche Waren. Den übrigen Lagervergleichszahlen liegen die Lagerbestände zu Bilanzwerten zugrunde.
[3] Lageranfangsbestand plus Lagerendbestand dividiert durch 2.
[4] Im Durchschnitt aller Berichtsbetriebe (Pachtapotheken und Nichtpachtapotheken). Nur im Durchschnitt der Pachtapotheken: 1983 = 4,3%; 1984 = 4,2%; 1985 = 4,2%; 1986 = 4,1%; 1987 = 4,1%; 1988 = 4,2%; 1989 = 4,2%; 1990 = 4,2%; 1991 = 4,3%.

b) Spezielle Kennzahlen

Jährliche Auswertungen genügen nicht, da die Abstände zu groß sind, um rechtzeitig wirksam eingreifen zu können.
Für Einkauf, Lagerhaltung und Personaleinsatz sind auch monatliche Erfahrungswerte interessant, besonders wenn im Zusammenhang mit Urlaubszeiten größere Abweichungen regelmäßig wiederkehren (Abb. 16).

Jedem Apothekenleiter ist es zu empfehlen, weitere Datenverläufe – z. B. monatlicher Umsatz, tägliche Kundenzahl oder Bareinnahmen – zu beachten, wenn sie den Apothekenbetrieb stärker beeinflussen.

So könnte die Zahl der täglichen Kunden – hier dargestellt an Kalendertagen, an denen der Wochentag auf das gleiche Datum fällt – beim Einsatz von Aushilfen und Teilzeitkräften wichtig sein (Abb. 17).
Eine andere Übersicht, ähnlich aufgebaut, zeigt die täglichen Bareinnahmen (Abb. 18).

Interessant erscheint uns aber eine 1984 veröffentlichte Untersuchung des Allensbacher Instituts für Demoskopie über Einkäufe in der Apotheke ohne Rezept verteilt auf das Kundenalter:

14–19 Jahre	25,7 %
20–29 Jahre	35,6 %
30–39 Jahre	46,1 %
40–49 Jahre	45,4 %
50–59 Jahre	47,2 %
60–69 Jahre	53,5 %
über 70 Jahre	51,0 %

Die verstärkte Ungewißheit der wirtschaftlichen Entwicklung sollte die Apothekenleiter veranlassen, leicht feststellbare Daten zu vergleichen, ohne damit das manchmal sehr aufwendige „Controlling“ großer Unternehmen zu kopieren.

5. Wirtschaftliche Beratung

Viele Jahre blieb der Einsatz von Beratungsfirmen großen Unternehmen vorbehalten. Dabei spielte nicht nur der Aufwand eine Rolle, sondern auch die Abneigung bei kleinen und mittleren Unternehmen, sich durch „Fremde“ in die Karten sehen zu lassen. Wie falsch diese Überlegung ist, haben die Erfahrungen gezeigt. Gerade kleine Betriebe, die nicht über

Abb. 16: Umsatzentwicklung

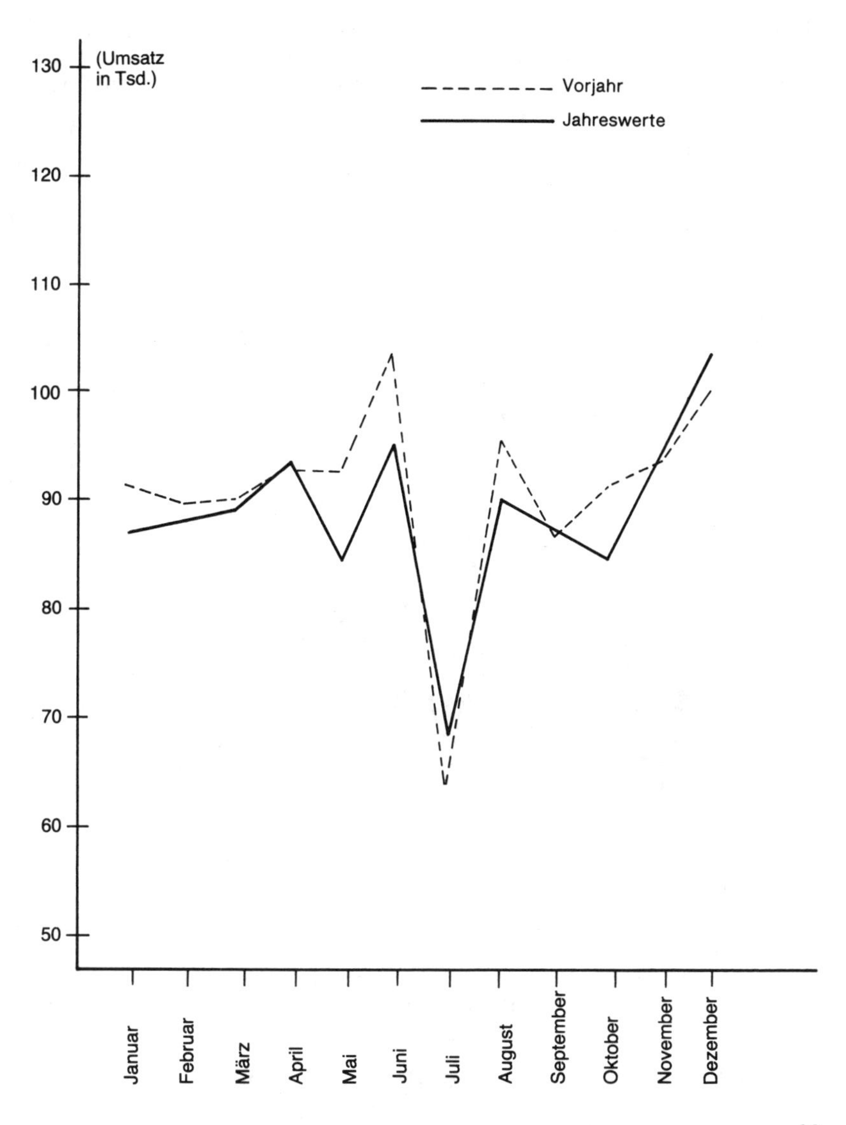

Spezialisten verfügen, benötigen hilfreichen Rat. Außerdem sind die Beratungskosten wegen der staatlichen Zuschüsse für kleine Betriebe kein Hinderungsgrund mehr, die Dienste einer Beratungsfirma in Anspruch zu nehmen.
So entwickelten sich in den letzten Jahren viele Beratungsfirmen, und auch Einzelberater boten ihre Dienste speziell kleinen und mittleren Unternehmen an.[20] Dies gilt besonders für Apotheken, deren wirtschaftliche Entwicklung schlechter wurde.

Abb. 17: Tägliche Kundenzahl

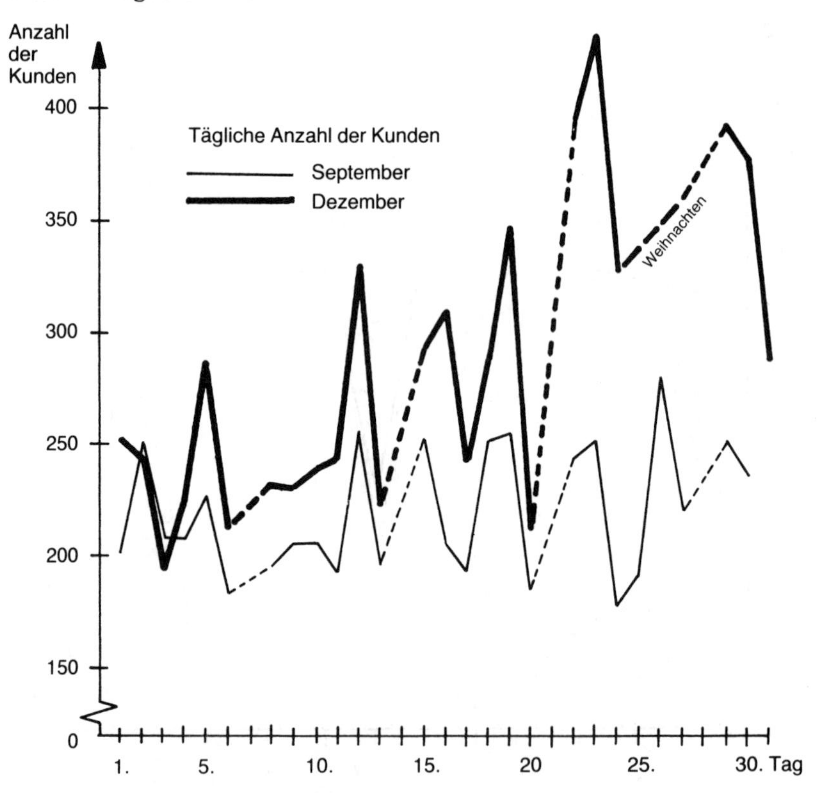

[20] Ausführlich dazu: Hummel, Th. R., Zander, E., Ziehm, O. (1993).

Abb. 18: Übersicht Bareinnahmen (in DM)

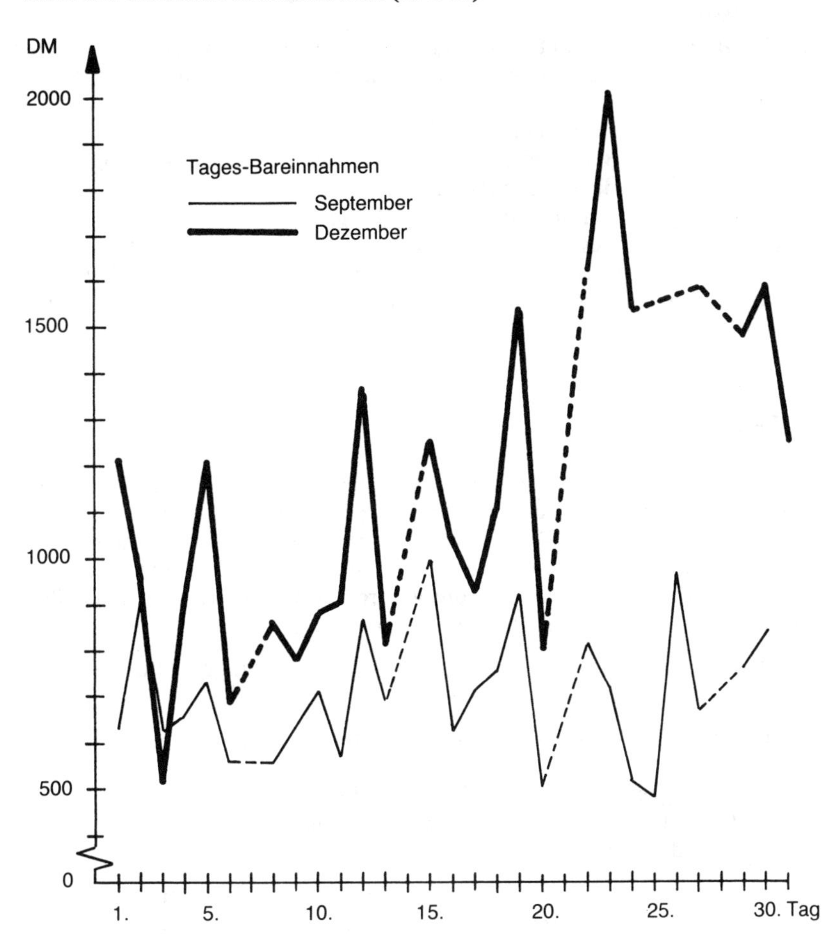

a) Beratungsanlässe

Bevor ein Apothekenleiter einen Berater beauftragt, Wirtschaftlichkeit, Arbeitsablauf oder andere Untersuchungen durchzuführen, muß er sich über die Vorteile und die Kosten im klaren sein. So gibt es z. B. folgende Gründe für einen Beratereinsatz:

1. Die breite Erfahrung des Fachmanns von außen gibt neue Anstöße. Er

verfügt auch oft über ein erprobtes und ausgereiftes Instrumentarium zur Problemlösung.
2. Der Berater ist ein neutraler und unabhängiger Gesprächspartner; dadurch kommen Gedanken zum Ausdruck, die sonst nicht ausgesprochen werden.
3. Die vorhandene Kapazität an Mitarbeitern wird auf Zeit erweitert.
4. Eine spezielle Beratung ist kostengünstiger als die Einstellung neuer Mitarbeiter für die gleiche Aufgabe.
5. Beratungskosten sind proportionale Kosten.
6. Die Meinung eines Fachmanns von außen wird ernster genommen.
7. Der Berater schafft ein konstruktives Spannungsfeld. Unterschiedliche Meinungen prallen aufeinander und führen schneller zu neuen Lösungen.

b) Beratungsfähigkeit

Erfolgreiche Beratung setzt Beratungswilligkeit voraus. Sie stellt sich als das größte Problem heraus. Die Gründe dafür sind dieselben, die bereits als wichtigste Engpässe für die Entwicklung der kleinen und mittleren Unternehmen hervorgehoben wurden, nämlich eine vielfach unzureichende wirtschaftliche Denkweise und die verbreitete Unkenntnis über die Probleme der Unternehmensführung.

Als wichtigste Gründe für die Ablehnung von Beratungen sind wiederum zu nennen:

- Unkenntnis über die Möglichkeiten der Beratungen,
- fehlende Bereitschaft zu Änderungen im Unternehmen,
- Mißtrauen gegenüber dem außenstehenden Berater,
- Angst vor dem Verrat von Unternehmensgeheimnissen an Konkurrenten durch die Berater.

Da viele Apotheker oftmals keine Vorstellung von den potentiellen Ursachen ihrer Schwierigkeiten haben, vermögen sie auch die Möglichkeiten einer Unternehmensberatung nicht abzuschätzen. Unter solchen Bedingungen erscheint ihnen jeder Preis zu hoch, auch wenn sie für die Beratung mehr oder minder hohe Zuschüsse erhalten („solche Ausgaben können wir uns nicht leisten"). Der Investitionscharakter von Beratungsausgaben wird selten gesehen, und die Ausgaben gelten als unnötig, weil die Auswirkungen einer rationelleren Unternehmensführung auf die Rentabilität unbekannt sind und der Grund für Entwicklungsschwierigkeiten des Unternehmens außerhalb des eigenen Bereichs gesucht wird.

Die Unkenntnis über die Vorteile einer Beratung wird meistens begleitet von einer fehlenden Bereitschaft, sich darüber zu informieren. Selbst wenn die Möglichkeit derartiger Vorteile nicht abgestritten wird, besteht doch eine gewisse Trägheit, aus den eingefahrenen Gleisen der bisherigen Unternehmensführung auszubrechen, und eine Scheu davor, sich in einem Gespräch oder gar einem schriftlichen Bericht sagen lassen zu müssen, daß dies gerade für die Weiterentwicklung erforderlich ist. Eine zwar abnehmende, aber auch heute nicht unbedeutende Rolle spielt dabei der Stolz, ohne fremde Hilfe auskommen zu können, und die Angst, sich von Konkurrenten Unfähigkeit vorwerfen lassen zu müssen, wenn man sich extern beraten läßt. Diese Gründe dürften auch der Anlaß dazu sein, daß kleine und mittlere Unternehmen häufig mit dem Wunsch um Hilfe an die Beratungsstellen herantreten, wenn die Schwierigkeiten bereits so groß sind, daß eine Beratung als zwecklos abgelehnt werden muß.
Das Argument der Trägheit wird gern hinter einem anderen Argument verborgen, nämlich dem mehr oder minder offen geäußerten Mißtrauen gegenüber dem außenstehenden Berater. Aussagen wie „was soll der mir schon sagen, hat ja selber noch nie ein eigenes Geschäft geführt" und ähnliche sind keine Seltenheit und beruhen vielfach auf einer charismatisch zu nennenden Überzeugung von der Richtigkeit der eigenen Unternehmensführung, selbst dann, wenn der Unternehmer mit dem Ergebnis seiner Arbeit nicht zufrieden ist. Die Schuld wird dafür außerhalb des Unternehmens gesucht (Verhalten der Konkurrenz, mangelnde staatliche Hilfe). Dieses Mißtrauen beruht aber in manchen Fällen auch auf schlechten Erfahrungen, die die Unternehmer selbst oder ihre Konkurrenten mit Beratungsfirmen gemacht haben.
Eine sehr große Bedeutung für die Ablehnung von Beratungen, insbesondere seitens der Apotheker, hat die Angst, der ansässige Berater könne, wenn er zu anderen Betrieben geht, die bei einer Beratung gemachten Beobachtungen verwenden und damit an die Konkurrenz verraten. Diese Angst geht so weit, daß man lieber Aufträge zu oftmals sehr hohen Kosten an unbekannte umherreisende Berater vergibt, obwohl das Unternehmen diese Kosten ohne Zuschuß selber tragen muß.
Trotz der großen Widerstände zeigt aber der Erfolg von unbekannten Beratungsfirmen, die ihre Klienten durch direkte Ansprache werben, daß eine gewisse Beratungswilligkeit bei kleinen und mittleren Unternehmen durchaus vorhanden ist. Die speziell für die einzelnen Bereiche eingerichteten Beratungsstellen verzichten dagegen oftmals aus Kapazitätsmangel auf eine eigene aktive Akquisitionsarbeit, obwohl dies bei kleinen und mittleren Unternehmen allgemein und insbesondere bei Apotheken erforderlich wäre.

Die zweite Hürde für den Erfolg einer Beratungsförderung ist nach der Beratungswilligkeit die *Beratungsfähigkeit* der kleinen und mittleren Unternehmen, d. h. die Fähigkeit ihrer Leiter, die Beratungen erfolgreich bei der Unternehmensführung zu nutzen. Dies ist im wesentlichen eine Frage der Ausbildung des Beratenen. Je ferner ihm die wirtschaftlichen Probleme liegen und je stärker er „Fachmann" ist, desto größer ist die Gefahr, daß Berater und Unternehmer vielleicht dieselbe Sprache sprechen, sich aber nicht verstehen.
Von den Beratern werden häufiger, insbesondere bei Erstberatungen, Patentlösungen erwartet. Dies mag in dem einen oder anderen Fall auch durch das Auftreten des Beraters selbst verstärkt werden. Diese Haltung verhindert aber vielfach, daß sich der beratene Unternehmer mit den Gedankengängen und Überlegungen des Beraters vertraut macht und sie damit in sein Konzept der Unternehmensführung übernimmt. Der Berater soll ihm einen Vorschlag machen, der einen möglichst schnellen und insbesondere anhaltenden Erfolg verspricht, ohne daß sich der Unternehmer selbst um die Zusammenhänge zu kümmern braucht. Daß ein solcher Vorschlag bei einer derart persönlichkeitsbezogenen Aufgabe wie der Unternehmensführung illusionär ist, bedarf keiner weiteren Diskussion. Das Ergebnis ist dann meist eine tiefe Enttäuschung über die erfahrene Beratung. Bei der extrem hohen Skepsis, die die Leiter kleinerer Unternehmen jedem externen Urteil über ihre Tätigkeit entgegenbringen, muß eine problemorientierte Förderungspolitik gerade in der Art ihrer Durchführung darauf abgestellt sein.
Eine Beratungsförderung kommt bei den Unternehmen nur an, wenn diese dem Berater das notwendige Vertrauen zu dem Wert seiner Arbeit entgegenbringen. Dies erfordert gerade bei kleinen und mittleren Unternehmen neben guten Fachkenntnissen ein Einfühlungsvermögen der Berater, das hohe pädagogische und psychologische Fähigkeiten voraussetzt. Ungeschickte, unvollständige und oberflächliche Beratungen stellen einen Erfolg der Förderung von vornherein in Frage.
Der beratene Apotheker muß das Gefühl haben, daß eine gute Beratung, auch wenn er ihren investiven Charakter nicht unmittelbar erkennt, wertvoll und das heißt vielfach nur zu angemessenen Preisen verfügbar ist. Er ist es seiner Einstellung nach nicht gewohnt, daß gute Leistungen unentgeltlich bereitgestellt werden.
Das auch bei Leitern kleiner und mittlerer Unternehmen vielfach trotz aller Vorbehalte latent vorhandene Interesse an Beratungen läßt sich praktisch nur durch ein persönliches Gespräch zwischen Apotheker und Berater, nach Möglichkeit im Unternehmen selbst und ohne Zuhörer, aktivieren. Dies ist nur durch kostenfreie Kontaktbesuche und Betriebsbegehungen bei interessierten Unternehmern sowie durch eine gewisse

Firmenbetreuung, etwa durch einen kurzen Besuch ein halbes Jahr nach der Beratung, zu erreichen.
Eine Vielzahl von Apothekern und Apothekerinnen investiert heute aber nicht nur in zukunftssichernde Einrichtungskonzepte, sondern läßt sich und ihre Mitarbeiter auch darüber informieren und sich trainieren, wie man durch aktives Zuhören, gezielte Beobachtung des Apothekenumfeldes mehr Motivation und gemeinsames Miteinander erzielen kann, so daß man sich intensiver und gezielter auf die eigenen Kunden einstellen kann. Heute gibt es für alle Beteiligten ein vielfältiges Fortbildungsangebot, das vielleicht für den einzelnen bereits schon verwirrend umfangreich ist. Wesentlich für die einzelne Apotheke und das dort tätige Personal ist, daß „Lebenshilfe" gegeben wird, so daß neben allgemeinen Fortbildungsveranstaltungen in größerem Stile die Schulung auch in der eigenen Apotheke eine zunehmende Bedeutung gewinnt.
Auf jeden Fall sollte der Apothekenleiter den Berater[21] vorher persönlich kennenlernen, sich ein Alternativangebot einholen, Lösungsweg, zeitlichen Ablauf, Lösungsziel und das Honorar konkret festlegen.
Betriebsberatungen für kleine Betriebe werden auch weiterhin gefördert. Die staatlichen Finanzierungshilfen für die gewerbliche Wirtschaft wurden in den letzten Jahren stark eingeschränkt. Nicht betroffen davon ist jedoch die Beratungsförderung für kleine und mittlere Unternehmen. Die Fördermöglichkeiten für Beratungen wie auch für Informations- und Schulungsveranstaltungen wurden durchweg sogar verbessert.
Um die Leistung des Betriebes steigern und die Kosten senken zu können, ist es oft angebracht, auf den Rat externer Fachleute zurückzugreifen. Kleine und mittlere Betriebe können dafür unter bestimmten Voraussetzungen staatliche Finanzierungshilfen in Anspruch nehmen. Es gibt dafür viele Möglichkeiten, die zunehmend auch genutzt werden.
Am 1. Januar 1990 hat der Bundesminister für Wirtschaft die neuen Richtlinien für die Förderung von Unternehmensberatungen für kleine und mittlere Unternehmen in Kraft gesetzt. Sie stützen sich im wesentlichen auf die Konzeption der Ende 1989 ausgelaufenen Richtlinien. Als neue Fördergegenstände sind jedoch die Bereiche EG-Binnenmarkt und Umweltschutz hinzugekommen. Zu beachten ist, daß bei der allgemeinen Beratung die Fördersätze von 40 auf 50 Prozent heraufgesetzt wurden.
Die neuen Richtlinen sehen folgende Fördergegenstände vor:

- Beratungen über alle wirtschaftlichen, technischen, finanziellen und organisatorischen Probleme der Unternehmensführung sowie Beratungen zur unternehmerischen Anpassung an den EG-Binnenmarkt (allgemeine Beratung);

[21] Vgl. ausführlich: Hummel, Th. R., Zander, E., Ziehm, O. (1993).

- Beratungen vor der Gründung einer selbständigen gewerblichen Existenz (Existenzgründungsberatung);
- Beratungen zur Bewältigung der für die Betriebe aus dem Schutz der Umwelt resultierenden Probleme (Umweltschutzberatungen);
- Beratungen über wirtschaftliche, technische und organisatorische Fragen im Zusammenhang mit einer sparsamen und rationellen Energieverwendung (Energieeinsparberatung).

Im wesentlichen soll es bei den zu fördernden Beratungen um die fachkundige Vorbereitung von Entscheidungen gehen. Die Förderung besteht in der Gewährung eines Zuschusses zu den dem Antragsteller vom Berater in Rechnung gestellten Beratungskosten einschließlich der Auslagen und Reisekosten. Der Zuschuß wird als Projektförderung in Form einer Anteilsfinanzierung gewährt, und zwar bei Existenzgründungsberatungen in Höhe von 60 Prozent der Beratungskosten – höchstens jedoch 2500 DM –, bei allgemeinen Beratungen innerhalb von zwei Jahren nach der Gründung (Existenzaufbauberatung) in Höhe von 60 Prozent – höchstens jedoch 3000 DM –, bei den übrigen allgemeinen Beratungen, bei der Energieeinsparberatung und Umweltschutzberatung in Höhe von 50 Prozent – höchstens jedoch 3000 DM.

Abb. 19: Maßgebliche Umsatzgrenzen für die Förderung von Beratungen

Wirtschaftsbereich	Umsatz bis Mio. DM
a) Allgemeine Beratungen	
Industrie, Handwerk	10,0
Groß-/Außenhandel	14,5
Einzelhandel	5,0
Verkehrsgewerbe	4,0
Gastgewerbe	2,5
Reisebürogewerbe	2,0
Sonstige Dienstleistungsgewerbe	2,0
Handelsvertreter/Handelsmakler	1,0
b) Umweltschutzberatungen	
Gewerbliche Wirtschaft	30,0
c) Energieeinsparberatungen	
Gewerbliche Wirtschaft	30,0
Agrarbereich	2,0

Die aufgeführten Höchstzuschüsse gelten für den einzelnen Beratungsauftrag. Grundsätzlich können die Antragsteller Beratungen auch mehrmals bezuschußt bekommen.
Pro Antragsteller gelten während der Laufzeit der Richtlinien – bis 31. Dezember 1994 – folgende Höchstsätze: bei Existenzgründungsberatungen = 2500 DM, bei allgemeinen Beratungen einschließlich EG-Binnenmarktberatungen sowie bei Energieeinspar- und Umweltschutzberatungen = 6000 DM. Vom Berater gewährte Rabatte und Nachlässe auf Beratungskosten sind nicht zulässig.

6. Steuerhinweise

Es würde hier den Rahmen sprengen, ausführlich alle steuerlichen Probleme zu behandeln. Die meisten Apothekenleiter arbeiten mit einem Steuerberater zusammen. Deshalb wollen wir nur Hinweise auf Ehegattenarbeitsverträge geben, die Steuern sparen helfen.

a) Die Apotheke als Einzelunternehmen oder Gesellschaft

Eine Apotheke kann entweder als Einzelunternehmen oder in der Rechtsform einer Gesellschaft des bürgerlichen Rechts bzw. der offenen Handelsgesellschaft geführt werden. Alle übrigen Rechtsformen wie etwa die Kommanditgesellschaft oder die der Kapitalgesellschaften scheiden nach § 8 ApoG, der auch stille Beteiligungen an Apotheken verbietet, aus. Faktisch kommen auch Gesellschaften des bürgerlichen Rechts als Rechtsform nicht in Frage, denn aufgrund handelsrechtlicher Bestimmungen kann ein Handelsgewerbe, zu dem auch die Apotheke rechnet, nicht als BGB-Gesellschaft betrieben werden, wenn es einen nach Art oder Umfang in kaufmännischer Weise eingerichteten Geschäftsbetrieb erfordert. Letzteres ist aber der Regelfall.
Des weiteren bestimmt das Gesetz (§ 8 letzter Halbsatz), daß im Falle der Begründung einer Personengesellschaft alle Gesellschafter die Erlaubnis zum Betrieb einer Apotheke haben müssen. Die Gründung einer Personengesellschaft zum Betrieb einer Apotheke mit einem Nicht-Apotheker kommt somit ausnahmslos nicht in Betracht. Des weiteren ist die Begründung einer Personengesellschaft mit einem Apotheker nicht möglich, wenn er bereits die Erlaubnis zum Betrieb einer anderen Apotheke besitzt (§ 3 Ziff. 5 des Gesetzes über das Apothekenwesen), es sei denn, es handelt sich um eine Zweigapotheke; andernfalls erlischt die Erlaubnis zum Betrieb der ersten Apotheke.

Aus steuerlicher Sicht ergeben sich weder im Fall einer als Einzelunternehmen geführten Apotheke noch im Fall einer Apotheken-OHG Besonderheiten, bei beiden Rechtsformen besteht Gewerbesteuerpflicht, und die Gewinne unterliegen beim Einzelunternehmen bzw. den Gesellschaftern der Einkommen- und gegebenenfalls Kirchensteuer. Durch den Abschluß eines Ehegattenarbeitsvertrages kann bei der BGB-Gesellschaft wie bei der OHG Gewerbesteuer und in geringerem Umfang Einkommensteuer eingespart werden.

b) Ehegattenarbeitsvertrag

Häufig kommt es vor, daß die Ehegattin des Apothekers im Betrieb mitarbeitet, zum Beispiel als Apothekerin, Apothekenhelferin oder als kaufmännische Angestellte (zur Erledigung der Buchführungsarbeiten, Abrechnungen usw.). Wie mit jedem anderen fremden Arbeitnehmer, so kann auch mit dem Ehegatten ein steuerlich anzuerkennender Arbeitsvertrag abgeschlossen werden.

Voraussetzungen für die steuerliche Anerkennung des Ehegattenarbeitsvertrages

Ehegattenarbeitsverträge werden nach Auffassung der Finanzverwaltung in Übereinstimmung mit der Rechtsprechung nur dann anerkannt, wenn

1. der Ehegatte tatsächlich mitarbeitet,
2. ein zivilrechtlich wirksamer Arbeitsvertrag vorliegt,
3. ein angemessenes Gehalt vereinbart wird,
4. das Gehalt tatsächlich und fortlaufend ausgezahlt wird,
5. alle sonstigen Folgen, zum Beispiel die Abführung von Lohnsteuer und Sozialversicherungsabgaben, aus dem Vertrag gezogen werden.

Aus Nachweisgründen gegenüber dem Finanzamt ist hier stets ein schriftlicher Abschluß des Arbeitsvertrages unerläßlich, obgleich auch mündlich abgeschlossene Arbeitsverträge bürgerlich-rechtlich wirksam sind. In diesem Arbeitsvertrag kann dann ein angemessenes Gehalt vereinbart werden, wobei als angemessen ein Gehalt angesehen wird, das auch eine fremde dritte Person für eine gleichartige Tätigkeit erhält. Des weiteren ist darauf zu achten, daß das Gehalt auch tatsächlich zu den üblichen Gehaltszahlungsterminen ausgezahlt wird; hier kommt entweder eine Barauszahlung oder eine Überweisung auf ein Konto, das allein auf den Namen des Arbeitnehmer-Ehegatten lautet, in Betracht.

Wenn eine Apotheke als OHG betrieben wird, bei der die Ehegatten – Apotheker und Apothekerin – die Gesellschafter sind, können Ehegattenarbeitsverträge keine Wirkung entfalten, denn das Einkommensteuerrecht erkennt Verträge zwischen Personengesellschaften und ihren Gesellschaftern nicht an.
Es sollte daher aus steuerlichen Gründen eine Personengesellschaft nicht mit mitarbeitenden Familienangehörigen gegründet werden, da dann für die mitarbeitenden Familienangehörigen ein Gehalt nicht mehr als gewinn- und gewerbesteuermindernde Betriebsausgabe berücksichtigt werden kann.

Steuerliche Vorteile des Ehegattenarbeitsvertrages

Der Ehegattenarbeitsvertrag bringt in erster Linie gewerbesteuerliche Vorteile, aber auch Vorteile hinsichtlich der Einkommensteuer. Das an den Arbeitnehmer-Ehegatten gezahlte Gehalt stellt, gegebenenfalls zuzüglich der Arbeitgeberanteile zu der Sozialversicherung, eine den Gewinn und den Gewerbeertrag mindernde Betriebsausgabe dar. Der Arbeitnehmerehegatte hat hingegen das Bruttogehalt als Einkünfte aus nichtselbständiger Arbeit zu versteuern. Der sich ergebende einkommensteuerliche Vorteil ist im Regelfall gering, denn bei der üblichen gemeinsamen Veranlagung der Ehegatten im Rahmen des Splittingverfahrens ändert sich das zu versteuernde Einkommen in seiner Höhe nur unwesentlich, Vorteile erwachsen zumeist nur aus der Inanspruchnahme des Arbeitnehmerfreibetrages von 2000 DM (§ 9a Nr. 1 EStG) durch den Arbeitnehmerehegatten. Daneben entstehen jedoch Ersparnisse bei der Gewerbesteuer.

Beispiel:

Ein Apotheker in einer Gemeinde mit einem Gewerbesteuerhebesatz von 395 % (wie z. B. in Hamburg) zahlt seiner als Apothekenhelferin angestellten Gattin ein Gehalt von 15 000 DM jährlich. Die durch den Ansatz des Gehaltes und des Arbeitgeberanteils zur Sozialversicherung i. H. v. ca. 18 % als Betriebsausgabe erzielbare Gewerbesteuer-Ersparnis beträgt ca. 3500 DM p. a. (jeweils 5 % des Bruttobetrages und Arbeitgeberanteil × Hebesatz der Gemeinde) abzüglich der GewSt auf die dadurch bewirkte Gewerbeertragserhöhung (in Hamburg ca. 20 %). Danach verbleibt eine endgültige Gewerbesteuer-Ersparnis von ca. 2800 DM.
Bei einem Gehalt an eine zum Beispiel als Apothekerin angestellte Gattin von 42 000 DM jährlich beträgt die Gewerbesteuer-Ersparnis beim Hebesatz von 395 % bereits 9800 DM abzüglich der GewSt auf die dadurch bewirkte

Gewerbeertragserhöhung (Hamburg ca. 20 %) von ca. 200 DM. Danach verbleiben noch ca. 7800 DM Gewerbesteuer-Ersparnis.
Der Gewinn aus dem Apotheken-Betrieb erhöht sich um die Gewerbesteuer-Minderung, und die ESt erhöht sich entsprechend. Per Saldo ergibt sich bei 50 % ESt-Progression folgende Steuereinsparung:

Brutto-Gehalt	GewSt-Ersparnis	50 % ESt auf Gewinn Erh.	Freibetrag 2000 DM	ESt- und GewSt-Ermäßigung
15 000 DM	+2800 DM	⁒ 1400 DM	+1000 DM	+2400 DM
42 000 DM	+7800 DM	⁒ 3900 DM	+1000 DM	+4900 DM

Sozialversicherungsrechtliche Folgen (und Vorteile) des Ehegattenarbeitsvertrages

Wie andere Gehälter unterliegen auch die Ehegattengehälter grundsätzlich der Sozialversicherungspflicht. Zur Sozialversicherung zählen die gesetzliche Rentenversicherung, die gesetzliche Krankenversicherung und die Arbeitslosenversicherung. Renten- und Krankenversicherungspflicht treten nur dann nicht ein, wenn die wöchentliche Arbeitszeit nicht mehr als 14 Stunden und das Monatsgehalt nicht mehr als 470 DM beträgt. Unabhängig von der Höhe des Gehaltes tritt dann keine Arbeitslosenversicherungspflicht ein, wenn die wöchentliche Arbeitszeit 17 Stunden nicht übersteigt.
Inwieweit der Eintritt in die gesetzliche Renten- oder Krankenversicherung günstig ist, kann nur im Einzelfall beurteilt werden. Hier sollte man sich mit Rentenberatern in Verbindung setzen.
Der vom Arbeitgeber i. H. v. 50 % zu übernehmende Teil der Sozialversicherung ist bei diesem ebenso wie das Bruttogehalt gewinn- und gewerbesteuermindernde Betriebsausgabe und der vom Arbeitnehmer zu tragende Teil im Rahmen der beschränkt abzugsfähigen Sonderausgaben als Versicherungsbeiträge berücksichtigungsfähig. In der Regel gelangt man zu dem Ergebnis, daß der Rentenanspruch des Ehegatten durch die Steuerersparnis finanziert werden kann. Auch durch den Eintritt in die gesetzliche Krankenversicherung ergeben sich gegebenenfalls erhebliche Vorteile, da die Beiträge hierzu oftmals geringer als zur privaten Krankenversicherung sind.

c) Verkauf einer Apotheke

Die letzte berufliche Tätigkeit eines Apothekeninhabers ist die Veräußerung[22] seiner Apotheke. Hierbei entsteht neben dem laufenden Gewinn ein Veräußerungsgewinn. Dieser Veräußerungsgewinn ergibt sich dabei aus dem Unterschiedsbetrag zwischen dem Verkaufspreis für die Apotheke und dem Buchwert zum Zeitpunkt der Veräußerung; als Buchwert gilt der Stand des Kapitalkontos im Zeitpunkt der Veräußerung. Der Veräußerungsgewinn ist steuerbegünstigt. Er unterliegt nicht der Gewerbesteuer. Die Einkommensteuervergünstigung besteht in der Gewährung von Freibeträgen und einem ermäßigten Steuersatz. Der Freibetrag beträgt 30 000 DM, soweit der insgesamt erzielte Veräußerungsgewinn 100 000 DM nicht übersteigt. Der Freibetrag ermäßigt sich um den Betrag, um den der Veräußerungsgewinn 100 000 DM übersteigt. Beträgt also der Veräußerungsgewinn 130 000 DM und mehr, entfällt der Freibetrag.

Beispiel 1:

	DM
Buchwert des Kapitalkontos	*150 000*
Veräußerungserlös	*230 000*
Veräußerungsgewinn	*80 000*
Freibetrag	*30 000*
steuerpflichtig mit halbem Steuersatz	*50 000*
bei Einkommensbetrag von 150 000 DM im Falle der Zusammenveranlagung Steuerbelastung ca. 15 % =	*7 500*

Beispiel 2:

	DM
Buchwert des Kapitalkontos	*150 000*
Veräußerungserlös	*270 000*
Veräußerungsgewinn	*120 000*
Freibetrag	*10 000*
steuerpflichtig mit halbem Steuersatz	*110 000*
Steuerbelastung – wie vor – ca. 18 % =	*19 800*

Hat der veräußernde Apotheker zum Zeitpunkt der Veräußerung das 55. Lebensjahr vollendet oder gibt er den Betrieb wegen dauernder

[22] Vgl. Angermann, H. F. G. (1982), S. 342 ff.

Berufsunfähigkeit auf, so erhöht sich der Freibetrag auf 120000 DM, sofern der Veräußerungsgewinn nicht über 300000 DM liegt.

Beispiel 1:

	DM
Buchwert des Kapitalkontos	*150 000*
Veräußerungserlös	*330 000*
Veräußerungsgewinn	*180 000*
Freibetrag	*120 000*
steuerpflichtig mit halbem Steuersatz	*60 000*
Steuerbelastung – wie vor – ca. 16 % =	*9 600*

Beispiel 2:

	DM
Buchwert des Kapitalkontos	*150 000*
Veräußerungserlös	*490 000*
Veräußerungsgewinn	*340 000*
Freibetrag	*80 000*
steuerpflichtig mit halbem Steuersatz	*260 000*
Steuerbelastung – wie vor – ca. 20 % =	*52 000*

d) Verpachtung einer Apotheke

Will der Apotheker sein Vermögen noch nicht aus der Hand geben, sich aber aus dem Geschäft weitgehend zurückziehen, so bietet sich die Verpachtung der Apotheke an.
Hier muß wieder einmal auf das Gesetz über das Apothekenwesen hingewiesen werden. Dieses bestimmt in § 9, daß grundsätzlich sowohl der Verpächter als auch der Pächter einer Apotheke die Erlaubnis zum Betrieb einer Apotheke besitzen müssen. Eine Ausnahme besteht lediglich im Todesfall eines Apothekers: Hier können auch die erbberechtigten Kinder bis zu dem Zeitpunkt, zu dem das jüngste Kind das 23. Lebensjahr vollendet, als Verpächter ohne Betriebserlaubnis auftreten; ergreift eines der Kinder vor Vollendung des 23. Lebensjahres den Apothekerberuf, kann diese Frist auf Antrag verlängert werden, bis es die Erlaubnis zum Betrieb einer Apotheke erhält. Des weiteren kann auch der erbberechtigte Ehegatte ohne Betriebserlaubnis bis zum Zeitpunkt der Wiederverheiratung die Apotheke verpachten.

Die Verpachtung einer Apotheke, insbesondere zwischen nahen Familienangehörigen, ist steuerlich sowohl für den Pächter als auch für den Verpächter außerordentlich günstig.

● Steuerliche Behandlung beim Verpächter

Zum Zeitpunkt der Verpachtung hat der Verpächter die Möglichkeit, entweder die Aufgabe des Betriebes zu erklären oder den Betrieb als ruhenden Gewerbebetrieb zu betreiben.

Erklärung der Aufgabe des Betriebes

Bei der dem Finanzamt gegenüber abzugebenden ausdrücklichen Erklärung der Aufgabe des Betriebes erfolgt die sofortige Versteuerung der sogenannten stillen Reserven. Hierbei entsteht ein Aufgabegewinn in Höhe des Unterschiedsbetrages zwischen dem Buchwert und dem tatsächlichen Wert der Apotheke. Die Besteuerung erfolgt wie bei der Veräußerung der Apotheke.
Die Pachteinnahmen sind, soweit die Aufgabe erklärt wird, zukünftig beim Verpächter Einkünfte aus Vermietung und Verpachtung, die nur der Einkommensteuer, nicht aber der Gewerbesteuer unterliegen.
Selbst unter Berücksichtigung der Steuervergünstigungen bei der Erklärung der Aufgabe des Betriebes dürften sich aber bei vielen Apotheken, insbesondere wenn Grundbesitz bilanziert ist, hohe Steuerbelastungen ergeben. Soweit diese Steuerbelastungen zunächst vermieden werden sollen, empfiehlt sich die Behandlung der Apotheke als sogenannter „ruhender Gewerbebetrieb“.

Der ruhende Gewerbebetrieb

Wird keine Aufgabe des Betriebes gegenüber dem Finanzamt erklärt, so wird die Apotheke zwangsläufig als ruhender Gewerbebetrieb behandelt. Dies hat zunächst einmal den Vorteil, daß der Verpächter keinen Aufgabegewinn versteuern muß. Darüber hinaus unterliegen die Pachteinnahmen nur der Einkommensteuer, obwohl es sich um Einkünfte aus Gewerbebetrieb handelt.
Durch diese Konstruktion wird die Aufdeckung der stillen Reserven nicht endgültig vermieden, sondern lediglich hinausgeschoben. Der Verpächter kann jederzeit die Aufgabe des Betriebes erklären und muß dann die stil-

len Reserven versteuern. Geht jetzt der Betrieb aber im Wege der vorweggenommenen Erbfolge oder im Erbfall auf den Pächter über, so kann dieser die Buchwerte fortführen, und es ergibt sich wiederum keine Steuerbelastung.

- **Steuerliche Behandlung beim Pächter**

Beim Pächter ergibt sich eine Gewerbesteuerminderung durch den Ansatz der Pacht als Betriebsausgabe. Soweit allerdings bewegliche Wirtschaftsgüter des Anlagevermögens mitverpachtet werden, kommt nur für die Hälfte der Miet- und Pachtzinsen eine Gewerbesteuerfreiheit zum Zuge, da für Zwecke der Berechnung der Gewerbesteuer nach dem Gewerbeertrag die Hälfte dieser Mieten bzw. Pachten dem Gewinn hinzuzurechnen ist.

e) Unternehmensnachfolge

Die Ausführungen zur Betriebsverpachtung gelten sowohl für eine Regelung unter fremden Dritten als auch unter nahen Angehörigen, zum Beispiel hinsichtlich der Fortführung des Betriebes durch ein Kind. Es besteht aber auch die Möglichkeit, die Unternehmensnachfolge in der Form zu regeln, daß der Betrieb insgesamt auf das Kind übergeht.

- **Ertragsteuerliche Folgen**

Hier ist wichtig zu unterscheiden zwischen der entgeltlichen und der unentgeltlichen Betriebsübertragung, da die ertragsteuerlichen Folgen recht unterschiedlich sind.
Eine entgeltliche Betriebsübertragung liegt immer dann vor, wenn für die Übertragung des Betriebes ein Entgelt gezahlt wird, dessen Höhe sich nach kaufmännischen Gesichtspunkten, also wie unter fremden Dritten, bemißt. Die Besteuerung erfolgt hier wie bei der Veräußerung des Betriebes.
Bei der Übertragung der Apotheke auf nahe Familienangehörige handelt es sich in der Regel um eine unentgeltliche Betriebsübertragung. Die Annahme einer unentgeltlichen Betriebsübertragung setzt nicht voraus, daß für die Übertragung des Betriebes kein Entgelt gezahlt wird. Vielmehr ist es hier lediglich Voraussetzung, daß das Entgelt nicht nach wirtschaftlichen Gesichtspunkten festgesetzt wird, sondern daß es sich vielmehr am Versorgungsbedürfnis des Übertragenden orientiert. In diesem Fall über-

nimmt dann der Erwerber unverändert die Buchwerte, die stillen Reserven sind nicht zu versteuern, ein Aufgabe- oder Veräußerungsgewinn fällt nicht an.
Besonderheiten ergeben sich hinsichtlich der steuerlichen Behandlung der Gegenleistung im Rahmen der unentgeltlichen Betriebsübertragung. Wird eine solche Gegenleistung als Barzahlung usw. erbracht, ergeben sich ertragsteuerlich keine Besonderheiten. Die Barzahlung ist ohne Einfluß auf die Buchwerte des Unternehmens und auf einen etwa entstehenden Gewinn. Wird jedoch eine Rente vereinbart, ist folgendes zu beachten:
Beträgt der Wert des übertragenen Betriebes weniger als 50 % der Gegenleistung (= kapitalisierter Wert der Rente), so liegt eine Unterhaltsrente vor. Hierbei ergeben sich keine steuerlichen Auswirkungen: Der Rentenempfänger braucht diese nicht zu versteuern, und der Rentenverpflichtete kann diese nicht steuermindernd als Sonderausgabe geltend machen.

Beispiel:

Der Wert einer Apotheke beträgt 280 000 DM. Für die Übertragung gewährt der Sohn seinem 62jährigen Vater eine monatliche Rente von 5000 DM = 60 000 DM jährlich. Der Kapitalisierungsfaktor richtet sich nach dem Lebensalter des Vaters zum Zeitpunkt der Übertragung und beträgt hier – nach dem Bewertungsgesetz – „Zehn“. Es ergibt sich also ein Wert der Gegenleistung von 600 000 DM. Da der Wert der übertragenen Apotheke weniger als 50 % der Gegenleistung ausmacht, liegt eine Unterhaltsrente vor. Der Sohn kann den Betrag von 5000 DM monatlich nicht steuermindernd geltend machen; der Vater braucht diesen nicht zu versteuern.

Beträgt der Wert der übertragenen Apotheke jedoch mindestens 50 % der Gegenleistung, handelt es sich um eine Versorgungsrente. Hierbei kann der Verpflichtete die Zahlung als Sonderausgabe steuermindernd geltend machen, der Veräußerer muß die erhaltenen Leistungen als sonstige Einkünfte der Einkommensteuer unterwerfen. Liegt eine echte Rentenvereinbarung vor, wirkt sich steuerlich allerdings nur der sogenannte Ertragsanteil aus, der sich wiederum nach dem Lebensalter des Vaters richtet.

Beispiel:

Der Wert der Apotheke beträgt 280 000 DM. Für die Übertragung gewährt der Sohn dem 62jährigen Vater eine monatliche Rente von 3000 DM = 36 000 DM jährlich. Unter Berücksichtigung des Kapitalisierungsfaktors

Zehn ergibt sich ein Wert von 360 000 DM. Dem Wert der Apotheke von 280 000 DM steht der Wert der Gegenleistung von 360 000 DM gegenüber; die Voraussetzungen für eine Versorgungsrente liegen also vor.
Diese Versorgungsrente kann der Verpflichtete (Sohn) mit dem Ertragsanteil (gemäß § 22 des Einkommensteuergesetzes) von 27 %, also in Höhe von 9720 DM, als Sonderausgabe geltend machen. Der Rentenberechtigte (Vater) muß diesen Betrag abzüglich eines Werbungskostenpauschbetrages von 200 DM, also insgesamt 9520 DM, als sonstige Einkünfte versteuern.

Eine solche Rentenvereinbarung bietet sich dann an, wenn Vater und Sohn über gleich hohe Einkünfte verfügen, d. h. der gleichen Einkommensteuerprogression unterliegen. Ein Bedürfnis nach einer anderen Regelung besteht allerdings dann, wenn der Sohn mit seinen Einkünften nach erfolgter Betriebsübertragung einem wesentlich höheren Steuersatz unterliegt als der Vater.

Beispiel:

Sachverhalt wie vor, Sohn hat einen zu versteuernden Einkommensbetrag von 100 000 DM; Vater bezieht keine weiteren Einkünfte.

Steuerbelastung beim Vater			
	DM	*DM*	*DM*
Einnahmen		*8 280*	
·/. Werbungskosten – pauschal –		*200*	
sonstige Einkünfte		*8 080*	
·/. Sonderausgaben – pauschal –		*214*	
zu versteuern		*7 866*	
Einkommensteuerbelastung im Falle der Zusammenveranlagung			*0*
Steuerersparnis beim Sohn			
bisher zu versteuern im Falle der Zusammenveranlagung	*100 000*		
Steuerbelastung		*22 168*	
Minderung und Sonderausgaben – Rentenzahlung –	*8 280*		
neuer zu versteuernder Einkommensbetrag	*91 720*		
Steuerbelastung		*19 616*	
Steuerersparnis			*2 552*
Steuerersparnis per Saldo			*2 552*

Vorteilhaft ist hier natürlich, wenn der Sohn einen höheren Betrag steuermindernd geltend machen kann, weil er der höheren Steuerprogression unterliegt. Möglichkeiten bieten sich hier über die Vereinbarung einer sogenannten dauernden Last an Stelle der Rente an. Die dauernde Last unterscheidet sich von der Rente dadurch, daß sie der Höhe nach schwankt bzw. schwanken kann. Hierzu zählen insbesondere die Umsatz- oder Gewinnbeteiligungen, die Übernahme regelmäßig wiederkehrender Ausgaben des Vaters (zum Beispiel Versicherungen, Miete usw.). Auch ausreichend ist in diesem Sinne die Vereinbarung einer Rente mit der gleichzeitigen Bestimmung, daß § 323 ZPO anwendbar ist. Nach dieser Vorschrift kann die Höhe der Rente bei Änderung der wirtschaftlichen Verhältnisse der Beteiligten entsprechend angepaßt werden.
Der Verpflichtete kann bei der Vereinbarung einer dauernden Last diese in vollem Umfang steuerlich geltend machen, der Empfänger muß diese allerdings auch voll versteuern.

Beispiel:

Sachverhalt wie vor.

Steuerbelastung beim Vater

	DM	*DM*	*DM*
Einnahmen	*36 000*		
./. Werbungskosten – pauschal –	*200*		
sonstige Einkünfte	*35 800*		
./. Sonderausgaben – pauschal –	*214*		
zu versteuern	*35 586*		
Einkommensteuerbelastung im Falle der Zusammenveranlagung			*4 900*

Steuerersparnis beim Sohn

bisher zu versteuern	*100 000*		
Einkommensteuer		*22 168*	
Minderung um Sonderausgaben – dauernde Last –	*36 000*		
nun zu versteuernder Einkommensbetrag	*64 000*		
Steuerbelastung		*11 744*	
Steuerersparnis			*10 424*
Steuerersparnis per Saldo			*5 524*

● Testament / erbschaftsteuerliche Folgen

Bei Regelungen über die Unternehmensnachfolge, wie zum Beispiel Betriebsübertragung, Betriebsverpachtung usw., ist es erforderlich, Übereinstimmung mit bereits bestehenden oder beabsichtigten testamentarischen Verfügungen zu treffen.
Sowohl die Schenkung des Betriebes als auch der Erwerb des Betriebes durch eine Erbschaft unterliegen der Erbschaftsteuer. Bei einem Apotheken-Betriebsgrundstück ist hier wichtig, daß die Bemessungsgrundlage für die Erbschaftsteuer nicht der Buchwert des Betriebes ist, sondern der Einheitswert des Betriebsvermögens.

Wert des steuerpflichtigen Erwerbs (§ 10) bis einschließlich Deutsche Mark	Vomhundertsatz in der Steuerklasse			
	I	II	III	IV
50 000	3	6	11	20
75 000	3,5	7	12,5	22
100 000	4	8	14	24
125 000	4,5	9	15,5	26
150 000	5	10	17	28
200 000	5,5	11	18,5	30
250 000	6	12	20	32
300 000	6,5	13	21,5	34
400 000	7	14	23	36
500 000	7,5	15	24,5	38
600 000	8	16	26	40
700 000	8,5	17	27,5	42
800 000	9	18	29	44
900 000	9,5	19	30,5	46
1 000 000	10	20	32	48
2 000 000	11	22	34	50
3 000 000	12	24	36	52
4 000 000	13	26	38	54
6 000 000	14	28	40	56
8 000 000	16	30	43	58
10 000 000	18	33	46	60
25 000 000	21	36	50	62
50 000 000	25	40	55	64
100 000 000	30	45	60	67
über 100 000 000	35	50	65	70

Die Erbschaftsteuerbelastung richtet sich nach dem Verwandtschaftsgrad und der Höhe des Vermögens. Des weiteren kommen bei den einzelnen Steuerklassen verschiedene Freibeträge zum Ansatz. Einzelheiten hierzu können der beigefügten Erbschaftsteuertabelle bzw. der folgenden Übersicht über die Steuerklassen und Freibeträge entnommen werden:

Steuerklasse I

Hierunter fallen die Kinder und der Ehegatte. Ausnahmsweise rechnen hier auch die Enkelkinder dazu, wenn das entsprechende Kind des Schenkers oder des Erblassers bereits verstorben ist.
Hier können jedem Kind von jedem Elternteil innerhalb eines Zehnjahreszeitraumes 90 000 DM erbschaft- bzw. schenkungsteuerfrei zugewandt werden. Bei Schenkungen auf den Ehegatten kommen ein Freibetrag von 250 000 DM und ein Versorgungsfreibetrag im Erbfall in gleicher Höhe – unter Anrechnung des Kapitalwertes von Pensionen, Witwenrenten der gesetzlichen Rentenversicherung oder sonstigen berufsständischen Pflichtversicherungen – zum Ansatz.

Bei Kindern kommt ebenfalls ein Versorgungsfreibetrag im Erbfall zum Ansatz. Dieser beträgt bei einem Kind bis zu einem Alter

1. von 5 Jahren	DM 50 000
2. von mehr als 5 bis zu 10 Jahren	DM 40 000
3. von mehr als 10 bis zu 15 Jahren	DM 30 000
4. von mehr als 15 bis zu 20 Jahren	DM 20 000
5. von mehr als 20 Jahren bis zur Vollendung des 27. Lebensjahres	DM 10 000

Übersteigt das übertragene Vermögen zusammen mit dem in den letzten zehn Jahren unentgeltlich zugewandten Vermögen 150 000 DM, so verringern sich diese Freibeträge um den 150 000 DM übersteigenden Betrag. Des weiteren werden die Freibeträge – wie beim Versorgungsfreibetrag bei Ehegatten – um den Kapitalwert der aus Anlaß des Todes des Erblassers dem Kind zufließenden erbschaftsteuerfreien Versorgungsbezüge gekürzt.

Steuerklasse II

Hierunter fallen die Enkelkinder. Der Freibetrag beträgt 50 000 DM innerhalb des Zehnjahreszeitraumes.

Steuerklasse III

Hierunter fallen die Eltern und Großeltern, Adoptiveltern, Geschwister, Geschwisterkinder, Stiefeltern, Schwiegerkinder, Schwiegereltern, der geschiedene Ehegatte. Der Freibetrag beträgt 10 000 DM.

Steuerklasse IV
Hierunter fallen alle übrigen Erwerber. Der Freibetrag beträgt 3000 DM.

Die hier erwähnten Beispiele können manchen helfen, Steuern zu sparen und die Wirtschaftlichkeit zu verbessern.

7. Versicherungen

Der Versicherungsbereich ist trotz Werbung und Aufklärung noch für viele kaum durchschaubar. Dabei sind sinnvolle Versicherungsverträge besonders für Klein- und Mittelbetriebe wichtig.
Vor Abschluß eines Versicherungsvertrages sollten Sie Konkurrenzangebote einholen. Hier müssen Sie jedoch nicht nur die identischen Versicherungssummen, sondern auch die gleichen Versicherungsleistungen (Versicherungsbedingungen, Sondereinschlüsse und Bedingungserweiterungen) berücksichtigen. Da dies nicht so einfach ist, empfehlen wir Ihnen, sich eines Versicherungsmaklers zu bedienen, der Ihnen die Arbeit ohne Honorar abnimmt. Das Honorar des Versicherungsmaklers ist die sogenannte Courtage. Die Courtage ist in den Versicherungsbeiträgen, die er Ihnen anbietet, bereits einkalkuliert und wird von den Versicherungsgesellschaften bezahlt. Es entstehen Ihnen somit keine weiteren Kosten.

a) Versicherungsumfang

Die unterschiedlichsten Gefahren drohen auch einem Apothekenbetrieb. Wegen der zunehmenden Bedeutung von Versicherungen wollen wir auf die wichtigsten Bereiche eingehen. Ein Schadensbeispiel mag zeigen, welche Versicherungssparten dabei tangiert werden können:
Eine Gasexplosion hat eine Apotheke kürzlich vollkommen verwüstet. Vermutlich haben chemische Reaktionen die explosiven Gase freigesetzt. Die Spurensicherung gestaltete sich durch die außerordentliche Zerstörung der Apotheke sehr schwierig. Festgestellt wurde, daß eine Ätherexplosion den Totalschaden herbeiführte. Während des Nachtdienstes hatte der Apothekenleiter im Labor mit Äther zu tun und wurde durch die Belieferung eines Rezeptes gestört. Hierbei wurde vergessen, die Ätherflasche zu verschließen. Ausströmende Ätherdämpfe entzündeten sich.

Die Frage nach der richtigen Versicherung ist nicht leicht zu beantworten, da mehrere Kriterien zu beachten sind. Im einzelnen geht es dabei um:

- die gebündelte Geschäftsversicherung für Apotheken, z. B. gegen Feuer und Feuer-Betriebsunterbrechungsschäden,
- die Betriebshaftpflichtversicherung der Apotheke, da Regreßansprüche seitens der Gebäude- und auch Krankenversicherer anhängig werden, wenn nicht nur ein erheblicher Sachschaden, sondern auch ein Personenschaden durch die Explosion ausgelöst wurde.

Zu beachten sind auch

- entsprechende Krankentagegeldversicherungen,
- Berufsunfähigkeitsversicherungen,
- Unfall-/Invaliditätsversicherungen (Berufsgenossenschaft, berufsständisches Versorgungswerk),
- Rechtsschutz für ein im Anschluß daran stattfindendes Strafverfahren usw.

b) Gebündelte Geschäftsversicherung

Beginnen wir bei der für Apotheken wichtigen gebündelten Geschäftsversicherung. Die versicherten Gefahren sind: Feuer-, Einbruchdiebstahl-, Raub- und Vandalismus-, Leitungswasser-, Sturm- und Hagelschäden. Hieran schließt sich die „Betriebsunterbrechung“ an, die mit den vorgenannten Gefahren übereinstimmen muß.

Bedingungserweiterungen wie die Versicherung von Bargeld unter einfachem Verschluß bis zu 5000 DM, Bargeld in der offenen Registrierkasse bis 500 DM je Kasse (max. 1000 DM) und gegen erhöhte Aufräumungskosten in Höhe von mindestens 20000 DM anläßlich eines Schadensfalles sollten den Versicherungsschutz ergänzen.

Nach einem Großschaden durch Feuer, Explosion, Blitzschlag kommt bei fast allen Apothekenleitern das böse Erwachen: Vor Jahren wurde zwar eine gebündelte Geschäftsversicherung gegen die vorgenannten Gefahren und evtl. zusätzlich gegen Einbruchdiebstahl und Vandalismus und vielleicht noch gegen Leitungswasser und Betriebsunterbrechung abgeschlossen, danach aber vergessen, die Versicherungen den ständigen Veränderungen und Entwicklungen des Apothekenbetriebes anzupassen. Deshalb sollte zum Neuwert versichert werden. Die steuerlich abgeschriebene Einrichtung darf bei der Ermittlung der Versicherungssumme überhaupt keine Rolle spielen, nur der Wiederbeschaffungspreis ist maßgebend.

Leider klafft hier immer noch eine enorme Lücke im Versicherungsschutz, wenn man für die Gefahren Einbruchdiebstahl, Leitungswasser und

Sturm keine Betriebsunterbrechungsversicherung abgeschlossen hat. Was geschieht nach einem Vandalismusschaden, wenn die Täter die gesamte Einrichtung beschädigt haben, was nach einem Rohrbruch im Haus, wenn über mehrere Stunden Leitungswasser austritt, die abgehängte Decke der Apotheke herunterstürzt und im HV-Bereich alles unter sich begräbt? Regresse können Sie nur geltend machen, wenn dem Verursacher ein Verschulden nachzuweisen ist.
Die Feuerversicherung ersetzt beispielsweise nur den Schaden an Einrichtung, Waren und Vorräten einschließlich der vorgenommenen Gebäudeveränderungen, sofern diese im Versicherungsvertrag berücksichtigt sind. Die Feuer-Betriebsunterbrechungsversicherung ersetzt darüber hinaus die fortlaufenden Kosten (Gehälter, Mieten, Zinsen, Leasingraten usw.) sowie den entgangenen Geschäftsgewinn.
Zu bedenken ist, daß Sie anläßlich eines Feuerschadens kein Personal entlassen können! Die Zerstörung eines Betriebes durch einen Feuerschaden ist ein kalkulierbares Risiko, gegen das Sie sich durch eine Betriebsunterbrechungsversicherung schützen können und somit kein Arbeitnehmer entlassen werden kann. Bis zur Wiederherstellung der versicherten Räumlichkeiten haftet der Versicherer in der Regel bis zu 12 Monaten und der vereinbarten Versicherungssumme laut Versicherungsschein, sofern keine Unterversicherung besteht. Sie sollten sich aber auch einmal Gedanken darüber machen, was geschieht, wenn Ihr Betrieb länger als 12 Monate durch einen Feuerschaden unterbrochen ist. Im Rahmen der sogenannten „großen" Betriebsunterbrechungsversicherung können Sie die Haftzeit der Versicherer von 12 auf 18 bzw. 24 Monate verlängern. Die Prämien sind steuerlich absetzbar und auch überschaubar. Es gibt bei allen Versicherern ein Schema, wie man die Versicherungssummen ermitteln kann. Grundsätzlich sollten Sie als Versicherungssumme den Rohgewinn wählen. Diesen ermitteln Sie wie folgt:

	Umsatzerlöse netto (letztes Jahr)	DM
–	Wareneinsatz (Umschlag)	DM
	Zwischensumme	DM
+	Vorsorge für die beiden folgenden Geschäftsjahre/Umsatzsteigerung	DM
	Aktuelle Versicherungssumme	DM

Bei der Ermittlung der Versicherungssumme für die gebündelte Geschäftsversicherung ist Ihnen der Wert Ihres Warenlagers bekannt und auch bei jeder Inventur feststellbar. Die Wertschwankung des Warenlagers (Saisonkäufe und Reserven) sollten Sie berücksichtigen, da Ihnen im Totalscha-

denfall nicht der Bilanzwert des Warenlagers zur Verfügung gestellt werden muß, sondern der effektiv vorhandene Wert.
Bei der Ermittlung des Wertes der Einrichtung müssen Sie unbedingt Dekorationen, Standgefäße, Literatur und von Ihnen vorgenommene Gebäudeveränderungen wie abgehängte Decken, Fußböden berücksichtigen. Vergessen Sie hier nicht die technische Ausstattung durch elektronisch betriebene Geräte. Zur Abrundung der Versicherungssumme sollten Sie eine Position „Vorsorge" bilden.
Als Faustregel für eine Versicherungssumme von Einrichtungswerten sollten Sie bei einer Betriebsgröße von ca. 165 qm (Durchschnittsapotheke 1986) mindestens 300 000 DM zugrunde legen. Hierbei handelt es sich um Erfahrungswerte, die anläßlich von Schadenfällen durch verschiedene Gutachten ermittelt wurden. Ihre individuelle Sonderausstattung ist hierbei nicht berücksichtigt.
Um Ihnen einmal einen Orientierungswert zu nennen, sind nachfolgend zwei Versicherungssummen- und Prämienbeispiele für die Versicherung der technischen und kaufmännischen Betriebseinrichtung zum Neuwert einschließlich der Waren und Vorräte und der Vorsorge sowie der von Ihnen vorgenommenen Gebäudeveränderungen aufgeführt.

Beispiel 1:

Gesamtversicherungssumme: 300 000 DM
Versicherungsumfang:
- Feuer
- Feuer-Betriebsunterbrechung
- Einbruchdiebstahl/Raub und Vandalismus
- Leitungswasser
- Verbesserte Pauschaldeklarationen einschließlich Nachtbelieferung.

Jahresprämie: 630 DM zzgl. 7 % VSt.

Beispiel 2:

Gesamtversicherungssumme: 500 000 DM
Versicherungsumfang:
- Feuer
- Feuer-Betriebsunterbrechung
- Einbruchdiebstahl/Raub und Vandalismus
- Leitungswasser
- Verbesserte Pauschaldeklarationen einschließlich Nachtbelieferung

Jahresprämie: 1050 DM zzgl. 7 % VSt.

Beispiel 3 (Komplettschutz):

Gesamtversicherungssumme: 300 000 DM

Versicherungsumfang:
- Feuer
- Feuer-Betriebsunterbrechung
- Einbruchdiebstahl/Raub und Vandalismus
- ED/Vandalismus-Betriebsunterbrechung
- Leitungswasser
- LW-Betriebsunterbrechung
- Sturm/Hagel
- Sturm/Hagel-Betriebsunterbrechung
- Verbesserte Pauschaldeklarationen einschließlich Nachtbelieferung
- Bargeld unter einfachem Verschluß bis 5000 DM
- Bargeld in der offenen Registrierkasse bis 500 DM je Kasse, max. 1000 DM
- Erhöhte Aufräumungskosten bis 20 000 DM

Jahresprämie: 760 DM zzgl. 7 % VSt.

Beispiel 4 (Komplettschutz):

Gesamtversicherungssumme: 500 000 DM

Versicherungsumfang:
- Feuer
- Feuer-Betriebsunterbrechung
- Einbruchdiebstahl/Raub und Vandalismus
- ED/Vandalismus-Betriebsunterbrechung
- Leitungswasser
- LW-Betriebsunterbrechung
- Sturm/Hagel
- Sturm/Hagel-Betriebsunterbrechung
- Verbesserte Pauschaldeklarationen einschließlich Nachtbelieferung
- Bargeld unter einfachem Verschluß bis 500 DM
- Bargeld in der offenen Registrierkasse bis 500 DM je Kasse, max. 1000 DM
- Erhöhte Aufräumungskosten bis 20 000 DM

Jahresprämie: 1200 DM zzgl. 7 % VSt.

Vorweg wurde in den Versicherungssummen und Prämienbeispielen auf eine verbesserte Pauschaldeklaration hingewiesen. Was sind Pauschaldeklarationen? Neben den vorgenannten Gefahren und Deckungskonzepten der Versicherer bietet man Ihnen ohne gesonderten Prämienzuschlag mit den dort angegebenen Entschädigungsgrenzen die Erweiterung des Versicherungsschutzes um viele wichtige Positionen, wie z. B. Bargeld, Außenversicherung, außen angebrachte Sachen in Sturm usw., an.

Abb. 20: Pauschaldeklaration

Prämienfrei mitversichert sind:	bis %	höchstens DM
In der Feuer-, Einbruchdiebstahl-, Leitungswasser- und Sturmversicherung		
1. Bargeld, Wertpapiere, Zinsscheine, Sparbücher, Urkunden, Brief- und Wertmarken		
1.1. in verschlossenen Panzergeldschränken, gepanzerten Geldschränken, Stahlschränken der Sicherheitsstufe C, mehrwandigen Stahlschränken mit einem Mindestgewicht von 300 kg oder eingemauerten Stahlwandschränken mit mehrwandiger Tür . .	10	20000
1.2. u. a. Verschluß in Behältnissen, die eine erhöhte Sicherheit bieten, und zwar auch gegen die Wegnahme der Behältnisse selbst (z. B. Betäubungsmittelschrank)	10	1000
2. Wiederherstellung von Akten, Plänen, Geschäftsbüchern, Karteien, Zeichnungen, Lochkarten, Magnetbändern, Magnetplatten und sonstigen Datenträgern	10	50000
3. Aufräumungskosten, Bewegungs- und Schutzkosten, ferner in der Feuer-, Leitungswasser- und Sturmversicherung Abbruchkosten, in der Feuerversicherung auch Feuerlöschkosten	10	10000
4. Mehrkosten durch Preissteigerungen zwischen dem Eintritt des Versicherungsfalles und der Wiederherstellung oder Wiederbeschaffung (Preisdifferenz-Versicherung)	10	10000
5. Rezepte	10	20000

In der Feuer-, Leitungswasser- und Sturmversicherung		
6. an der Außenseite des Gebäudes angebrachte Sachen, soweit der Versicherungsnehmer dafür Gefahr trägt	10	5 000
In der Feuer- und Leitungswasserversicherung		
7. Außenversicherung für Betriebseinrichtung, Warenbestand, Unterversicherungsvorsorge		
7.1. Innerhalb des Grundstücks, auf dem der Versicherungsort liegt (auch im Freien) ohne Sachen gem. Ziff. 6	10	5 000
7.2. Außerhalb des Grundstücks, auf dem der Versicherungsort liegt, innerhalb der Bundesrepublik Deutschland einschließlich des Landes Berlin . . .	10	10 000
In der Einbruchdiebstahlversicherung		
8. Gebäudebeschädigungen und Beschädigungen an Schaukästen und Vitrinen außerhalb des Versicherungsorts auf dem Grundstück, auf dem der Versicherungsort liegt, und in dessen unmittelbarer Umgebung – ausgenommen Schaufenster-, Schaukästen- und Vitrinenverglasung –, sowie Kosten für Türschloßänderungen durch einen Versicherungsfall	10	10 000
9. Aufwendungen bei Abhandenkommen von Schlüsseln zu Tresorräumen, Geldschränken, mehrwandigen Stahlschränken mit einem Mindestgewicht von 300 kg oder eingemauerten Stahlwandschränken mit mehrwandiger Tür	10	10 000
10. Verluste an Bargeld, Vorräten/Waren und sonstigen Sachen durch Raub		
10.1. innerhalb des Versicherungsorts und des allseitig umfriedeten Grundstücks, auf dem der Versicherungsort liegt	10	50 000
10.2. auf Transportwegen innerhalb der Bundesrepublik Deutschland einschließlich des Landes Berlin und der Verbindungswege unter der Voraussetzung, daß nicht mehrere Transporte gleichzeitig unterwegs sind	10	20 000

Die Entschädigung ist begrenzt für Schäden in der Einbruchdiebstahlversicherung	bis %	höchstens DM
1. die – insbesondere an Schaufensterinhalt – eintreten, ohne daß der Täter das Gebäude betritt	10	5 000
2. in Schaukästen und Vitrinen außerhalb des Versicherungsorts auf dem Grundstück, auf dem der Versicherungsort liegt, und in dessen unmittelbarer Umgebung	10	1 000

Zur Abrundung dieses Hinweises möchten wir noch auf die Bargeldlagerung in der Apotheke hinweisen. Bargeld gehört nicht in die Apotheke, sondern auf die Bank. Wenn heute in eine Apotheke eingebrochen wird, dann mit Sicherheit nicht wegen der Betäubungsmittel, denn die Kenner der Szene wissen, daß ihr EK-Wert so minimal ist, daß sich ein Einbruch kaum lohnt. Was gesucht wird, ist Bargeld! Bargeld gehört nicht in den Betäubungsmittelschrank, da dieser für den Versicherer ein Behältnis ist, das zu „unter einfachem Verschluß" zählt. Unter einfachem Verschluß sind bedingungsgemäß nur bis 1000 DM Bargeld mitversichert, es sei denn, Sie haben diese Position bei der Beantragung des Versicherungsschutzes erhöht. „Einfacher Verschluß" ist im Sinne des Versicherers ein Behältnis, das einer erhöhten Sicherheit, auch gegen die Wegnahme selbst, entspricht. Bargeld gilt, wie Sie aus der Pauschaldeklaration entnehmen können, bis 20 000 DM mitversichert, wenn es sich um einen verschlossenen Panzergeldschrank, gepanzerten Geldschrank, Stahlschrank der Sicherheitsstufe C, mehrwandigen Stahlschrank mit einem Mindestgewicht von 300 kg oder einem eingemauerten Stahlwandschrank mit mehrwandiger Tür handelt.

Eine Versicherungsschutzlücke besteht innerhalb der gebündelten Geschäftsversicherung in Deutschland immer, wenn Schäden durch innere Unruhen, böswillige Beschädigung, Streik oder Aussperrung, Fahrzeuganprall, Rauch oder Überschallknall eintreten. Diese Risiken können lediglich bei Spezialanbietern in den Versicherungsschutz einbezogen werden. Die Versicherer nennen dieses Risiko „EC-Deckung" (EC bedeutet extended coverage, also erweiterte Deckung). Ein Beispiel für Versicherungssumme und Prämie:

Maßgebend ist die Gesamtversicherungssumme für die technische und kaufmännische Betriebseinrichtung einschließlich der Waren und Vorräte sowie die Vorsorge, wie Sie sie für die gebündelte Geschäftsversicherung beantragt haben. Bei einer Versicherungssumme von 500 000 DM beträgt die Jahresprämie für den Einschluß der Gefahren innere Unruhen, böswillige Beschädigungen, Streik und Aussperrung, Fahrzeuganprall, Rauch und Überschallknall 200 DM einschließlich Betriebsunterbrechung, zzgl. 7 % VSt.

Z. Z. besteht jedoch eine hohe Selbstbeteiligung in diesem Bereich, da dieses Produkt in Deutschland Neuland ist. Für innere Unruhen, böswillige Beschädigungen, Streik oder Aussperrung beträgt die Selbstbeteiligung 10000 DM je Schadenfall, da „Kleinschäden" im Sinne dieser Deckung das schwer kalkulierbare Risiko nicht belasten sollen. Für Fahrzeuganprall, Rauch und Überschallknall beträgt die Selbstbeteiligung 2000 DM je Schadenfall.

c) Glasversicherung

In der Regel wird hier die gesamte Innen- und Außenverglasung ohne Flächenbegrenzung versichert. Mitversichert sind
- Isolierverglasung und Kunststoffscheiben,
- innere Unruhen,
- Brand, Blitzschlag und Explosion.

Im Rahmen der Glasversicherung sollten folgende Zusatzeinschlüsse auf Erstes Risiko (ohne Anrechnung einer Unterversicherung) bis 1000 DM je Schadenfall mitversichert gelten:
- Sonderkosten für Gerüste, Kräne, Beseitigung von Hindernissen,
- Entschädigung für Anstriche, Malereien, Schriften, Verzierungen und Folien,
- Entschädigungen für Umrahmungen, Mauerwerk, Schutzeinrichtungen,
- Entschädigung für künstlerisch bearbeitete Glasscheiben, -spiegel und -platten,
- Entschädigung für Waren und Dekorationsmittel.

Die Jahresprämien werden heute in aller Regel von Versicherern pauschal angeboten. Z. Z. betragen Pauschalbeträge bis 150 qm Betriebsfläche der Apotheke jährlich 240 DM, über 150 qm Betriebsfläche der Apotheke jährlich ca. 360 DM zzgl. jeweils 7 % VSt.

Gegenstand der heutigen Glasversicherung sind Glasscheiben aller Art und andere an Baulichkeiten angebrachte Glasgegenstände, z. B. Schilder, Transparente und Leuchtröhren. Ersetzt wird der Sachschaden, der entsteht, wenn die versicherten Gegenstände durch Steinbruch, Unvorsichtigkeit beim Reinigen, Verkehrsunfälle, Sturm usw. zerbrechen. Beschädigungen der Oberfläche, z. B. Schrammen u. ä., sind nicht Gegenstand der Versicherung.

Es wird zumeist Naturalersatz geleistet, indem der Versicherungsnehmer alsbald eine neue Scheibe, von gleicher Art und Güte wie die zerbrochene,

erhält. Ersetzt werden auch die Kosten einer etwa erforderlichen Notverglasung.
Die Glasversicherung können Sie durch eine Werbeanlagenversicherung Ihrer Transparente (erweiterte Leuchtröhrenversicherung) ergänzen. Die vorgenannten Schäden gelten hier ebenfalls versichert, einschließlich innere Unruhen sowie Gerüstkosten bis 1000 DM. Die Jahresprämie orientiert sich an dem Wert der Anlage. Bei einer Versicherungssumme von 10000 DM für ihre Werbeanlage beträgt die Jahresprämie ca. 250 DM.

d) Elektronikversicherung

Hierbei handelt es sich um eine verbesserte Form der Maschinenversicherung, die in den früheren Jahren Schwachstromanlagen-Versicherung hieß. Durch diese Elektronikversicherung können beispielsweise Fernsprech-, Fernschreib-, Fernsehüberwachungsanlagen, Arzneimittelkühlschränke, elektrische Waagen, EDV-Anlagen, elektrische Kassen usw. gegen Zerstörung oder Beschädigung durch ein unvorhergesehenes Ereignis und durch höhere Gewalt versichert werden.
Bei dieser Versicherungsart handelt es sich fast um eine Allgefahrendekkung. Der Versicherungsschutz erstreckt sich insbesondere auf Schäden, die durch Fahrlässigkeit, unsachgemäße Handhabung, Vorsatz Dritter, Kurzschluß, Brand, Blitzschlag, Explosion, Wasser, Feuchtigkeit, Überschwemmung, Diebstahl, Plünderung und Sabotage entstehen. Dagegen besteht keine Versicherung bei Schäden durch Kriegsereignisse, innere Unruhen, Erdbeben oder Kernenergie. Anders als in der Feuerversicherung sind auch Glimm-, Seng- und Schmorschäden mitversichert.
Eine Ergänzung der Elektronikversicherung stellt die Mehrkosten- und Datenträgerversicherung von elektronischen Datenverarbeitungsanlagen dar. Im Rahmen dieser Versicherung leistet der Versicherer Entschädigung für die Mehrkosten, die der Versicherungsnehmer aufwendet, weil er z. B. infolge eines Sachschadens an einer im Versicherungsschein bezeichneten EDV-Anlage eine fremde EDV-Anlage benutzen muß. Im Rahmen der Datenträgerversicherung sind die im Versicherungsschein aufgeführten externen Datenträger versichert. Externe Datenträger sind das Datenträgermaterial und die darauf enthaltenen maschinenlesbaren Informationen von Magnetplatten, Magnetbändern usw. Der Versicherer leistet Entschädigung, wenn die Datenträger beschädigt oder zerstört werden und dadurch für eine bestimmungsgemäß maschinelle Verwendung nicht mehr geeignet sind.

Im Rahmen der Elektronikversicherung sollte ein Wartungsvertrag bestehen, da, bis auf den natürlichen Verschleiß an EDV-Anlagen, Kosten im Schadenfall vom Versicherer übernommen werden. Wie in der Glasversicherung kann der Versicherer Naturalersatz leisten, d. h., er stellt keinen Geldbetrag zur Verfügung, sondern ein gleichwertiges Ersatzgerät.

e) Rezeptversicherung

Meistens werden die Rezepte über Abrechnungsstellen abgerechnet. Im Rahmen des Versicherungsschutzes der Abrechnungsstellen gelten in der Regel auch der Verlust von Rezepten bei der Lagerung in der Apotheke sowie der Verlust auf dem Transportweg als mitversichert.
Wer aber seine Rezepte selbst abrechnet, sollte in jedem Fall eine Rezeptversicherung gegen Verluste dieser Art absichern.

f) Betriebshaftpflichtversicherung

Die Betriebshaftpflichtversicherung (BHV) bietet dem Apothekenleiter und seinen Mitarbeitern Versicherungsschutz gegen verschiedene Schadenfälle. Nicht nur die Medikamentenverwechslung, sondern auch Fehler, die bei der Erstellung einer falschen Rezeptur entstehen, gelten über die BHV mitversichert. Durch die zahlreichen gesetzlichen Bestimmungen über den Betrieb einer Apotheke wie
- Apotheken-Betriebsordnung,
- Arzneimittelgesetz,
- Betäubungsmittelgesetz,
- regionale Landesgesetze

ist eine Betriebshaftpflichtversicherung für die Führung einer Apotheke zwingend erforderlich.
Die Deckungssummen sollten jedoch den heutigen Verhältnissen angemessen sein. Deckungssummen von 1 000 000 DM für Personenschäden, 300 000 DM für Sachschäden und 25 000 DM für Vermögensschäden sind überholt. Es ist dringendst anzuraten, eine Mindestdeckungssumme von 2 000 000 DM für Personenschäden, 500 000 DM für Sachschäden und 100 000 DM für Vermögensschäden oder von 2 000 000 DM, besser aber 3 000 000 DM pauschal für Personenschäden und 300 000 DM für Vermögensschäden zu beantragen.
In der zukünftigen Rechtsprechung werden der Personenschäden und die daraus resultierenden Rechtsansprüche und Schmerzensgelder eine immer umfangreichere Bedeutung annehmen. Der Apotheker ist vor Gericht fast

immer schuld, da sich der Verbraucher auf die von ihm abgegebenen Rezepturen und Waren verlassen kann.
Eine Bedeutung im Rahmen der BHV beinhalten auch die Sachschäden an gemieteten Räumen. Durch den eingangs erwähnten Feuerschaden sind Regreßansprüche des Gebäudeversicherers gegenüber dem Apothekenleiter ausgelöst worden. Die Sachschadendeckung spielt hierbei eine bedeutende Rolle. Der Geschäftsbereich, der in aller Regel gemietet ist, bedarf deshalb eines besonderen Schutzes. Feuer-Regreßverzicht und Feuer-Haftungsversicherung sind schwere Worte. Sie können die Risiken in eine Betriebshaftpflichtversicherung einbeziehen, wenn Sie die Dekkungssumme für den Mietraumbereich erhöhen. Hier gelten dann eventuelle Regresse, die anläßlich eines Schadenfalles durch den Apothekenbetrieb ausgelöst werden, auch bis zu 500000 DM für die angemieteten Räume mitversichert. Die Zuschlagprämien halten sich in Grenzen.
Darüber hinaus wäre es ratsam, bei der BHV auf kostenlose Zusatzbausteine, wie den Einschluß der

- Privathaftpflichtversicherung für den Inhaber/Pächter und seine Familie,
- Haus- und Grundbesitzerhaftpflichtversicherung,
- Bauherrnhaftpflichtrisiko,
- Sachschäden durch Abwässer aus der Apotheke,
- Rückrufkosten durch Medien,
- Krankenhausversorgung,
- Auslandsschäden (Weltgeltung),

zu bestehen.
Bei Versäumnis der Abzeichnungspflicht müssen Sie darauf achten, daß trotzdem Versicherungsschutz besteht. Dieser Passus muß in Ihrem Versicherungsschein enthalten sein.
Hier ein Prämienbeispiel zur BHV für alle vorgenannten Gefahren:
2000000 DM pauschal für Personen-/Sachschäden,
300000 DM für Vermögensschäden,
100000 DM für Mietsachschäden,
einschließlich Privathaftpflicht und den vorgenannten Deckungserweiterungen.
Die Jahresprämie beträgt bei bis zu 5 Personen ca. 280 DM zzgl. 7 % VSt.
Im Rahmen der BHV berechnet sich die Prämie nach der Beschäftigungszahl. Hier sollten Sie, wie bei der Berufsgenossenschaft, mit Halbtags- und Viertelkräften rechnen, da jede Vollzeitkraft Prämienzuschlag kostet.

g) Produkthaftpflichtversicherung

Die Produkthaftpflichtversicherung entspricht den erforderlichen Dekkungen nach den §§ 84 und 94 AMG (Gefährdungshaftung). Die Dekkungssumme beträgt 200 000 000 DM für Personenschäden, jedoch maximal 500 000 DM pro Person.
Die Jahresprämien betragen derzeit bei einem Jahresumsatz bis 30 000 DM an deckungsvorsorgepflichtigen Arzneimitteln 172 DM, falls eine Abgabe auch über fremde Betriebe erfolgt 348 DM zzgl. 7 % VSt. Die Jahresprämien bei höheren Umsätzen für deckungsvorsorgepflichtige Arzneimittel werden individuell berechnet.
Eine Produkthaftpflichtversicherung nach dem AMG ist derzeit für Eigenspezialitäten, teilweise für unechte Hausspezialitäten (je nach Hersteller) sowie für den Defekturbereich erforderlich. Sie müssen also für die Defekturen, die Sie nach den Standardzulassungen produzieren, Deckungsvorsorge nach dem AMG beantragen, da bei entsprechenden Revisionen in Apotheken großer Wert auf diesen Passus gelegt wird.

IV Apotheken-„Marketing"

Wenn es heute um Werben und Verkaufen geht, taucht schnell ein Begriff auf, der zwar sehr populär ist, der in der tatsächlichen Werbe- und Verkaufspraxis aber noch nicht überall Einzug gehalten hat. Es ist der Begriff Marketing.
Da immer mehr Arzneimittel von der Bezahlung durch die Krankenkassen ausgeschlossen sind und auch noch werden, hat der Verbraucher z. T. sein Verhalten geändert.
„Bei einer leichten Erkältung wird er den Arzt nicht mehr aufsuchen, da er ja weiß, daß er die Medikamente voll bezahlen muß. Der Kunde/Patient wird nun diesen Bedarf zur Herstellung seiner Gesundheit bei dem für ihn günstigsten Anbieter suchen. Wie der Verbraucher nun entscheidet, hängt von den Anbietern ab. Der Anbieter, der dem Kunden/Patienten am besten entgegenkommt, seine Bedürfnisse am besten erfüllt, wird favorisiert. Dieser Marktpartner macht den Umsatz."[23]

Nach Weinhold[24] gehören zum Marketing im Rahmen der Absatzdurchführung *Datenbeschaffung, Marktleistungsgestaltung, Preisgestaltung, Marktbearbeitung und Distribution.* Welche Apotheke hat es sich bisher schon leisten können, Marktdaten zu ignorieren? Natürlich denkt der Apotheker u. a. über seine Kundenstruktur, über sein Einzugsgebiet, sein Umsatzpotential, seine Konkurrenten nach und versucht, möglichst genaue Informationen darüber zu erhalten. Der Apotheker hat auch bis heute eine Marktleistung erstellt, denn sonst hätte er nicht existieren können. Sein Sortiment und seine Beratung sind es doch, die ihn im Markt halten. Und was die eingeschränkte Preispolitik betrifft, da ist mancher Apotheker, wenn es um seinen Bereich geht, mindestens ebenso versiert, wie die dafür Verantwortlichen in großen Wirtschaftsunternehmen. Bleibt die Marktbearbeitung, also Werbung und Verkauf. Zugegeben, die Apotheke kann werblich nicht so frei agieren wie andere Unternehmen, aber in dem ihr gesteckten Rahmen hat sie sich bisher geschickt bewegt. Ebenso ist es mit dem Verkauf, und was den Punkt Distribution betrifft, so kann sie sich mit den Distributionsformen des Handels gewiß messen. Warum also Marketing, wenn alles recht gut funktioniert? Einfach, damit es noch besser funktioniert.
Marketing ist die Summe aller umsatzpolitischen Maßnahmen, um einen Markt zu gewinnen, zu erhalten oder zu erweitern.[25] Diese Definition sagt

[23] Ampel, H. P. (1984), S. 10.
[24] Vgl. Weinhold, H. (1980), S. 15.
[25] Vgl. Schwalbe, H. (1977), S. 22.

schon, daß es weniger auf die einzelne Maßnahme ankommt als auf die Koordination, auf die Abstimmung und auf den gezielten Einsatz aller Marketingmaßnahmen. Marketing ist also auch eine Organisationsaufgabe. Wer aber Marketingmaßnahmen organisieren will, muß zuerst einmal diese Maßnahmen kennen, die zum Marketing gehören. Sie können von Branche zu Branche, von Unternehmen zu Unternehmen variieren oder von unterschiedlicher Bedeutung sein. Darum sollen hier nur gezielt solche Sachverhalte behandelt werden, die für das Apotheken-Marketing besonders wichtig sind. Im Vordergrund stehen Werbung und Verkauf, und auch aus diesen beiden Bereichen sind es nur ganz bestimmte Aspekte, die interessieren müssen. Das Folgende besonders aufmerksam zu lesen, empfiehlt sich bereits aus dieser Begrenzung.

1. Die Idee im Marketing

Nachdem nun Marketingmaßnahmen im Überblick dargestellt wurden, ist es angebracht, einige besonders wichtige Abschnitte des Marketingprozesses näher zu erläutern. Dabei steht die Bedeutung der Idee naturgemäß am Anfang, denn dort, wo es an Marketingideen mangelt, sind Marketingerfolge nur mit organisatorisch-administrativen Mitteln zu erreichen. Das schränkt die Erfolgschancen beträchtlich ein, und schon deshalb lohnt es sich, über die Ideensuche nachzudenken.
Wenn gerade von Ideensuche die Rede war, dann wird damit schon angedeutet, daß man nicht auf Marketingideen warten sollte. Gewiß, es gibt auch brillante, plötzliche Einfälle, die man auswerten kann. In der Regel sollten Ideen aber maßgerecht entwickelt werden, denn sie sollen ja im Rahmen der Marketingziele realisierbar sein.
Bei der *Ideensuche* ist man nicht auf sich allein gestellt. Man kann auf vielfältige Hilfen zurückgreifen. Was man alles bei der Suche nach Marketingideen unternehmen könnte, zeigt folgende Liste:

- Unterhaltungen mit Freunden und Bekannten
- Mitarbeitergespräche
- Gespräche mit Lieferanten
- Verkaufsgespräche
- Analyse von Reklamationen
- Anfragen bei und von Behörden
- Teilnahme an Verbandssitzungen
- Lesen von Verbandsnachrichten
- Studium und Auswertung der Konkurrenzwerbung
- Gespräche mit Vertretern

- Diskussionen im Familienkreis
- Beachten bestimmter Radio- und TV-Sendungen
- Vergleich der Eigenprodukte mit Konkurrenzprodukten
- Beachtung der Fach-, Wirtschafts- und Tagespresse
- Gespräche mit Werbeberatern
- Brainstorming im Betrieb
- Schaufensterbummel
- Besuch von Messen und Ausstellungen
- Beobachtung von Neuheitenverkäufen
- Studium von Fachbüchern
- usw. usw.

Es wird also genügend Anregungen geben, genügend Fakten, die sich weiterverarbeiten lassen. Allerdings sollte man sich bei entsprechenden Kontakten vorsichtig verhalten, denn oft ist eine Idee wertlos, wenn sie nicht geheimgehalten werden kann. Man muß sich also bei der Ideensuche entweder auf einen vertrauten Kreis beschränken oder nur nach Teilaspekten fragen, die den Gesamtkomplex nicht erkennen lassen.
Systematik ist bei der Ideensuche von *ausschlaggebender Bedeutung.* Man kann sogar eine bestimmte Reihenfolge einhalten, wenn es um die Suche oder um die Entwicklung von Marketingideen geht. Der folgende Vorschlag könnte als Anregung dienen:

1. Genaues Abstecken der Ziele und Wünsche.
2. Registrieren aller Probleme und Hindernisse, die sich den Zielen und Wünschen in den Weg stellen.
3. Gegenüberstellung von Zielen und Wünschen einerseits und Problemen und Hindernissen andererseits.
4. Abgrenzung des möglicherweise Erreichbaren.
5. Sammeln von Fakten und Informationen.
6. Suche nach Analogbeispielen, Vergleiche mit ähnlich gelagerten Fällen.
7. Auswertung aller Fakten, Informationen, Beispiele.
8. Klassifizieren nach Wichtigkeit und Brauchbarkeit.
9. Aussondern aller Anregungen, die nicht in die Zielvorstellungen passen.
10. Zusammenfassen des bisher Vorliegenden zu einem Konzept.
11. Versuch, daraus erste Ideen zu kreieren.
12. Diskussion dieser Ideen im vertrauenswürdigen Kreis.
13. Aussondern, korrigieren, zu neuen Versionen kommen.
14. Neue Ideenkonzeption.
15. Ablagern der letzten Ideenversion, wenn es die Zeit erlaubt.
16. Nach einiger Zeit erneute Prüfung.

17. Vergleich mit inzwischen gesammelten Informationen.
18. Eventuelle Korrekturen oder Modifikationen.
19. Erneute Besprechung der letzten Version im vertrauenswürdigen Kreis.
20. Entscheidungsphase und Realisationsbeginn.

Dieser Vorgang läßt sich natürlich erweitern, was immer dann notwendig wird, wenn alle Bemühungen nicht zu den gewünschten Ergebnissen geführt haben. Wenn dies auch verhältnismäßig viel Zeit in Anspruch nimmt, so sollte man sich aber klar darüber sein, daß es besser ist, Zeit in eine gute Idee zu stecken, als sie später zum Ankurbeln einer lahmen Kampagne zu verwenden.[26]

2. Der Kunde

Wenn wir als Überschrift dieses für den Apothekenbetrieb so wichtigen Abschnitts den Begriff „Kunde" gewählt haben, so soll es nicht heißen, wir wollten nur dem altbekannten Schlagwort „Der Kunde ist König" folgen. Es soll vielmehr bedeuten, daß nicht nur vom Gesetz her für den Apothekenbetrieb die gute Versorgung der Bevölkerung erstes Ziel sein muß.

Während in unserer marktwirtschaftlichen Ordnung in den meisten Fällen das erwerbswirtschaftliche Prinzip – einen möglichst hohen Gewinn auf das investierte Kapital zu erzielen[27] – im Vordergrund steht, gilt für die Apotheken ein manchmal unwirtschaftliches Versorgungsprinzip, das allerdings teilweise durch einen staatlich sanktionierten Schutz erleichtert wird. Diese Tendenz ist keineswegs ungewöhnlich und auf Apotheken beschränkt. So hat zum Beispiel auch die Post ein ähnliches Unternehmensziel:

„Die Post hat eine Annahme- und Betriebspflicht ohne Rücksicht auf etwaige Verluste. Sie ist verpflichtet, auch da Dienstleistungen zu bieten, wo es ein reiner Wirtschaftsbetrieb ablehnen würde."

Wo in der allgemeinen Absatzpolitik die Absatzplanung und vor allen Dingen die Auswahl der Vertriebswege eine große Rolle spielen, ist die Einflußmöglichkeit des Apothekenbetriebes sehr stark eingeengt. Bei ihnen hängt es entweder überwiegend von dem Standort ab oder wie relativ groß zum Beispiel der durchschnittliche Absatz in Prozenten an Kassenmitglieder, an Barzahler und an gewerbliche Verwender ist.

---

[26] Vgl. Schwalbe, H. (1993), S. 22ff.
[27] Vgl. Wöhe, G. (1986), S. 6.

In der ganzen Absatzpolitik ist der Sektor, den der Apotheker direkt am stärksten beeinflussen kann, die Kundenbehandlung, auf die wir deshalb zuerst eingehen wollen.

a) Kundenbehandlung

Auch in der Apotheke ist der Kunde nun einmal die wichtigste Person, selbst wenn die Zusammenarbeit mit Ärzten oder Krankenkassen eine gewisse Bedeutung hat. Sie sollten sich aber ebensowenig dazu verleiten lassen, den Kunden nur als König zu sehen oder ihn – und das ist für manche Apotheker gar nicht abwegig – sozial abzuwerten.
Wenn der Kunde unrecht hat, müssen Sie in dem Falle seine irrige Meinung freundlich und verständlich korrigieren. Man sollte mit ihm auf keinen Fall ein Streitgespräch führen, bei dem nur die Intelligenz gemessen wird. Sie sollten ihn so behandeln, daß es ihm leichtfällt, die Apotheke zu verlassen, und er auch gern wiederkommt.
Da die Apotheke als Fachgeschäft mit Fachberatung angesehen werden soll – und in den meisten Fällen auch wird –, ist die persönliche und freundliche Bedienung die erste „Apothekerpflicht". Dabei genügt es nicht, ein freundliches Gesicht zu zeigen, sondern die Apothekerin oder der Apotheker muß die Fähigkeit besitzen, auf den Kunden einzugehen und an seinem Schicksal Anteil zu nehmen.
Freundlichkeit ist überhaupt die wichtigste Eigenschaft, die Kunden an eine Apotheke bindet. Trotz der heute durch die Apothekenvermehrung sehr guten Erreichbarkeit – 58 % der Bevölkerung benötigen weniger als 10 Min. – gehen 60 % der Bevölkerung zu einer Stammapotheke, weil man freundlich bedient wird.
Je schlechter der Gesundheitszustand eines Kunden, je größer ist übrigens seine Neigung, eine Stammapotheke aufzusuchen. Weitere Ergebnisse einer von Infra-Test-Gesundheitsforschung München 1983 veröffentlichten Befragung besagen, daß 24 % eine Stammapotheke aufsuchen, weil sie dort gut informiert werden, 17 %, weil sie das Apothekenpersonal sehr gut kennen, 14 %, weil der Apotheker die persönliche Krankheit und die regelmäßig benötigten Medikamente kennt, und nur 11 %, weil die Apotheke eine besonders gute Auswahl an Medikamenten besitzt.
Man sollte nicht nur den Namen des Dauerkunden kennen, sondern sich die Familiengeschichten, die Krankheiten und alle die für den Kunden wichtigen Ereignisse anhören und einprägen, auch wenn die Zeit drängt. Der Kunde ist bei seinem nächsten Besuch erfreut, wenn Sie seinen Namen wissen und ihn auf seine speziellen Probleme ansprechen, er fühlt sich einfach individuell behandelt.

Der Kunde darf nun einmal nicht als Belästigung angesehen werden – selbst im Sonntags- und Nachtdienst nicht. Er ist für uns ein unentbehrlicher Teil der Apotheke, der seine Wünsche äußert. Unsere Aufgabe ist es, diese Wünsche so gut wie möglich sowohl für ihn als auch für uns zu erfüllen.
Die große Informationsflut, die besonders in letzter Zeit auf die Bevölkerung über Medikamente eindrang, hat nach einer repräsentativen Umfrage der Hamburg-Mannheimer-Stiftung für Informationsmedizin ergeben, daß die Befragten ihre Kenntnisse aus folgenden Quellen beziehen: Arzt 44 %, Fernseher 29 %, Illustrierte 18 %, Gesundheitsmagazin 13 %, Tageszeitungen 12 %, Familie und Bekannte 11 % und Apotheker 10 %. Letzteres zeigt, wie weit im Bereich der Kundenberatung die Apotheker ihre Position noch ausbauen können und müssen.
Das Image des Apothekers in der Bevölkerung, die die qualifizierte wissenschaftliche Ausbildung, gute Kenntnisse der Medizin, Verantwortungsbewußtsein, Genauigkeit, gute Kenntnisse über Pflanzen-Naturwirkstoffe und Chemie in dieser Reihenfolge für sehr wichtig hält, bietet dafür gute Voraussetzungen.
Nun ist schon Menschenführung ein schwieriges Gebiet. Aber wieviel schwerer und komplizierter ist die Kundenbehandlung. Auf dieses umfangreiche Gebiet können wir hier nur ganz kurz eingehen. Einige wichtige Hinweise sind aber für jeden Apotheker unerläßlich.
Von der Menschenführung her kennen wir, besonders aus amerikanischen Forschungen, wie die Bedürfnisse des Menschen nach ihrer Dringlichkeit befriedigt werden sollten[28]. Es sind, wenn wir sie hierarchisch ordnen wollen, die Grundbedürfnisse (Nahrung, Kleidung, Wohnung), die Sicherheits- und Schutzbedürfnisse, die sozialen Bedürfnisse, die ich-bezogenen Bedürfnisse (Anerkennung) und schließlich die Bedürfnisse nach Selbsterfüllung.
Grundsätzlich läßt sich aber sagen, daß ein Kunde auf Dauer nicht mit Tricks überzeugt werden kann, sondern Voraussetzung für ein erfolgreiches Verkaufsgespräch sind vor allem drei Gesichtspunkte:

1. Die sachliche Korrektheit der Argumentation, was sowohl für die Objektivität der Aussage gilt als auch für die subjektive Einstellung des Verkäufers zu seinem Angebot.
2. Die Adressatenbezogenheit der Argumente, d. h., daß die Argumente, ohne sich sachlich zu verfälschen, auf die Bedürfnisse und Erwartungen des jeweiligen Kunden zugeschnitten sein müssen und dadurch ein maßgeschneidertes Gespräch entsteht.

[28] Vgl. dazu ausführlich Zander, E. (1990c).

3. Die persönliche Identifikation des Verkäufers, d. h. eine Einstellung zur Ware, die bis zu einem begeisterten Verkaufsgespräch führen kann.

Ein großes Problem, das nicht nur bei Fachgesprächen in der Apotheke auftaucht, hat eine besondere Bedeutung.[29]
Die beim Apotheker im Vordergrund stehende Fachsprache trifft auf die stark variierende Alltagssprache des Kunden. Mit den Begriffen wie Droge, Pille, Nebenwirkung oder Medizin begegnen sich zwei Welten. Gelingt es dem Apotheker nicht, seine Formulierung mit den Aufnahmevorstellungen des Kunden in Einklang zu bringen, ist der Kunde unbefriedigt. Er hört dann manchmal gar nicht oder nur noch selektiv zu, weil er keine Beziehung zwischen den Fachäußerungen des Apothekers und seinem Anliegen sieht, denn er hat sich anstelle brauchbarer Ratschläge einen pharmazeutischen Vortrag anhören müssen. Diese Problematik wird noch durch die sehr unterschiedlichen Kundentypen in den verschiedensten gesundheitlichen Verfassungen verstärkt.
Die Kunden selbst bewerten im allgemeinen Fragen der Kundenbehandlung so hoch, daß manche Käufer Geschäfte auch bei höheren Preisen aufsuchen, wenn sie nett und persönlich bedient werden. Um die Höflichkeit gegenüber den Kunden zu fördern, ist aus den USA eine Aktion bekannt, die sich vielleicht auch auf das Apothekenpersonal anwenden läßt. Dabei sollten die Mitarbeiter in einer gemeinsamen Sitzung Fragebogen mit folgendem Inhalt ausfüllen:

1. Beschreibung von vier Erlebnissen, bei denen die Angestellten selbst besonders höfliches oder besonders unhöfliches Verhalten mitgemacht haben, sei es in einem Restaurant, in einem Lebensmittelgeschäft, einer Drogerie oder wo auch immer.
2. Darstellung des Grades an Unhöflichkeit, den die Angestellten im eigenen Betrieb beobachtet haben, z. B. Unlust, Waren dem Kunden zu zeigen oder Kunden zu helfen, die sehr billige Ware verlangten, sowie das Ausüben stärkeren Drucks auf Kunden, die sich nicht zum Kauf entschließen konnten.
3. Selbstbeurteilung des Angestellten, insbesondere Feststellung, wie er sich in derartigen Situationen verhalten, ob er den nötigen Grad von Höflichkeit aufbringen würde.
4. Versuch einer Schätzung des Anteils, den die Höflichkeit für die Entwicklung der Apotheke, in der die Angestellten tätig sind, haben könnte.

[29] Vgl. Zander, E. (1990b), S. 12ff.

Bei der ersten Sitzung wurde weiterhin ein Mitglied der Gruppe als „comparison shopper" ausgewählt. Dieser Person war die Aufgabe zugewiesen, in andere Geschäfte zu gehen, in größere und kleinere. Dort sollte verglichen werden, wie sich die betreffenden Angestellten dem Problem der Höflichkeit gegenüber verhielten. Über die bei diesen Besichtigungen gewonnenen Eindrücke hatte das gewählte Mitglied der Gruppe bei der nächsten Sitzung zu berichten.
Bei der zweiten Sitzung wurden die Personen der Gruppe aufgefordert, ein weiteres Mal über die Höflichkeit der Angestellten im eigenen Betrieb zu berichten (ohne Namensnennung). In offener Diskussion wurden dann alle gewonnenen Eindrücke von den Gruppenmitgliedern besprochen. Das setzt natürlich mehrere Mitarbeiter voraus.
Auf ein besonderes Problem, das häufig in der Kundenbehandlung auftritt, möchten wir noch eingehen. Wir lassen uns trotz aller Nüchternheit, die heute immer mehr im Geschäftsleben einzieht, allzu oft von Sympathie und Antipathie leiten. Dabei ist verständlich, daß wir einen sympathischen Menschen lieber bedienen. Doch verlangt gerade der Apothekerberuf, daß wir mit unsympathisch erscheinenden, krank aussehenden oder gar verunstalteten Menschen besonders korrekt und höflich umgehen, sie freundlich bedienen.
Wir können dies am leichtesten, wenn wir uns in die Lage des Kunden versetzen, der zum Beispiel unter einem Gesichtsausschlag leidet. Hierbei wird es uns leichter, wenn wir uns vorstellen, wie wir an seiner Stelle empfinden oder fühlen würden.
Apothekerinnen behandeln den Kunden oft etwas individueller als Apotheker, da sie die einzelnen Merkmale des Kunden anders analysieren und stärker vom Gefühl in ihrem Werturteil getragen werden.
Bei der Kundenbehandlung ist es anfangs notwendig, besonders jungen Kräften Abwicklung und Bedeutung des Verkaufsgesprächs eingehend vor Augen zu führen. Es beginnt mit der Herstellung des Kontaktes, der das Interesse des Kunden verstärken soll. Sie müssen den Eintretenden also sofort beachten oder – falls mehrere Kunden im Laden sind – bei ihm den Eindruck erwecken, Sie seien bemüht, ihn so schnell wie möglich zu bedienen.
Wird der Kunde dann bedient, müssen Sie durch Geste und Mimik auf den Kunden eingehen, indem Sie sich alle Wünsche geduldig anhören. Dadurch werden gerade in Apotheken zu beobachtende Hemmungen gemindert oder beseitigt.
Das Zuhören ist außerordentlich wichtig, denn die Äußerung des Kunden hat immer Vorrang. Allerdings müssen Sie dann – schon aus Zeitgründen – und besonders, wenn der Kundenraum voll ist, das Gespräch wirklich gezielt führen, um es so bald beenden zu können. Sie müssen den Kunden

also so beraten, daß er ohne Zwang, unauffällig durch Sie geleitet, entscheiden kann.
Sollten Sie zum Beispiel ein Medikament nicht haben, müssen Sie ihm – unter Umständen nach telefonischer Rücksprache mit dem Arzt auf Ihre Kosten – eine Alternative anbieten oder eine Zustellung durch Boten im Laufe des Tages vorschlagen. Der Kunde gewinnt dann den Eindruck, Sie seien um ihn bemüht und tun alles in Ihren Kräften Stehende, damit er zufriedengestellt wird.
Sollte der Kunde auf Ihre Vorschläge nicht eingehen, dürfen Sie nicht aufdringlich auf Ihrem Standpunkt beharren, sondern sollten ihm sein Rezept zurückgeben, damit er seinen Kauf unter Umständen in einer anderen Apotheke tätigen kann. Da der letzte Eindruck besonders stark haften bleibt, müssen Sie dem Kunden immer – Randalierer ausgeschlossen – einen guten Abgang ermöglichen.
Stets sollten Sie auf die Vielzahl der Medikamente, die nicht alle vorrätig sein können, hinweisen. Sie müssen aber Ihre Bereitschaft zum Nachliefern, möglichst durch Boten ins Haus, zeigen.
Auch Reklamationen sollten Sie großzügig behandeln. Wenn die Apothekerin oder der Apotheker von einem Kunden nicht schon mehrmals enttäuscht worden ist, sollten sie dem Kunden glauben und ihn nicht vor den Kopf stoßen. Das gilt auch, wenn er sein Medikament in einer anderen Apotheke erworben hat. Großzügigkeit gehört einfach zur guten Kundenbehandlung und zahlt sich auf die Dauer sogar aus.
Bei kleineren Apotheken wäre noch zu beachten, bei Telefongesprächen den Kunden nicht einfach stehen zu lassen. Telefonieren Sie, so genügt z. B. der kleine Hinweis „Kann ich das Gespräch noch zu Ende führen?“, um eine freundliche Zustimmung des Kunden zu erreichen.
Manchmal ist es unumgänglich, ein Gespräch etwas bestimmter zu beenden. Auch dann müssen das Eingehen auf den Kunden sowie freundliches Verhalten – wie es ausführlich Carnegie[30] beschreibt – immer Leitmotiv beim Bedienen sein. Apotheker verkaufen nicht Ware, sondern sie beraten und bedienen Kunden. Dauerhafte, gute Kundenbeziehungen sind nicht durch Schwatzhaftigkeit, inhaltlose Phrasen oder Streitgespräche zu erreichen, sondern durch Beratung aufgrund von Warenkenntnissen. Dazu gehört auch die „Übersetzung“ gerade für den Laien oft schwer verständlicher Namen und Gebrauchsanweisungen.
Eine gute Hilfe für das Verständnis und für das Eingehen auf den Kunden ist Selbsterkenntnis. In einer Apotheke mit mehreren Angestellten ist es daher ein guter Test, wenn der Apothekeninhaber beobachten kann, an wen sich die Kunden spontan zuerst wenden.

---

[30] Vgl. Carnegie, D. (1965).

Hier noch zwei wichtige Hilfen, die zu besserem Verstehen führen: „Ein Apotheker, der erreichen möchte, daß seine Kunden mehr von dem, was er sagt, mitbekommen und behalten, wird artikuliert und langsam sprechen, denn das ist eine der großen Hilfen im Verstehungsprozeß. Jeder Apotheker kennt die Dosierung und Wirkungsweise der Medikamente genau. Die eigenen Präparatargumente sind jedem Apotheker bekannt, er spult sie tagtäglich ab. Automatisch verfällt er dadurch in schnelleres und monotones Sprechen. Bitte denken Sie daran: Der alte Film, den der Apotheker schon . . .zigmal abgespult hat, ist für den Kunden eine *Premiere.*
Ein zweites Hilfsmittel für den Apotheker ist: Geben Sie dem Kunden nicht zu viele Informationen auf einmal. Untersuchungen haben gezeigt, daß bei mehr als drei kompakten Informationen die weiteren nur sehr schlecht behalten werden. Erst wenn der Apotheker sicher ist, daß alles verstanden wurde, sollte er weitere Informationen geben.“[31]
Kundenkontakte sind aber noch unter einem anderen Aspekt zu sehen. „An der außerordentlichen Bedeutung der Beziehungen von Menschen zu anderen ihresgleichen ist nicht zu zweifeln. Die Sorgen eines Menschen um seine Gesundheit können durchaus seine sozialen Beziehungen einschließen, indem er fürchtet, den Anforderungen der Gruppe, zu der er gehört, nicht mehr zu genügen, überhaupt nicht mehr zur Kategorie der Gesunden, Lebenstüchtigen zu gehören, sondern in die Kategorie der Angeschlagenen, Lebensuntüchtigen abzugleiten.
Ein Apotheker muß deshalb darauf gefaßt sein, unter seinen Kunden Menschen zu begegnen, deren seelische Verfassung von der Belastung ihrer Beziehung zu anderen Menschen infolge von Gesundheitsproblemen beeinflußt ist. Daß es schwierig ist, mit ihnen umzugehen, hat weniger mit ihrem ‚Charakter‘ als vielmehr mit Änderungen in ihren sozialen Beziehungen zu tun. Für den Umgang mit diesen Kunden ist zu empfehlen: alles unterlassen, was ihre Unsicherheit hinsichtlich ihrer sozialen Stellung noch steigern könnte. Beratung notfalls noch um den sozialen Aspekt erweitern, indem der Apotheker zu verstehen gibt, Zugehörigkeit zu den ‚Gesunden‘ sei nicht gefährdet, lasse sich festigen oder wiederherstellen. Chronisch oder sterbenskranken Kunden darf man freilich so nicht begegnen. Sie würden Täuschungs- oder Beschwichtigungsversuche vermutlich schnell durchschauen und als verletzend empfinden.“[32]
Da das Halten und Gewinnen von Kunden eine immer größere Rolle spielt, sind auch schon entsprechende Schulungsprogamme für Mitarbei-

---

[31] Posé, U. D. (1983).
[32] Der Apothekenberater, Würzburg 1/84.

ter und Mitarbeiterinnen in Apotheken entwickelt worden. So sieht das Fahrenberger 7-Phasen-Schulungsprogramm folgende Stufen vor:

1. Die Unternehmensphilosophie in Ihrer Apotheke – Basis für den geschäftlichen Erfolg
2. Kommunikationsanalyse in Ihrer Apotheke
3. Zusammenarbeit in Ihrer Apotheke – Mit richtiger Kommunikation zur Kooperation
4. Sicherheit beim Beraten und Verkaufen in der Offizin (für Apothekenleiter zusätzlich Mitarbeiterführung in der Apotheke)
5. Verkaufsgespräche in Ihrer Apotheke, Verbal- und Körpersprache (Verkaufen lernen und lehren zusätzlich für Apothekenleiter)
6. Zeitmanagement in Ihrer Apotheke – Analyse und Optimierung der Arbeitszeit
7. Wie gewinne ich Stammkunden? – Kunden gewinnen und binden.

b) Verkaufsvorgang

Es ist völlig unsinnig, den Verkauf als eine mindere Tätigkeit zu bewerten. Jeder Mensch kauft und verkauft, denn man handelt nicht nur mit Waren, sondern auch mit Dienstleistungen, mit Arbeitskraft, mit Ideen und Meinungen. Verkaufen, das heißt auch immer, andere überzeugen, und wie sollte man andere überzeugen können, wenn man von seiner eigenen Tätigkeit nicht überzeugt ist.

Eine Apotheke ist keine karitative Einrichtung. Sie ist ein Unternehmen, das Kosten verursacht, das Risiken mit sich bringt, Arbeit verursacht und schon deshalb zum Entgelt berechtigt. Das ist aber nur möglich, wenn in der Apotheke effizient verkauft wird. Was bisher zum Thema Kunden gesagt wurde, war noch weit von diesem Punkt entfernt, aber um es hier klar auszudrücken, muß deutlich gemacht werden, daß wir alle Kenntnisse über unsere Kunden, alle Hinweise über die Kundenbehandlung nur brauchen, um unsere Kunden besser bedienen und auf diese Weise auch auf lange Sicht an zufriedene Kunden verkaufen zu können. Das bringt nicht nur Gewinn, sondern dient auch der Unternehmenssicherung.

Die Stellung eines Apothekers mag eine andere sein als die eines Einzelhändlers. Das enthebt ihn aber nicht davon, sich mit einigen Grundregeln des Verkaufs zu befassen, denn der Verkaufsvorgang ist weitgehend mit Verkaufsvorgängen in anderen Branchen identisch.

Auch in der Apotheke gliedert sich der Verkaufsvorgang in verschiedene Phasen, die dann in ähnlicher Form auch bei anderen Verkaufsbemühungen anzutreffen sind, nämlich Kontaktnahme und Begrüßung, Problem und Wunschanalyse, Argumentation und Demonstration, Abschluß. Jede dieser einzelnen Phasen kann über den Verkauf entscheiden, und was noch viel wesentlicher ist, jede dieser Phasen kann darüber entscheiden, ob die Kunden wiederkommen oder nicht, ob sie die Apotheke weiterempfehlen oder ob sie mit negativer Meinung nicht zurückhalten.

Die Verkaufshandlung muß vorbereitet werden. Dazu gehören:

1. Die Erarbeitung, Aneignung und Kenntnis des eigenen Unternehmens,
2. Kenntnisse aller Produkte,
3. Einsatz und Anwendungsmöglichkeiten aller Produkte,
4. Beherrschung perfekter Produktpräsentation,
5. Kenntnis der eigenen Gebiete und der Wettbewerber.[33]

In diesem Zusammenhang muß sich der Apotheker auch mit Antworttechniken befassen, mit Kaufwiderständen und mit deren Zerstreuung, mit Abschlußtechniken und *immer wieder mit den Kunden selbst*. Hier ist nicht der Ort, einen Verkaufskurs abzuwickeln. Darum ist die Empfehlung, an Verkaufskursen teilzunehmen, um so ernster gemeint.

Ideal wäre der Verkauf, wenn etwa folgende Bedingungen zuträfen:

- Kunde hat Bedarf
- Kunde nimmt Hilfe an
- Kunde weiß, was er will
- Kunde ist sachlich
- Kunde ist vorinformiert
- Kunde braucht nicht aufs Geld zu schauen

In der Praxis sieht es dann allerdings vielfach ganz anders aus:

- Zu viele Kunden kommen auf einmal
- Kunden wissen nicht genau, was sie wollen
- Kunden haben keine Zeit
- Kunden haben schlechte Laune
- Kunden mäkeln an Ware oder Preis[34]

Dem kann nur die Persönlichkeit des Apothekers entgegenwirken, und mancher Apotheker hat sich schon aus diesem Grund entschlossen, an einem Persönlichkeitstraining, wie etwa dem 99-Tage-Training, einem Fernkurs, teilzunehmen.
Es geht aber nicht nur darum, die Verkaufshandlung wirksam abzuwickeln, es geht auch darum, das Verkaufsgespräch rationell zu führen. Aber

---

[33] Vgl. Berger, W. (1981).
[34] Vgl. Trommsdorff, V. (1981).

auch das hängt wieder davon ab, wie gut man auf seine Arbeit vorbereitet ist, ob man seine Kunden kennt, ob man in der Lage ist, das Verkaufsgespräch mit Schwerpunkten zu versehen, ob man bildhaft redet, geschickt fragt und das Gespräch steuern kann.[35]
Man sollte darauf achten, wieviel Zeit man den einzelnen Kunden widmet, und sollte sich fragen, warum der Zeiteinsatz so unterschiedlich ist, und auszugleichen versuchen. Falsch wäre es natürlich, wenn man die Zeit des Verkaufsgespräches dadurch verkürzen wollte, daß man die Kunden einfach abfertigt. In diesem Zusammenhang sollte man auch die Erkenntnis berücksichtigen, daß ein leerer Laden weniger Kunden anzieht als ein belebter, also gibt es keinen Grund, einen Kunden schnell abzufertigen, wenn sonst niemand im Verkaufsraum ist und keine anderen dringenden Arbeiten anstehen.
Kein Apotheker wird heute der Meinung sein, daß Rezeptkunden ausgerechnet zu ihm kommen müssen. Das ist selbst bei einem ausgesprochenen Lagevorteil nicht der Fall. Bei frei verkäuflichen Produkten ist die Konkurrenz noch größer, denn sie sind meistens auch in Drogerien, Reformhäusern, Drogenmärkten oder in Supermärkten erhältlich. Hier muß sich der Apotheker weitgehend auf sein Image stützen können, das aber nicht allein aus seinem akademischen Titel resultieren kann, sondern vor allem aus seiner Beraterrolle und aus dem Vertrauen, das man ihm entgegenbringt.
Kaufen und Verkaufen in der Apotheke ist also auch weitgehend Vertrauenssache, und darum sollte man auch daran denken, daß man bei jedem Verkaufsvorgang das Vertrauensverhältnis stärken kann.

c) Verkaufsförderung

Fragen wir uns erst einmal, was Verkaufsförderung ist. Wir können darunter alle Aktivitäten verstehen, die dazu beitragen, den Verkauf und die Werbung so miteinander zu verbinden und aufeinander abzustimmen, daß durch die sich daraus ergebende additive Wirkung ein besserer Absatzerfolg resultiert. Betrachten wir einmal die verkaufsfördernden Maßnahmen, die den Einzelhandelsbetrieben allgemein zur Verfügung stehen und derer sie sich bedienen können, so finden wir neben der bereits erwähnten Schaufensterdekoration die Demonstration, die Degustation, aber vor allen Dingen auch die Werbung am Ort des Verkaufs. Der Einzelhandel arbeitet mit Gutscheinen, Wettbewerben, Verlosungen und Mustern, mit Zugaben, Prämien und Punktsystemen oder auch mit simplen „Mitteln“ wie

[35] Vgl. Ruhleder, R. H. (1983).

Ballon-Tage, Sonderschauen, Warenpräsentationen, Ausverkauf und individuellen Aktionen. Die meisten der bis hierhin aufgezählten Mittel müssen dem Apotheker von vornherein als suspekt erscheinen. Wieweit es sinnvoll ist, wenn Apotheker beim Verkauf nichtrezeptpflichtiger Waren trotzdem ihren Wettbewerbsnachteil auszugleichen versuchen, kann hier nicht beurteilt werden. Das Standesinteresse wird die meisten Verkaufsförderungsarten ausschließen.
Ein besonderes Mittel der Verkaufsförderung ist aber nach wie vor in der Personalschulung zu sehen, die sich nicht nur auf das rein fachliche Können, auf das Wissen und das Sortiment und die organisatorische Abwicklung der Verkaufshandlung erstrecken darf, sondern die verkaufsaktive Personalschulung einschließen muß. Dabei sollte es eigentlich wenig Probleme geben, denn der qualifizierte Apotheker wird aufgrund seiner eigenen Erfahrungen in der Lage sein, eine zweckentsprechende Schulung abzuhalten, oder seine Mitarbeiter zu geeigneten Seminaren schicken.
Im Rahmen der Verkaufsförderung wird die Problematik von Rabatten, Proben und Mustern in Apothekerkreisen sehr stark diskutiert und unterschiedlich gehandhabt.
Sehr umstritten sind auch die Ärztemuster. Allerdings sollten die Apotheker die Ärztemuster nicht nur negativ sehen. Die Deutsche Apothekerzeitung weist auf eine Emnid-Untersuchung über Verhaltensweisen und Einstellung der Bevölkerung zu Arzt, Arzneimittel und Krankenversicherungen hin. Danach hat etwa ein Viertel der Gesamtbevölkerung in den letzten beiden Jahren Ärztemuster erhalten. 95 % der Empfänger haben diese Mittel auch genommen, und 60 % haben Nachkäufe getätigt, und zwar überwiegend in der Form, daß der Arzt um Nachverordnung gebeten wurde. Inzwischen ist das Problem etwas entschärft, da Ärztemuster nur noch auf Anforderung zugesandt werden.
Im Rahmen dieser Arbeit kann das sehr problematische Gebiet der Ärztemuster nicht weiter behandelt werden. Den Apothekern ist nur zu empfehlen, durch Kontakt mit den nächsten Ärzten Auswüchse zu verhindern. Allerdings bemüht sich auch die Industrie bereits um eine Reduzierung.
Im Zusammenhang mit den Ärztemustern sei noch kurz auf die in Apotheken ausgegebenen Proben eingegangen. Während es sich bei Ärztemustern um Originalpackungen mit zusätzlichem Aufdruck handelt, haben die Proben allein schon durch ihre quantitative Beschränkung den Charakter echter Kaufanreize. Zahlreiche Apotheker sind der Meinung, Proben ziehen Nachkäufe nach sich, was jedoch auch problematisch ist.
Während manche Apotheker Proben als Kaufanreiz ablehnen, sind andere der Meinung, die Probe als Werbemittel würde noch viel zuwenig genutzt. Sie muß jedoch gezielt und fachkundig, möglichst mit entsprechenden Bemerkungen über ihre Anwendung und ihre Grenzen, dem Kunden

übergeben werden. So sollte einem Patienten, der ständig Natron gegen Sodbrennen einnimmt, eine Probe eines besseren Mittels mitgegeben werden. Hier kann der Apotheker mit einer Probe leichter und wirkungsvoller einen Kunden beraten und überzeugen.
Kauft z. B. ein Kunde mit starkem Husten billige Hustenbonbons, kann der Apotheker in einem solchen Falle eine Probe eines tatsächlich gut hustenreizlindernden Präparates mitgeben, ohne deshalb aufdringlich zu wirken. Im Gegenteil, der Kunde wird sich über die kleine Probe freuen und in sehr vielen Fällen das bessere Präparat nachkaufen.

3. Werbung

a) Werbemittel und Werbegrundsätze

Auf das Wort „Werbung" reagieren viele Apotheker allergisch. Dabei gibt die pharmazeutische Branche im Vergleich zum Umsatz mehr Mittel für die Werbung aus als viele andere Zweige in unserer Wirtschaft.
Die unsichere Einstellung zur Werbung liegt wahrscheinlich am Unverständnis, was Werbung überhaupt ist.
Überlegen wir einmal genau, was Werbung ist, so erkennen wir, daß Werbung nie Selbstzweck ist, sondern mannigfachen Zwecken dient. Nur wenn wir den jeweiligen Zweck und dessen Zusammenhang mit der Werbung genau betrachten, können wir auch ihr Wesen und ihre Wirkungsweisen ermitteln und erkennen.
Demgegenüber wird wohl bisweilen die Meinung vertreten, daß Werbung zwar ohne Wettbewerb denkbar ist, der Wettbewerb aber nie ohne Werbung durchgeführt werden kann. Wie dem auch sei, eines steht fest: „Hauptzweck der Werbung ist immer der Verkauf und nicht die Gelegenheit zu interessanten Entwürfen für Werber und Grafiker." Das meint jedenfalls H. F. J. Kropf[36], einer der Pioniere der Werbewissenschaft.

Wollen wir nun den Begriff „Werbung" kurz definieren, können wir sagen:

> „Werbung ist zweckbezogene Beeinflussung mit zwanglosen Mitteln."

In dieser kurzen Definition erkennen wir, daß Werbung einen klaren Zweck verfolgen muß, also auf ganz bestimmte Ziele ausgerichtet sein

[36] Kropff, H. F. J. (1961).

sollte; daß sie nicht nur informieren, sondern durch die Information beeinflussen muß, und daß diese Beeinflussung nur mit zwanglosen Mitteln betrieben werden darf. Mittel, die in der Werbung verwendet werden, sind Werbemittel. Es sind bewußte, zielgerichtete Äußerungen persönlicher oder sachlicher Art, von denen eine Werbewirkung ausgeht.

In der betriebswirtschaftlichen Literatur unterscheiden wir folgende Werbemittel:

- Anschläge (Werbeplakate, Beschriftungen usw.),
- Anzeigen (Einzelanzeigen, Serien usw.),
- Werbedrucke (Handzettel, Hauszeitschriften, Prospekte usw.),
- Werbebriefe,
- Leuchtmittelwerbung (in Schaufenstern und Verkaufsräumen, an Häuserfronten usw.),
- Projektionswerbemittel (Werbefilme, Himmelsschreiber usw.),
- Werbefunksendungen (einschl. Fernsehen),
- Werbeveranstaltungen (Messen, Ausstellungen, Betriebsbesichtigungen usw.),
- Ausstattung der Verkaufsräume,
- Firmenvordrucke (Briefbögen, Umschläge, Kassenzettel, Tüten, Quittungen usw.),
- Werbeverkaufshilfen (Warenturm, Verpackungen, Einschlagpapier),
- Kundendienst (für Apotheken besonders Zustellung der Waren durch Boten),
- sonstige Werbebilder (Preisausschreiben, für Apotheken zum Beispiel Kalender, für Kinder Bonbons, Bilder).

Aus dieser umfangreichen Aufzählung, die für die Apotheken sicherlich nur z. T. gilt, ist ersichtlich, wie stark im pharmazeutischen Bereich geworben wird, sei es durch Herstellerfirmen oder durch die Apotheke selbst. Das gilt auch, obwohl viele Apotheker die Apotheke selbst mit ihrer Einrichtung, mit ihrer Ausstattung und schließlich mit dem Verhalten ihrer Mitarbeiter nicht als Werbemittel ansehen. Außerdem sind dem Apotheker durch das Heilmittelwerbegesetz, seine Berufsordnung und durch evtl. Werberichtlinien seiner Kammer Grenzen für die Werbung gesetzt.
Aber merken wir uns: Werbung heißt ganz einfach, die menschliche Willensentscheidung und Meinungsbildung durch besondere, aktive oder suggestive Mittel oder Maßnahmen zu beeinflussen. Sie dient als Brücke vom Produzenten zum Konsumenten und zur Information des Käufers über die meistens unübersichtliche Vielzahl der Erzeugnisse, die gerade im pharmazeutischen Bereich eine große Rolle spielt.

In einer Zeit, in der die Werbung oft über das erträgliche Maß hinausgeht, ist es besonders wichtig, an die Grundsätze der Werbung zu erinnern: Wirksamkeit, Wahrheit, Wirtschaftlichkeit, Zielklarheit, Originalität und Aktualität. Eine Werbung muß klar in der Aussage, wahr im Inhalt und vor allen Dingen sachlich betrieben sein. Sie darf den Gesetzen der Wirtschaftlichkeit trotzdem nicht entgegenstehen.
Auf die Werbung der pharmazeutischen Industrie, die zuweilen übersteigert ist, brauchen wir nicht näher einzugehen. Sie bereitet aber, obwohl in der Bundesrepublik ein verhältnismäßig modernes Gesetz über Werbung auf dem Gebiet des Heilwesens besteht[37], Apothekern, Ärzten, Krankenkassen und auch Kunden oft Sorge. So klagen zum Beispiel Krankenkassen und Ärzte darüber, daß der Versicherte Wunschverschreibungen erwartet unter Angabe von Arzneimitteln, die ihm in irgendeiner Weise durch Werbung nahegebracht wurden.
Ein verstärktes Verbot der Heilmittelwerbung in der Öffentlichkeit dürfte gesetzlich nicht durchführbar sein, da die Bundesrepublik auf die Situation in anderen Ländern Rücksicht nehmen muß. Allenfalls ist eine freiwillige Selbstkontrolle durch die Heilmittelindustrie selbst zu erwarten.
Entsprechende Richtlinien, die sich auf Maßnahmen zur Kontrolle von Arzneimitteln wie gegenseitige Anerkennung der in einem Staat registrierten Arzneimittel beziehen, sind 1983 erlassen worden.
Während die pharmazeutische Industrie mit den Werbekosten an der Spitze aller Branchen steht, ist der von den Apotheken angegebene Werbungsaufwand sehr gering. Er beträgt nach umfangreichen Untersuchungen auch jetzt noch nicht einmal ein halbes Prozent aller Kosten. Dabei ist allerdings zu berücksichtigen, daß die meisten Apotheker den Begriff „Werbung" sehr eng nur als Reklamekosten des Absatzes auslegen.
Die allerdings wenig untersuchten Reklamekosten im Einzelhandel liegen um 1 % des Verkaufs. Interessanterweise sind in Betrieben mit sehr guten betriebswirtschaftlichen Ergebnissen die Reklamekosten wesentlich höher als bei Betrieben mit schlechten wirtschaftlichen Ergebnissen.
Natürlich muß ein Apotheker anders werben als der Inhaber eines Einzelhandelsgeschäftes in einer anderen Branche. Dazu seien einige Grundsätze der STADA-Werbung von der Apotheke aus erwähnt:

- Die Werbung muß sich von der üblichen Routinemethode abheben.
- Die Werbung bedarf einer gewissen, sich laufend erneuernden Originalität.
- Die Werbung muß sich einerseits auf das Wesentliche beschränken und andererseits kontaktfindig sein.
- Die Werbung muß permanent betrieben werden.

[37] Gesetz über die Werbung auf dem Gebiete des Heilwesens v. 18. Oktober 1978 (BGBl. I S. 1677).

Werbefachleute sehen darin keine Abweichung von der übrigen Werbung, sondern nur ein Beachten der besonderen Rechts- und Standesnormen.
Nun können wir zu einem der wichtigsten Gebiete der Werbung der Apotheke überleiten, nämlich dem Schaufenster.
Beim Betrachten eines großen Teils der Apotheken-Schaufenster entsteht der Eindruck, der Inhaber sehe das Schaufenster als lästige Einrichtung an. Dabei gibt es sehr erfreuliche positive Abweichungen, die nicht selten vom Inhaber selbst durchgeführt werden. Interessante und damit werbewirksame Schaufenster sind selten, da Fachkräfte fehlen und den Apothekern wenig Hilfe geboten wird.
Dabei beschränkt sich die Schaufenstergestaltung gerade für Apotheken nicht auf direkte Produktwerbung, sondern berücksichtigt die besonderen Eigenarten. So stellte z. B. eine Fachbeilage[38] eine Weihnachtsdekoration vor und bemerkte dazu:

> „Ohne Werbung – kein Fortschritt; wer kennt nicht diesen wichtigen Grundsatz jeder Geschäftspolitik. Für den Apotheker muß jedoch das Schaufenster die erste und wichtigste Stelle in der Werbung einnehmen.“

Das Ergebnis einer Befragung, wer sich mit der Schaufensterdekoration befaßt, zeigt bei 215 Einzelhandelsbetrieben[39]:

Selbst (Inhaber)	111
Verkaufspersonal	18
Angestellte Dekorateure	3
Freiberufliche Dekorateure	28
Selbst und Verkaufspersonal	32
Selbst und freiberufliche Dekorateure	9
Verkaufspersonal und freiberufliche Dekorateure	4
Andere Kombinationen	10
	215

Auf die Frage nach anderen Werbedaten bekannten sich 210 Betriebe zu folgenden Werbemitteln und Werbehilfen, wobei Mehrfachnennungen üblich waren:

Leuchtreklame	151
Werbegeschenke	116
Anzeigen	99
Handzettel	69

[38] o. V. (1969).
[39] Schwalbe, H. (1968).

Dauerplakate	67
Prospekte	64
Fassadenschmuck	49
Preislisten	33
Briefwerbung	32
Kinowerbung	29
Bogenanschlag	20
Kundenzeitungen	19
Kataloge	12
Sonderveranstaltungen	11

Erstaunlich ist in diesem Zusammenhang, daß von 224 Betrieben 198 angaben, daß sie das Verkaufsgespräch für ein Werbemittel halten, was der Apotheker selten so sieht.
Um den Apothekern vor Augen zu führen, in welchem Umfang allgemein Werbemöglichkeiten bestehen, sei eine Gliederung der Werbekünder für Einzelhandelsbetriebe auszugsweise wiedergegeben[40]:

1. Schauwerbung
   a) Schaufenster
   b) Vitrinen
   c) Werbung im Ladenlokal
   d) Messen und Ausstellungen
   e) Modenschauen und Veranstaltungen
2. Verpackungswerbung
3. Werbung mit Zugabeartikeln
4. Kundendienst
5. Kundenkartei
6. Sensationswerbung
7. Public Relations
8. Werbung durch Verkaufen
   a) Verkaufsgespräch
   b) Vertreter
9. Werbebrief
10. Anzeige
11. Werbedrucke
    a) Druckverfahren
    b) Handzettel und Flugblatt
    c) Preisliste
    d) Prospekt
    e) Katalog

[40] Schwalbe, H. (1968).

f) Gebrauchsanweisung
g) Hauszeitschrift
12. Werbeanschlag und Werbung mit Verkehrsmitteln
a) Plakate
b) Daueranschlag
c) Verkehrsmittelwerbung
13. Werbung durch Licht und Ton
a) Leuchtwerbung
b) Werbung in Lichtspieltheatern
c) Werbefunk und Werbefernsehen
14. Werbemittel der Hersteller und Lieferanten

Immer mehr beschäftigen sich – auch auf internationaler Ebene – die Apotheker mit der Werbung oder, „feiner" ausgedrückt, mit der Beeinflussung des Image der Apotheke in Offizin und Schaufenster. Zu den in vielen Apotheken üblichen Werbemitteln gehören vor allen Dingen Kundenzeitschriften und Kalender. Die Kundenzeitschriften sind – selbst bei Eindruck der Apotheke – oft sehr preiswert. Jedoch sollte jeder Apothekeninhaber besonders bei Neueinführung das Angebot sorgfältig durch Kunden prüfen lassen und einige meist kostenlos erhältliche Kundenzeitungen 2–3 Monate in der Apotheke auslegen. Daraus läßt sich ersehen, welche Zeitschrift die Kunden bevorzugen.
Bei den Kalendern wird vor allen Dingen nach Wand- und Taschenkalendern unterschieden. Ältere Leute bevorzugen meistens Wandkalender, jüngere Kunden Taschenkalender, die – in verschiedenen Farben ganz auf die Apotheke zugeschnitten aufgemacht – preiswert und werbewirksam vertrieben werden. Hierzu gehören auch die Kalender, in die die Nachtdienstzeiten der Apotheken eingedruckt werden.

b) Werbeplanung

Eine zunehmende Anzahl von Apotheken unterscheidet sich heute schon dadurch von anderen Apotheken, daß sie überhaupt planen. Für die Werbung bedeutet dies, daß man Schwerpunkte setzt, die für diese Apotheke, an diesem Standort, in dieser Region besonders erfolgversprechend sind und dem Endverbraucher letztendlich auch als hilfreiche Unterstützung dienen.
In diesem Zusammenhang ist es für den Apotheker wichtig, rechtzeitig insbesondere seitens des Großhandels und der Industrie Informationen darüber einzuholen, was diese Partner des Apothekers zu bestimmten Zeiträumen an Werbe- und Verkaufsförderungsaktivitäten planen. Das

Apothekenteam ist dann selbst oder in Zusammenarbeit mit diesen Partnern oder auch Dekorateuren in der Lage, gezielte Aktivitäten zu entwikkeln.
Man beginnt mit den Planungsüberlegungen, indem man sich die folgenden vier Grundfragen stellt:

1. *Was* ist es, wofür geworben wird?
2. *Wen* soll man umwerben?
3. *Wo* soll geworben werden?
4. Wann soll geworben werden?

Die Frage *was* bezieht sich auf das *Produkt,* die Frage *wen* bezieht sich auf die *Umworbenen,* mit der Frage *wo* ist die *Region* gemeint, in der geworben werden soll, und die Frage *wann* bezieht sich auf die *Zeit,* in der die Werbung gestreut werden kann.
Nun wird man alles zusammentragen und notieren, was zu den einzelnen Fragen wichtig erscheint, und zwar nach den vier Grundfragen geordnet. Die Notizen werden dann zu einem einfachen Exposé verarbeitet. Dieses eignet sich vorzüglich als Diskussionsgrundlage, wenn z. B. in einer Besprechung weitere Entscheidungen vorbereitet werden sollen. Aber selbst wenn man nur allein über die Werbung zu befinden hat, wird das Exposé zur brauchbaren *Entscheidungshilfe.* Denn nun ist zu entscheiden, wie geworben wird. Und dazu sollte man sich wieder einige Fragen stellen:

1. Welche Werbebotschaft soll verbreitet werden?
2. Wie soll die Werbebotschaft gestaltet werden?
3. Wodurch soll die Werbebotschaft gestreut werden?
4. Welche Kosten werden anfallen?
5. Wie kann die Werbewirkung kontrolliert werden?

Man muß sich also über *Inhalt* und *Aussage* der Werbebotschaft Gedanken machen, muß ferner darüber nachdenken, welche *Gestaltungsform* geeignet ist, um die Werbebotschaft wirksam zu präsentieren, und mit welchen *Werbemitteln* sich die Gestaltung am besten verwirklichen läßt. Davon hängt dann auch zum Teil die Entscheidung ab, wie die Werbung *gestreut* werden soll. Da Gestaltung und Streuung Kosten verursachen und auch andere Kosten anfallen, sollte man herausfinden, wie hoch das *Budget* belastet werden wird, und man sollte unbedingt darüber nachdenken, welche *Kontrollmöglichkeiten* bestehen, um die Werbewirkung beurteilen zu können.
Dieses Vorgehen führt dann zu Einzelfragen, die später bei der Detailplanung beantwortet werden müssen. Bevor man aber mit der Detailplanung beginnt, sollte das Grundsätzliche geklärt sein. Auch aus diesem Grunde nutzen viele größere Betriebe und Werbeagenturen die Möglichkeit, eine

Werbeplattform nach dem hier beschriebenen Prinzip zu erstellen, selbst wenn dort die Planungsvoraussetzungen komplizierter sind und vor der endgültigen Planung sogar die Ergebnisse aus Testmärkten berücksichtigt werden. Welche Detailplanungsbereiche berücksichtigt werden können, zeigt das folgende Schema:

Abb. 21: Werbeplanung

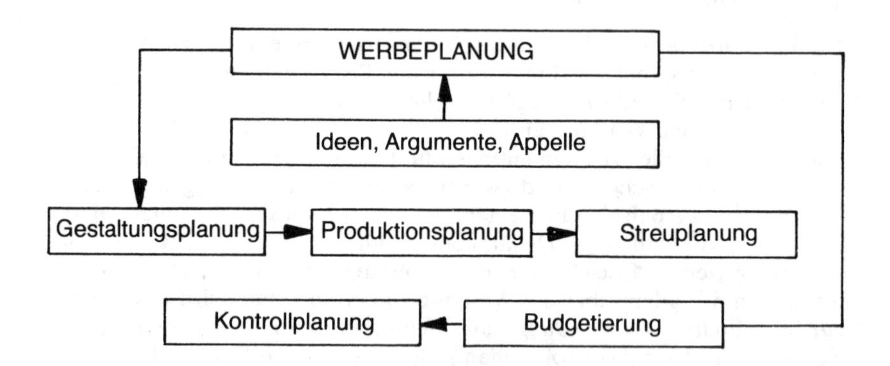

Natürlich wären auch Kontrollplanung und Budgetierung noch mit Gestaltungsplanung, Produktionsplanung und Streuplanung zu verbinden, denn dabei geht es ja um Kosten und Wirkungen. Trotzdem ist es zu empfehlen, die Werbeplanung einmal von der *kreativen* und zum anderen von der *administrativen* Seite her zu betrachten. Daß auch die administrative Ebene von entscheidender Bedeutung sein kann, zeigt bereits der nächste Abschnitt.[41]

Daß Werbeplanung vorwiegend eine Sache des Nachdenkens ist, des Informierens und Abwägens, haben die bisherigen Ausführungen gezeigt. Aber wenn die Ergebnisse dieser ersten Planungsphase verdeutlicht werden sollen, muß man ins Detail gehen. Man muß Plandaten festlegen. Besonders wichtig sind folgende:

- Termindaten
- Sachdaten
- Kostendaten.

---

[41] Vgl. Schwalbe, H. (1993), S. 88 ff.

Die Termindaten betreffen die Zeitabschnitte der Werbemittelproduktion und der Werbemittelstreuung, die Sachdaten betreffen vorwiegend die Werbemittel selbst, und die Kostendaten setzen sich aus Materialkosten, Gestaltungskosten, Streukosten usw. zusammen. Diese Daten kann man nun in Gesamt- oder Einzelpläne umsetzen. Man kann ganz verschiedene Pläne zusammenstellen und sich auch nach vorgegebenen Mustern richten. Besser ist es, Pläne zu gestalten, die *ganz auf das eigene Unternehmen abgestimmt* sind und nur solche Positionen berücksichtigen, die tatsächlich notwendig sind. Das erfordert heute keinen großen Aufwand, denn einfaches Kopieren einmal entworfener Formulare genügt, um für lange Zeit mit Organisationsmitteln versorgt zu sein.

4. Image und Verkaufserfolg

Das Image wird in der Öffentlichkeitsarbeit oft zum zentralen Begriff, zum zentralen Thema. Wenn man es nicht nur als Modewort betrachten will, so muß man seiner Herkunft nachgehen und seine heutigen Funktionen zu erkennen versuchen.

Vom Wort her ist Image eine Ableitung des Wortes Imago, das aus dem Lateinischen kommt und soviel wie Bild bedeutet. Schon sehr früh erhielt Imago aber schon einen anderen Sinn, denn man bezeichnete damit im alten Rom Totenmasken aus Wachs, die mit biographischen Texten versehen waren, und zwar vornehmlich dann, wenn es um Ahnen- oder Verehrungsbilder ging.

Im Französischen spricht man von image, und es ist interessant zu wissen, daß es in Frankreich – schon zur Zeit des Jugendstils – eine Zeitschrift mit dem Titel „L'image" gegeben hat. Ebenfalls dürfte es von Interesse sein, daß sich eine Lyrikergruppe Imagisten nannte. Auch das zeigt, daß der übermäßige Gebrauch des Wortes Image Tradition hat und nicht unbedingt als moderne Zeiterscheinung angesehen werden muß.

Untersuchen wir aber, was im Zusammenhang mit Public Relations hinter dem Wort Image zu suchen ist, so müssen wir uns auch nach seiner tiefenpsychologischen Bedeutung fragen. Zuerst ist damit nämlich das unbewußte Leitbild gemeint. Und wenn wir vom unbewußten Leitbild zur heutigen werblichen Bedeutung gelangen wollen, so müssen wir an bestimmte Vorstellungen denken, die vorwiegend durch Gedankenverbindungen, Wunschbilder und Stimmungen ausgelöst werden. Danach gilt für den Public-Relations-Bereich, daß man vom Image spricht, wenn man sowohl subjektiv als auch objektiv einzuschätzende, wahrnehmbare Realitäten meint, die einer wechselnden Beurteilung unterliegen können.[42]

---

[42] Vgl. Schwalbe, H. (1977), S. 7.

Man soll nicht davon ausgehen, daß es nur eine Imageart gibt. In der PR-Praxis sind heute mindestens drei große Image-Gruppen bekannt: *Brand-Image, Corporate-Image, Personal-Image.* Zuerst also das Markenimage, dann das Image von Firmen, Verbänden und Institutionen und schließlich das persönliche Image. Für die Beziehungen der Mittel- und Kleinbetriebe können alle drei Arten von Bedeutung sein.
Gegenwärtig kursiert im Zusammenhang mit dem Image ein verhältnismäßig neuer Betriff: Corporate-Identity. Damit ist das *Firmenerscheinungsbild* gemeint. Die Bemühungen, das Firmenerscheinungsbild zu verbessern, hängen nun sehr eng mit der Imagepflege zusammen, und die steht wieder in engem Zusammenhang mit allen Public-Relations-Bemühungen. Auch Apotheken müssen sich darum kümmern, denn: *Public Relations hat jeder, ob er will oder nicht.*
Will man sich nun ein Bild von den Mitteln machen, die einzusetzen sind, wenn es um absatzwirksame Imagewerbung geht, dann kann die folgende Checkliste, die auf die PR-Arbeit der Mittel- und Kleinbetriebe zugeschnitten ist, zu interessanten Anregungen führen:

Checkliste PR-Mittel und -Maßnahmen[43]

1. Klare Geschäftspolitik
2. Persönliche Kontakte
3. Geschäftsberichte
4. Spezielle Korrespondenz
5. Aktivitäten in der Gemeinde
6. Spenden und Hilfsleistungen
7. Zusammenarbeit mit Schulen
8. Zusammenarbeit mit Vereinen
9. Aufklärungsaktionen
10. Diskussionen
11. Behörden- und Regierungskontakte
12. Bildungsveranstaltungen
13. Freizeitveranstaltungen
14. Betriebsbesichtigungen
15. Personalkontakte
16. Pressekontakte
17. Pressekonferenzen
18. Pressedienste
19. Pressemappen
20. Bilddienst
21. Gezielte Informationen
22. Bulletins
23. Herausgabe von Broschüren
24. Herausgabe von Büchern
25. Jubiläen
26. Ausstellungen
27. Vorstellung neuer Produkte
28. Eröffnungen
29. Anzeigen

Oft sind es persönliche Beziehungen, persönliche Aktivität, die ein Unternehmen zu dem machen, was es schließlich ist, im guten wie im bösen Sinne. Denn man sollte sich darüber klar sein, daß auch negatives Verhalten zur Imagebildung beiträgt, denn ein Image kann *gut* oder *schlecht* sein. Großunternehmen arbeiten oft anonym. Oft treten die Besitzer nirgendwo

[43] Vgl. Schwalbe, H. (1993), S. 214.

in Erscheinung. Bei Mittel- und Kleinunternehmen ist das meistens anders. Mindestens in der näheren Umgebung sind sie bekannt. Mehr noch, ihr Verhalten wird oft *kritisch beobachtet,* manchmal wohlwollend, manchmal skeptisch, manchmal in verdeckter oder offener Gegnerschaft. Das muß ganz klar gesagt werden, und genauso klar sollte man sich darüber sein, daß der Unternehmer und sein Verhalten weitgehend zur Beurteilung durch die Öffentlichkeit beitragen.
Apotheker müssen gute Kontakte zu möglichst vielen Personen suchen und pflegen. Der Lehrling im eigenen Hause kann in wenigen Jahren der Chef der stärksten Konkurrenz oder einflußreicher Abgeordneter sein. Der Bankdirektor kann seinen persönlichen Einfluß bei der Kreditgewährung geltend machen, und wie in alten Zeiten, so ist auch heute noch das Verhältnis zum Gemeindepfarrer wichtig, wenn auch oft aus einem ganz anderen Grunde, denn es ist für die Kirchen nicht mehr so selbstverständlich, eher unternehmerfreundlich zu sein. So könnte man noch viele Beispiele aufzählen, und alle würden darauf hinweisen, daß der Unternehmer selbst die besten Kontakte knüpfen und pflegen kann, vor allem auch durch seine Unternehmenspolitik und deren Durchsetzung, die weitgehend das Image seiner Unternehmung und damit auch sein eigenes Image bestimmt.
Jeder PR-Aktion sollte eine Basisanalyse vorangehen, um den Meinungsstand zu messen, um zu prüfen, von welchem Image man ausgehen muß. Demzufolge sollte auch der erste Schritt, der zur Aktion führt, eine Diskussion über die Untersuchungsergebnisse, Überlegungen und Tatbestände sein, aus denen sich die Aktionsbasis ergibt.
Nun erst können im Einklang mit der Unternehmenspolitik und mit Rücksicht auf die verfügbaren Mittel Ziele gesteckt werden, die realisierbar erscheinen. Dabei sollte gleichzeitig die Entscheidung fallen, ob Public Relations kontinuierlich gepflegt werden sollen oder ob es sich nur um eine einzelne Aktion handeln kann, die einen bestimmten Zeitraum abdecken oder einen bestimmten Tatbestand korrigieren soll.
Oft löst sich diese Frage von selbst. Meistens dann, wenn ein Unternehmen sich schon vorher kontinuierlich um Public Relations bemühte, auch wenn augenblickliche Aktionen nur als Verstärkung kontinuierlicher Aktivitäten zu verstehen sind.
Hat man die Ziele so weit abgesteckt, daß sie mit der Unternehmenspolitik konform gehen und die Zielsetzung den vorhandenen Mitteln und Möglichkeiten entspricht, dann kann man bereits eine grobe Bestimmung der Zielgruppen vornehmen. Erleichtert werden die dabei zu treffenden Entscheidungen durch die Hinweise der Basisanalyse, denn sie sollte ja schon zeigen, welche Gruppenmeinungen korrigiert werden sollen.

Es kommt jetzt natürlich auch darauf an, die Stellung der PR-Aktion zu anderen Maßnahmen zu bestimmen. Und dabei sollte man sich bereits über die Koordination mit anderen Maßnahmen Gedanken machen. Denn auch andere Maßnahmen beeinflussen, und eine abgestimmte Beeinflussung kann wirksamer sein. So müßte man z. B. über die Koordination mit der Absatzwerbung diskutieren. Ganz bestimmt aber auch über die Koordination mit Human-Relations-Maßnahmen, und dabei sollte auch eine Analyse des Betriebsklimas herangezogen werden. Nur so kann man herausfinden, wie stark bestimmte Maßnahmen aktiviert werden müßten, um die PR-Aktion wirksam unterstützen zu können.[44]
Obwohl es interessant wäre, muß hier darauf verzichtet werden, über das Thema Unternehmenspolitik zu philosophieren oder theoretische Grundlagen der Unternehmenspolitik zu besprechen, denn hier geht es nur um den Aspekt, der Unternehmenspolitik und Vertrauenswerbung *verbindet.*
Daß aber Unternehmenspolitik und Vertrauenswerbung eng zusammenhängen, das ist an einer These zu erkennen, die immer wieder auftaucht, wenn von Werbung um öffentliches Vertrauen ernsthaft gesprochen wird und die darauf hinweist, daß ein Unternehmen nur so lange existieren kann, wie die Öffentlichkeit diese Existenz erlaubt. Das klingt extrem, doch es empfiehlt sich keineswegs, an dieser These vorbeizugehen. Zwar ist der Bereich der Mittel- und Kleinbetriebe nicht so spannungsgeladen, doch wie sehr z. B. Umwelt- und Tierschützer auch den Geschäftserfolg oder die Existenz kleinerer Betriebe in Frage stellen können, erleben etwa Kürschner – also kleine Handwerksbetriebe – in recht eindrücklicher Weise.
Ähnlich ist der gesamte Komplex des *Konsumentenschutzes* zu sehen, denn inzwischen gibt es ja die verschiedensten Konsumentenschutzorganisationen, die oft – von großen Massenmedien unterstützt – bei den Verbrauchern einen weitgehend neutralen Eindruck erwecken. Nur selten erinnert man sich in der Öffentlichkeit daran, daß hauptamtliche Konsumentenschützer ihre Existenznotwendigkeit immer wieder unter Beweis stellen müssen, weil sie ja von der Konsumentenschützertätigkeit leben. Dazu kommt die Tatsache, daß in vielen Fällen Konsumentenschutz einfach positiv bewertet werden muß. Denn tadelsfrei sind alle Waren und Dienstleistungen wirklich nicht.
Was kann ein Unternehmen aber gegen die Fehlbeurteilung seiner Unternehmenspolitik tun? Nun, in erster Linie sollte es die Unternehmenspolitik selbst kritisch betrachten, denn wenn es über eine Sache beim besten Willen nichts Gutes zu sagen gibt, helfen auch die besten PR-Maßnahmen nichts. Doch solche Extremfälle gibt es kaum, und darum sind PR-Maß-

[44] Vgl. Schwalbe, H., Zander, E. (1989), S. 79 ff.

nahmen meistens von Nutzen. Das heißt aber, daß PR in die Unternehmenspolitik mit einbezogen werden muß, auch in Mittel- und Kleinbetrieben. Und das erfordert wieder ein Bekenntnis zu folgenden Punkten:

1. Die Unternehmensleitung darf nicht ignorieren, daß die Existenz des Unternehmens auch von positiven Public Relations abhängig ist.
2. Die für die PR-Arbeit eingesetzten Mittel sollten nicht als Luxus betrachtet werden, sondern als langfristige Investition.
3. Die Geschäftsleitung muß ihre eigenen guten Kontakte in den Dienst der Geschäftspolitik stellen.
4. Die PR-Arbeit muß als kontinuierlicher Prozeß angesehen werden.[45]

Wer diese Grundsätze akzeptiert, wird zu vernünftigen Lösungen kommen, seine Informationspolitik positiv gestalten und viele Register der PR-Arbeit ziehen können, nicht nur, wenn die Situation verfahren ist, sondern auch im geschäftlichen Alltag, denn PR-Arbeit soll ja ein kontinuierlicher Prozeß sein.

[45] Vgl. Schwalbe, H. (1993), S. 213.

V Mitarbeiter

Während in kleinen und mittleren Betrieben das allgemeine Betriebsklima als ausgeglichen gilt, werden die Beziehungen zwischen Kollegen und das Verhalten gegenüber den Vorgesetzten als verbesserungsfähig angesehen. Dies Ergebnis hat überrascht, denn im allgemeinen ist das Betriebsklima in kleinen Betrieben besser als in Großunternehmen.[46]
Nicht nur die Arbeitsabläufe und die Situationen in der Wirtschaft überhaupt, auch die Menschen haben sich verändert. Dies wird vor allem auf einen Anstieg des Begabungsniveaus, der Individualität, der Selbsteinschätzung und des kritischen Bewußtseins sowie auf einen Rückgang der Stabilität, der Leistungsfähigkeit und Belastbarkeit, der Motivation, des Beharrungsvermögens und des Engagements zurückgeführt.
Diese Entwicklung sollte die Forderung verstärken, daß auch in Apotheken die Probleme der Mitarbeiter und mit den Mitarbeitern stärker zu beachten sind; denn das Betriebsergebnis hängt auch entscheidend von der Behandlung der Mitarbeiter ab.

1. Mitarbeiterauswahl und Probezeit

Die Personalkostenentwicklung und die Sortimentserweiterung zwingen ständig zum Überprüfen der Mitarbeiterzahl. Da aber auch jetzt Neueinstellungen zwangsläufig erforderlich sind und die Qualität der Mitarbeiter u. U. verbessert werden muß, wollen wir dieses langfristig sehr wichtige Thema behandeln.

a) Personalbeschaffung

Heute wird der Apothekenleiter entweder auf vorliegende Bewerbungen zurückgreifen können, sich Anzeigen in den Fachzeitschriften – bei nicht pharmazeutischem Personal in Tageszeitungen oder beim Arbeitsamt – ansehen oder sich bei der Kammer erkundigen. Ist eine eigene Anzeige erforderlich, sollte folgendes beachtet werden:
Welche Zeitungen oder Zeitschriften nun für eine Insertion ausgewählt werden sollen, richtet sich nach der Position und den regionalen Verhältnissen. Regionale Zeitungen eignen sich vor allem für Mitarbeiter in mittleren und unteren Positionen, Fachzeitschriften und überregionale Zeitungen für speziell ausgebildete Kräfte und Führungskräfte.

---

[46] Vgl. Zander, E. (1994 a).

Aufbau, Inhalt und graphische Gestaltung von Inseraten entscheiden darüber, wie sie beim Leser ankommen. Fachleute empfehlen aufgrund ihrer praktischen Erfahrungen, lieber alteingefahrene Regeln über Bord zu werfen und neue Gesichtspunkte zu beherzigen, die für die Wirksamkeit von Stellenanzeigen ausschlaggebend sein könnten.
Vor einiger Zeit setzte ein Einzelhändler eine Zeitungsanzeige in ein Lokalblatt, in dem er eine Raumpflegerin mit der Bemerkung suchte: „Am liebsten wäre mir eine solide, gute Putzfrau." Er hatte großen Erfolg damit. Vorher hatte er wochenlang vergeblich in der heute üblichen schmeichlerischen Art um eine Raumpflegerin geworben.
Die Beschreibung der Tätigkeit muß der Wahrheit entsprechen. Sie ist eindeutig, klar und zutreffend zu erläutern. Das beste Betriebsklima und die schönsten sozialen Einrichtungen können nicht darüber hinwegtäuschen, daß vor allem Leistung vom Bewerber erwartet werden muß. Daher sind die freundlichen Seiten des Angebotes erst an zweiter Stelle zu nennen. Vor allem darf eben nur das offeriert werden, was der Betrieb auch halten kann. Nichts ist für das Image schädlicher als enttäuschte Mitarbeiter, die nach kurzer Zeit wieder kündigen, weil man ihnen falsche Versprechungen machte.

Bei der Abfassung des Textes hat sich folgende Gedankenstütze bewährt:
- genaue Berufsbezeichnung
- Aufgabengebiet
- Verantwortungsbereich
- erwartete Kenntnisse
- Berufserfahrung
- Zeitpunkt des Eintritts
- Information über das Unternehmen
- Information über Entgelt, Sozialleistungen, Entwicklungsmöglichkeiten sowie Arbeitszeit
- Art und Umfang der erwarteten Bewerbung und Anschrift bzw. Chiffre der Firma.

Lassen sich beim Entgelt und bei den Sozialleistungen keine exakten Angaben machen, sollte man sich nicht auf Floskeln zurückziehen wie: „Dotierung und Sozialleistungen entsprechen der Bedeutung der Stelle", vielmehr sollte man – wenn überhaupt – darauf hinweisen, daß Gehalt und Sozialleistungen in einem persönlichen Gespräch erörtert werden sollten.
Chiffrierte Anzeigen sind möglichst zu vermeiden; offene Anzeigen haben in der Regel eine bessere Resonanz.
Bei der Aufzählung der gewünschten Bewerbungsunterlagen sollte nicht unbedingt eine handschriftliche Bewerbung oder ein Lichtbild verlangt werden (Angst vor umstrittener graphologischer Auswertung). Werden

Zeugnisse verlangt, so genügen Abschriften oder Fotokopien. Die Aufforderung, sich kurzerhand beim inserierenden Unternehmen telefonisch zu melden, kann sich unter Umständen als erfolgreich erweisen.
Die Größe der Anzeige spielt nur eine untergeordnete Rolle. Untersuchungen haben gezeigt, daß Zahl und Qualität der Bewerber sich nicht proportional zum größeren Anzeigenformat erhöhen. Das verwendete „Kaliber" sollte in Größe und Stärke von der jeweiligen Zielperson abhängen. Es lohnt sich kaum, mit Kanonen auf Spatzen zu schießen.
Allgemein gilt in Werbekreisen die Regel: Stellenanzeigen müssen sich der allgemeinen Werbelinie unterordnen. Bei Markenartikeln hat es sich bewährt, auch gleichzeitig auf das Produkt hinzuweisen. Nach wie vor wird empfohlen, sich nach der sogenannten AIDA-Regel zu richten. Die einzelnen Buchstaben bedeuten dabei:

a = attention (Aufmerksamkeit wecken)
i = interesting (Interesse erzeugen)
d = desire (Wunsch, sich mit der Firma in Verbindung zu setzen)
a = action (Einsenden der Bewerbungsunterlagen)

Das Angebot ist möglichst verbindlich zu halten. Zu vermeiden sind deshalb diktatorische Forderungen, wie z. B. „Der Bewerber muß ...". Vielmehr ist der Gesuchte direkt anzusprechen. „Sie erwarten ...". Zu vermeiden ist auch die Suche mehrerer Positionen in einer Anzeige, da jeder Interessent sich als Individuum angesprochen fühlen möchte.
Ist ein Firmenzeichen vorhanden, so sollte dies auch bei kleinen Anzeigen als Blickfang erscheinen.
Weiterhin sind bei der Herausgabe die Hauptkündigungszeiten zu berücksichtigen. Günstig ist es, vier bis fünf Wochen vorher zu inserieren. Absolventen von Hoch- und Fachschulen ist Gelegenheit zur rechtzeitigen Bewerbung vor der Prüfung zu geben.
Vielfach wird geraten, Mitarbeiter zum 1. April anzuwerben. Gründe: Ab 1. Juli beginnt die Urlaubszeit. Auch eine Kündigung zum 1. Januar ist im Hinblick auf die Weihnachtsgratifikation ungünstig. Enthält eine Anzeige den Hinweis auf einen späteren Eintrittstermin, schränkt sich der Kreis der potentiellen Bewerber von selbst ein.
Vor einer Vorstellung werden zunächst die eingegangenen Bewerbungsunterlagen gesichtet und analysiert. Notizen über Aufmachung, Vollständigkeit, Sauberkeit, übersichtliche Zusammenstellung, Satzbau, Rechtschreibung und Interpunktion sind erforderlich. Das Bewerbungsschreiben ist auf Vollständigkeit, Aufmachung und Anordnung zu überprüfen. Aus dem Stil des Bewerbungsschreibens läßt sich häufig entnehmen, welches geistige Format der Bewerber hat. Die Prüfung eines mitgeschickten Lichtbildes ist vor allem bei Außendienstpersonal interessant. Schließlich

sind die Zeugnisse (Schulzeugnisse und Arbeitszeugnisse), Referenzen und der Lebenslauf zu beachten. Personalbogen und eine Zusammenstellung über die Bewerbungsunterlagen können bei der Analyse der Unterlagen helfen.

b) Zeugnisse

Zeugnisse dürfen allerdings heute nicht überbewertet werden, da Vorgesetzte manchmal Floskeln anwenden. Auf Anregung der Arbeitsgemeinschaft selbständiger Unternehmer (Bonn) benutzen z. B. manche Unternehmer diese Zeugnisskala:

sehr gute Leistungen:
... hat die ihm übertragenen Arbeiten **stets** zu unserer **vollsten** Zufriedenheit erledigt.

gute Leistungen:
... hat die ihm übertragenen Arbeiten **stets** zu unserer **vollen** Zufriedenheit erledigt.

befriedigende Leistungen:
... hat die ihm übertragenen Arbeiten zu unserer **vollen** Zufriedenheit erledigt.

ausreichende Leistungen:
... hat die ihm übertragenen Arbeiten zu unserer Zufriedenheit erledigt.

mangelhafte Leistungen:
... hat die ihm übertragenen Arbeiten **im großen und ganzen** zu unserer Zufriedenheit erledigt.
Eine noch tiefergehende Einstufung unzureichender Leistungen will man durch die Formulierung ausdrücken: „hat sich bemüht, die ihm übertragenen Aufgaben zu unserer Zufriedenheit zu erledigen“. Unter dem Mahnwort „Worauf Sie achten sollten“ hat eine Gewerkschaft Hinweise gegeben, die wir auszugsweise abdrucken.
Ein gutes Zeugnis haben Sie, wenn

- seine äußere Form tadelsfrei ist (kein Briefbogen mit freiem Anschriftenfeld, keine Schreibfehler)
- die Dauer Ihres Arbeitsverhältnisses angegeben und die Art Ihrer Tätigkeit exakt und angemessen ausführlich beschrieben sind
- Ihr Verhalten gegenüber Vorgesetzten, Kollegen und Untergebenen präzise beurteilt ist
- wenigstens eine Ihrer Stärken gewürdigt ist

- gesagt wird, wer warum gekündigt hat
- in der Schlußformel gute Wünsche und der Ausdruck des Bedauerns über Ihr Ausscheiden nicht fehlen
- keine der folgenden Floskeln darin vorkommt:

Das schreiben sie ...	... und das meinen sie:
Er (sie) hat die ihm (ihr) übertragenen Arbeiten im großen und ganzen zu unserer Zufriedenheit erledigt	*Mangelhafte Leistungen*
Er hat sich bemüht, die ihm übertragenen Arbeiten zu unserer Zufriedenheit zu erledigen	*Unzureichende Leistungen*
Er hat unseren Erwartungen entsprochen	*Schlecht*
... hat alle Arbeiten ordnungsgemäß erledigt	*... ist ein Bürokrat, der keine Initiative entwickelt*
Mit seinen Vorgesetzten ist er gut zurechtgekommen	*Er ist ein Mitläufer, der sich gut anpaßt*
Er war sehr tüchtig und wußte sich gut zu verkaufen	*Er ist ein unangenehmer Mitarbeiter*
Wegen seiner Pünktlichkeit war er stets ein gutes Vorbild	*Er war in jeder Hinsicht eine Niete*
Er bemühte sich, den Anforderungen gerecht zu werden	*Er hat versagt*
Er hat sich im Rahmen seiner Fähigkeiten eingesetzt	*Er hat getan, was er konnte, das war nicht viel*
Alle Arbeiten erledigte er mit großem Fleiß und Interesse	*Er war eifrig, aber nicht besonders tüchtig*
Er war immer mit Interesse bei der Sache	*Er hat sich angestrengt, aber nichts geleistet*
Er zeigt für seine Arbeit Verständnis	*Er war faul und hat nichts geleistet*
Im Kollegenkreis galt er als toleranter Mitarbeiter	*Für Vorgesetzte ist er ein schwerer Brocken*
Wir lernten ihn als umgänglichen Kollegen kennen	*Viele Mitarbeiter sahen ihn lieber von hinten als von vorn*

Er bemühte sich mit großem Fleiß, die ihm übertragenen Aufgaben zu unserer Zufriedenheit zu erfüllen	*Er hat versagt*
Er erledigte die ihm übertragenen Arbeiten mit Fleiß und war stets bestrebt (willens), sie termingerecht zu beenden	*Unzureichende Leistungen*
Er hat sich mit großem Eifer an diese Aufgabe herangemacht und war erfolgreich	*Mangelhafte Leistungen*

Natürlich ist der Gebrauch solcher Skalen problematisch. Erstens kann der Verfasser des Zeugnisses nicht wissen, ob der nächste Leser und Auswerter des Zeugnisses diesen Geheimcode ebenfalls kennt, und zweitens besteht immerhin die Möglichkeit, daß ein Personalbeurteiler die Aussagen im Zeugnis nach diesem Code auslegt, obwohl der Verfasser des Zeugnisses ihn überhaupt nicht kannte. Das ergibt das schönste Durcheinander, und Fehldeutungen sind an der Tagesordnung.
Der Wert der Zeugnisse ist wie ihre Präzision allerdings stetig gesunken. Die Zeugnisse sind so ausgewogen, so neutralisiert, daß ihr Erkenntniswert immer geringer, die Aussage immer unzuverlässiger wird.
Andere Zeugnisse wiederum werden nach dieser Schablone geschnitten: Sage nur Gutes oder gar nichts. So edel dieser Leitgedanke auch aussieht – liest man ihn etwas anders, so hat er diesen Grundtenor: Nichts Nachteiliges sagen (wegen evtl. Schadensersatzansprüche) und schweigen. Nun weiß jeder, daß bei bestimmten Positionen auch ganz bestimmte Qualifikationen erwartet werden. Findet man solche erwarteten Aussagen nicht, dann ist das Zeugnis nicht in Ordnung, mit anderen Worten: Das Beurteilungsloch (es ist tatsächlich ein Loch, in das man beim Lesen hineinfällt) wird dazu benutzt, mangelhafte Qualifikation auszudrücken. Beispiel: „. . . Er wurde im Lager und im Versand eingesetzt. Im Lager hat er seine Arbeit stets aufmerksam und zufriedenstellend verrichtet . . ." Diese Beurteilungslücke springt jedem Leser in die Augen und, obwohl kein nachteiliges Wort in diesen Zeilen steht, weiß jeder Leser, woran er ist; nämlich: Im Versand hat er versagt.
Eine Variation hierzu besteht darin, durch überhöhte Darstellung der positiven Qualitäten dieses Beurteilungsloch zu tarnen. Die betriebliche Umgangssprache umschreibt es mit dem Verbum „er ist ‚hinausgelobt' worden".
Manche Zeugnisse sind wahre Meisterwerke sprachlicher Filigranarbeit. Trotz allem Anschein ist der Anteil der Löcher größer als der Anteil der Qualifikationen.

c) Vorstellung

Nach der Vorauswahl der Kandidaten folgt die Vorstellung, die in der Regel vom Apothekenleiter selbst durchzuführen ist. Von ihm wird Menschenkenntnis erwartet. Er muß sich über die Fehler im klaren sein, die bei einer Beurteilung möglich sind. Dazu zählen der Überstrahlungseffekt, die Überformung, subjektive Beeinflussungen, wie Haartracht, Kleidung usw. Vor allem ist eine gesunde Unsicherheit angebracht. Nicht selten kommen Menschen zu Fehlurteilen, die sich auf dem Gebiet der Personalauslese als besonders erfahren einschätzen. Vermeintliche Überlegenheit nämlich steigert die Gefahr, unrichtige Urteile abzugeben. Wer sich zu sicher fühlt, begnügt sich schneller mit nur flüchtigen Eindrücken und vergißt dabei manches Wichtige zu beachten. Die Auswirkungen subjektiver Faktoren lassen sich jedoch einschränken. Am besten betrachtet der Apothekenleiter jeden Bewerber nach einheitlichen Gesichtspunkten. Dabei sind nur solche Beurteilungskriterien aufzunehmen, die auch tatsächlich beurteilbar sind. In einem Einstellungsverhandlungsbogen können z. B. die Abschnitte enthalten sein:

1. Ausbildung
2. Berufserfahrung
3. Auftreten
4. Zielstrebigkeit, Einsatzbereitschaft
5. Intellektuelle Leistungsfähigkeit, Auffassung
6. Sprachlicher Ausdruck
7. Eignung für die gebotene Stelle

Bei dem Vorstellungsgespräch ist genügend Zeit einzuplanen, so daß nicht aus Zeitgründen eventuelle Unsicherheiten in der Beurteilung in Kauf genommen werden müssen. Das Gespräch selbst sollte trichterförmig verlaufen, d. h. vom Allgemeinen zum Speziellen. Folgende Abschnitte des Gesprächs kommen in Betracht: Vorstellung der Apotheke, Ausbildung und Weiterbildung, bisherige berufliche Entwicklung und berufliche Interessengebiete, Wehrdienst, Führungsverhalten (falls erforderlich), Herkunft, soziale Stellung und Forderungen des Bewerbers. Psychologische Tests treten mehr und mehr in den Hintergrund. Auch wenn der persönliche Eindruck des Bewerbers gut ist, sollte immer eine Probezeit vereinbart werden. Bei mehreren Vorstellungen kann ein Vordruck (Abb. 22) die Auswahl erleichtern.

Abb. 22: Musterformular für Vorstellungsverhandlungen[47]

Vorstellungsverhandlung

Von

An Personalabteilung

Betreff Vorstellungsverhandlung
Unterlagen und den ausgefüllten Bogen geben Sie bitte umgehend mit den Unterlagen an Personalabteilung zurück.

Die Verhandlungen mit Herrn / Frau / Fräulein haben am stattgefunden

Eindruck bei der Vorstellung *Zutreffendes bitte unterstreichen*	**Bewertung*** *Zutreffende Ziffer durchkreuzen!*
I Ausbildung Entspricht die Ausbildung der zu besetzenden Stelle? (ggf. trennen zwischen schulisch-theoretischer und praktischer Ausbildung)	① ② ③ ④ ⑤ Anmerkung:
II Berufserfahrung Beurteilen Sie die Berufserfahrung bitte ausschließlich hinsichtlich ihres Wertes für die zu besetzende Stelle.	① ② ③ ④ ⑤ Anmerkung:
III Auftreten arrogant – aufdringlich – etwas befangen – bescheiden – distanziert – ernst – forsch – gehemmt – gewinnend – heiter – herausfordernd – höflich – korrekt – kühl – lässig – liebenswürdig – offenherzig – schwerfällig – sicher – recht unsicher – vorlaut – zurückhaltend – nicht besonders gewandt – energisch – hält nicht genügend Abstand – gesundes Selbstvertrauen – natürlich – kritisch – gute – mittelmäßige – schlechte Kontaktfähigkeit – neigt zur Opposition – tolerant – etwas verschlossen – zu selbstbezogen – kann (bestechend) überzeugen – keine besondere Überzeugungskraft.	① ② ③ ④ ⑤ Ergänzungen:
IV Zielstrebigkeit, Wille zum Weiterkommen ehrgeizig – eifrig – hat bisher wenig für sein berufliches Fortkommen getan – hat sich selbständig weitergebildet – hat wenig eigenen Antrieb – impulsiv – matt – sehr/wenig begeisterungsfähig – träge – übertrieben hohe Ziele – (keine) klare Vorstellung – etwas bequem.	① ② ③ ④ ⑤ Ergänzungen:
V Intellektuelle Leistungsfähigkeit, Auffassung aufgeweckt – denkt mit – gute/durchschnittliche/schwerfällige Auffassung – gesunder Menschenverstand – hört genau zu – gutes/durchschnittliches Denkvermögen/Kombinationsgeschick, kann sich (schnell) umstellen – konzentriert – sprunghaft – stellt (keine) präzise(n) Fragen – umständlich – unkonzentriert – einseitig begabt.	① ② ③ ④ ⑤ Ergänzungen:
VI Sprachlicher Ausdruck (nicht ganz) fehlerlos – flüssig – präzise – klar – knapp – leicht mißverständlich – macht viele Worte – redegewandt – schlagfertig – treffend – schwerfällig – umständlich – unklar – verliert den Faden – kann sich gut/durchschnittlich ausdrücken – steht Rede und Antwort, nicht mehr.	① ② ③ ④ ⑤ Ergänzungen:
VII Eignung für die gebotene Stellung Zusammenfassendes Urteil über die vermutliche, fachliche und persönliche Qualifikation des Bewerbers für die vorgesehene Tätigkeit. – Ggf. Stellungnahme zu vorhandenen Entwicklungsmöglichkeiten. Evtl. Vorschläge für anderweitigen Einsatz.	fachlich ① ② ③ ④ ⑤ persönlich ① ② ③ ④ ⑤

Bemerkungen

* **1** = weit überdurchschnittlich; **2** = überdurchschnittlich; **3** = Durchschnitt;
4 = unterdurchschnittlich; **5** = weit unterdurchschnittlich.

Es wurde abgesprochen

1. Bedenkzeit — vom Bewerber bis ______

   von der Firma bis ______

2. Keine Einstellung gewünscht — vom Bewerber ○

   von der Firma (wird dem Bewerber von der Personalabt. mitgeteilt) ○

3. Einstellung als ______ Probezeit Monate

   Einstellungsdatum ______

   (vorbehaltlich des positiven Ergebnisses einer ärztlichen Untersuchung)

   Gehalt — Tarifgruppe: ______ DM ______ Std/Mo

   Tarifgruppe: ______ DM ______ Std/Mo

   übertariflich: ______ DM ______ Std/Mo

   Gehaltserhöhung nach der Probezeit zugesagt? ______

   Weihnachtsgeld und sonst. Zulagen ______

   Bei verheirateten Bewerbern von auswärts:

   Trennungsgeld für die Zeit bis zum Tage, an dem ______
   eine Wohnung in ______ zur Verfügung steht, längstens jedoch für die Dauer der Probezeit?
   ja ○ nein ○

Der Arbeitsplatz wurde von ______ gezeigt.

Es wurden folgende wesentliche Arbeitsaufgaben mitgeteilt:

______

Datum — Unterschrift des Abteilungsleiters und des Beurteilers

Durch die Personalabteilung auszufüllen

Ärztliche Untersuchung durch Amtsarzt am Wohnort am ______ vereinbart.

Ergebnis:

[47] Formularvordruck „Vorstellungsverhandlung", hrsg. vom Rudolf Haufe Verlag (Best.-Nr. 91.10), Freiburg i. Br. 1990.

d) Probezeit

Ein noch so gutes Auswahlverfahren kann nicht verhindern, daß Fehler und Irrtümer bei der Einstellung vorkommen. Es ist dann für beide Seiten sinnvoll, lieber das Arbeitsverhältnis rechtzeitig zu lösen, als es unter Vertuschung der Schwächen weiter bestehen zu lassen und schließlich die Trennung – psychologisch oder rechtlich – unnötig zu erschweren.
Aus diesem Grunde ist neben der systematischen Einführung neuer Mitarbeiter auch eine gründliche Beurteilung vor Abschluß der Probezeit anzustreben.
Die sinnvolle Arbeitsunterweisung beginnt mit der Vorbereitung des Arbeitsplatzes und – besonders bei handwerklichen Tätigkeiten – mit einer genauen Information über den Arbeitsvorgang. Zweckmäßigerweise wird er bei weniger vorgebildeten Mitarbeitern und vor allen Dingen bei branchenfremden Arbeitskräften aufgegliedert. Vom Vorgesetzten oder vom Fachkollegen sollte der Arbeitsgang erklärt, gezeigt und vorgemacht werden. Nach vielen Erfahrungen behält der Mensch 20 % von dem, was er hört und sieht, und 90 % von dem, was er selber tut. Diese Erfahrung sollte sich jeder bei der Einarbeitung zunutze machen.
Dann sollte der neue Mitarbeiter seine Arbeit selbst ausführen. Schließlich sollte ein Gespräch mit – soweit berechtigt – motivierender Anerkennung den Einweisungsvorgang beenden. Je qualifizierter die Tätigkeit ist, desto selbständiger wird der Vorgesetzte dem Mitarbeiter auch im Anfangsstadium die Arbeit überlassen. Ein Vertrauensvorschuß bewährt sich in der Regel.
Eine formalisierte schriftliche Beurteilung vor der endgültigen Einstellung ist sinnvoll. Dadurch lassen sich nachteilige Folgen durch eine Weiterbeschäftigung ungeeigneter Mitarbeiter mit entsprechenden Konsequenzen nach dem Kündigungsschutz verhindern. Da eine solche Probezeitbeurteilung qualitativ nicht mit einer normalen Beurteilung mit einem entsprechend langen Beurteilungszeitraum zu vergleichen ist, sollte sie sich weitgehend auf Negativauslese beschränken. Das Beispiel eines in der Industrie bewährten Bogens ist in der Abbildung 23 wiedergegeben.
Sollte der Vorgesetzte im Zweifel sein, ob der Mitarbeiter auf Dauer der geeignete „Mann“ am richtigen Platz ist, so ist u. U. eine Verlängerung der Probezeit anzustreben.
Sind die Kosten für die Anwerbung eines Mitarbeiters schon sehr hoch, so betragen die Aufwendungen für die Einstellung eines nicht erfolgreichen Mitarbeiters ein Vielfaches dieser Aufwendungen. Darum ist es mehr als berechtigt, sich große Mühe bei der Einführung eines neuen Mitarbeiters zu geben.

Abb. 23: Muster für Probezeitbeurteilungen[48]

PERSONALABTEILUNG	**Probezeitbeurteilung**	

Personal-Nr.	Name und Vorname	Geboren am	Abt.-Kurzzeichen

Stellenbezeichnung

Abgesandt an Beurteiler	Beendigung d. Probezeit	TG lt. Einstellungsschr.	**Zurück spätestens bis**

A Beurteilung und Entscheidung (bitte Zutreffendes ankreuzen)

① Die Probezeit wird beendet, der Mitarbeiter soll ohne Vorbehalt weiterbeschäftigt werden.

Beurteilung der Leistung

Arbeitsgüte:	Arbeitsmenge:	Einsatzbereitschaft:
├───┼───┼───┼───┤*	├───┼───┼───┼───┤	├───┼───┼───┼───┤

* sehr gut, gut, Durchschnitt, unter Durchschnitt, unbrauchbar.

② Das Arbeitsverhältnis soll innerhalb der Probezeit fristgerecht gekündigt werden.

B Begründung (ist nicht erforderlich, wenn die Probezeit erfolgreich beendet wird)

Unmittelbarer Vorgesetzter	Abteilungsleiter	Mitarbeiter
Unterschrift	Unterschrift	Zur Kenntnis genommen

Anmerkung
Das Kündigungsschutzgesetz gewährt allen Arbeitnehmern, die länger als 6 Monate ununterbrochen im gleichen Unternehmen beschäftigt sind und das 18. Lebensjahr vollendet haben, Schutz vor einer sozial ungerechtfertigten Kündigung. In einem etwaigen Arbeitsgerichtsverfahren ist vom Arbeitgeber nachzuweisen, daß die Kündigung gerechtfertigt ist. Im Falle einer Weiterbeschäftigung über die Probezeit hinaus kann sich der Arbeitgeber nicht auf bestehende Zweifel an der Eignung berufen.
Wenn die Nichteignung feststeht, muß die Personalstelle spätestens eine Woche vor Ablauf der vereinbarten Probezeit benachrichtigt werden.

[48] Formularvordruck „Probezeitbeurteilung“, hrsg. vom Rudolf Haufe Verlag (Best.-Nr. 92.05), Freiburg i. Br. 1990.

2. Einstellung zur Tätigkeit

Von Motivierung wird heute viel gesprochen und geschrieben. Sie ist in einer Zeit, in der Leistung manchmal in Frage gestellt wird, auch besonders wichtig.
Das Wissen um die Einstellung zur Arbeit stellt eine der Grundvoraussetzungen für jegliche Form der Führung dar. Befragungen der letzten Jahre ergaben, daß verschiedene Veränderungen eingetreten sind.[49] Untersuchungen zeigten nämlich, daß die Vorstellung der Führungskräfte über die Bedürfnisse der Mitarbeiter nicht unbedingt mit den Bedürfnissen, die die Mitarbeiter selbst für wichtig halten, übereinstimmen.
Ein motivierendes Betriebsklima ist entscheidend für die Leistungsfähigkeit des einzelnen Mitarbeiters in der Apotheke. Die Arbeitsbedingungen wie auch die Gestaltung des Arbeitsplatzes können oftmals das ausschlaggebende Moment dafür sein, im Wettbewerb der Apotheken um qualifizierte Mitarbeiter eine Apotheke der anderen vorzuziehen.

a) Wodurch werden die Mitarbeiter motiviert?

Jegliches menschliche Verhalten, insbesondere das Arbeitsverhalten, wird letztendlich durch den Motivationsprozeß bestimmt. Motivation ist der Inbegriff für alle Vorgänge und Faktoren, die das Verhalten der Mitarbeiter erklären und verständlich machen. Die Motivation stimuliert dabei nicht nur das menschliche Verhalten, sondern bestimmt auch die Richtung. Der Motivationsprozeß setzt sich aus einer Fülle von einzelnen Motiven zusammen. Diese können einander ergänzen oder miteinander rivalisieren. Je bewußter die einzelnen Motive dem Mitarbeiter sind, um so stärker beeinflussen sie sein Verhalten. Bei der Motivierung des Mitarbeiters können stets nur einzelne Motive angesprochen werden.
Nach Maslow wird das menschliche Verhalten durch eine Vielzahl von Motiven bestimmt, die in einem ganz bestimmten Verhältnis zueinander stehen. Erst wenn die niedrigeren Bedürfnisse relativ befriedigt sind, können die höheren Bedürfnisse angesprochen werden. Es kann davon ausgegangen werden, daß die Grundbedürfnisse der Stufen 1 und 2, die physiologischen und die Sicherheitsbedürfnisse, bei allen Mitarbeitern weitgehend befriedigt sind. Es gilt also, vorwiegend die höher gelagerten Bedürfnisse im Auge zu behalten. Die sozialen Bedürfnisse können dabei von den Kleinbetrieben, wie es die Apotheken sind, in ganz besonderem Maße befriedigt werden.

---

[49] Vgl. dazu ausführlich Zander, E. (1994 a).

Eine weitere sehr bekannt gewordene Einteilung von Motivgruppen ist Herzbergs Unterscheidung von Hygiene-Faktoren und Motivatoren. Zu der Gruppe der Motivatoren zählen: 1. Leistung, 2. Anerkennung, 3. Arbeitsinhalt, 4. Verantwortung, 5. persönliches Fortkommen. Als Hygiene-Faktoren nennt Herzberg: 1. die allgemeine Unternehmenspolitik, 2. fachliche Leistung der Vorgesetzten, 3. Arbeitsentgelt, 4. zwischenmenschliche Beziehungen, 5. sachliche Arbeitsbedingungen. Nach Herzberg ist eine besondere Motivation der Mitarbeiter nur über die Gruppe der Motivatoren möglich. Die Hygiene-Faktoren stellen dagegen ausschließlich Determinanten der Unzufriedenheit dar. Sie vermögen die Einstellung der Mitarbeiter lediglich im negativen Sinne zu beeinflussen. Während eine positive Ausprägung als selbstverständlich angesehen wird und keinerlei Wirkungen auf das Verhalten der Mitarbeiter zeigt, wird durch eine unbefriedigende Ausprägung dieser Faktoren eine besonders negative Einstellung zur Arbeit hervorgerufen. Vereinfacht ausgedrückt bedeutet dies: Sicherheit motiviert nicht, fehlt sie aber, macht das unzufrieden. Ein schöner Arbeitsplatz motiviert nicht, ein schlechter drückt aber auf die Stimmung. Alle Faktoren, die sich direkt auf die auszuübende Tätigkeit auswirken, motivieren den Mitarbeiter. Unternehmen, die auf diesen Gebieten nichts erbringen, zahlen als „Ausgleich“ entsprechend mehr oder führen absichernde Regelungen ein.
Hier liegt gerade für kleinere Betriebe wie Apotheken eine große Chance, indem sie – oft weil sie es gar nicht anders können – individuell leistungsrelevante Persönlichkeitseigenschaften des Mitarbeiters und seine fachlichen Fähigkeiten mit den Anforderungen des Arbeitsplatzes in Einklang bringen.

Unter welchen Umständen die Arbeit eine Quelle der Befriedigung sein kann, sei wie folgt zusammengefaßt:

1. Der Arbeitende muß wissen, was er tut, und glauben, daß die Arbeit einen Wert und er eine Aufgabe hat.
2. Die Aufgabe muß ein gewisses Optimum an Schwierigkeit, ferner Risiko und Erfolgsmöglichkeit enthalten.
3. Es muß ein Sinn vorhanden sein, einem Ziel zuzustreben. Der Arbeitende möchte wissen, für wen er arbeitet.
4. Der Arbeitende muß den Sinn einer Verantwortung für das Resultat empfinden können und einen Sinn in der Selbstlenkung (Disziplinierung) im Hinblick auf das Ziel sehen.
5. Der Arbeitende muß Vertrauen in die Aufrichtigkeit und den guten Willen derjenigen haben, mit denen er zusammenarbeitet.

b) Führungsverhalten und Bedürfnisse

Wie sehen es besonders qualifizierte Mitarbeiter? Die Kenntnis der relevanten Bedürfnisstrukturen ist von grundlegender Bedeutung für die Anwendbarkeit von Führungsform und Führungsverhalten.[50] Dabei besteht ein enger Zusammenhang zwischen Bedürfnis, Arbeitsaufgabe und Leistung: Nur interessante, herausfordernde Aufgaben bewirken kreative, herausragende Leistungen.
Allerdings muß betont werden, daß das Bedürfnis nach Selbstentfaltung nicht für alle Personen in gleichem Maße gilt. Ebenso können die Bedürfnisse nach Partnerschaft, Geborgenheit, Ordnung und Sicherheit dominieren. Dies bedingt wiederum andere Führungstypen, andere Führungsmittel und andere Organisationsstrukturen als im Falle des nach Selbstentfaltung strebenden Mitarbeiters.
Was sind nun die wichtigsten Bedürfnisse von besonders qualifizierten Mitarbeitern? Auch hier trifft das Bild der nur nach Selbstentfaltung strebenden Persönlichkeit bedingt zu, obwohl es sich in vielen Fällen durchaus um eine wichtige Bedürfniskategorie handelt.

Die Grundbedürfnisse von vielen qualifizierten Mitarbeitern und Führungskräften sind:

- mehr Selbst- und Mitverantwortlichkeit, weniger Abhängigkeiten und Fremdbestimmung,
- mehr Vertrauen und Solidarität, weniger Angst und Rivalität,
- mehr Kooperationsbereitschaft und Initiative, weniger Eigensucht und Resignation.

Oder anders ausgedrückt:

Sie wollen
- an der Entscheidung über die Arbeitsweise beteiligt sein (Partizipation),
- zu ihren Arbeitspartnern ein befriedigendes zwischenmenschliches Verhältnis haben (Kommunikation),
- in der Zusammenarbeit ihre persönlichen Belange berücksichtigt wissen (Kooperation).

Bekanntlich hängen Mitdenken und Initiative der Mitarbeiter entscheidend vom Verhalten der qualifizierten Mitarbeiter ab. Anerkennung und Führungsstil sowie die Loyalität gegenüber den Mitarbeitern und die Unterstützung, z. B. durch die Approbierten, sind einige der Möglichkeiten, um das Interesse der Mitarbeiter zu wecken.

---

[50] Vgl. Zander, E. (1990c), S. 141 ff.

Die Eignung zum Vorgesetzten zeigt sich aber vor allem in der Fähigkeit, die Mitarbeiter so zu führen, daß diese von sich aus ständig an Verbesserungen interessiert sind und über geeignete Methoden und Mittel nachdenken. Für diese weitergehende Aktivierung der Mitarbeiter bietet sich in großen Betrieben in ganz besonderem Maße das betriebliche Vorschlagswesen an. Solange Vorgesetzte unter allen Umständen den Eindruck zu vermitteln suchen, im Betrieb sei alles zum besten geordnet, etwaige Verbesserungsvorschläge als Kritik an der Führung auffassen und einen Unruhefaktor darin sehen, bleiben die geistigen Kapazitäten der Mitarbeiter zum Teil ungenutzt. Das kann auch für eine Apotheke gelten.

3. Beschreibung des Arbeitsplatzes

Seit einigen Jahren sind Arbeitsplatzbeschreibungen, häufig auch Stellen- und Funktionsbeschreibungen genannt, stärker in den Vordergrund getreten. Sie dienen vereinzelt nur zur Aufgabenabgrenzung, auch bei Fehlern zur Rechtfertigung und Entlastung nach außen, häufig aber zur Leistungsbewertung der Mitarbeiter und zur Gehaltsfestsetzung.

a) Welche Bedeutung haben Arbeitsplatzbeschreibungen?

Gemeinsamer Nenner aller Arbeitsplatzbeschreibungen ist der Versuch,

- die funktionale und disziplinarische Stellung des Mitarbeiters zu definieren,
- seine konkreten Aufgaben zu beschreiben,
- seine Kompetenzen abzustecken und ihm Vollmachten zu erteilen.

Neben der Aufgabe, Tätigkeiten und Kompetenzen schriftlich festzuhalten, muß im Rahmen einer modernen Führungskonzeption bei dem Erstellen von Arbeitsplatzbeschreibungen zwangsläufig die Delegation von Aufgaben, Kompetenzen und Verantwortung allgemein eine wesentliche Rolle spielen.[51]
Dies alles zielt darauf ab, Bedürfnisse der Mitarbeiter am Unternehmen einerseits zu erfüllen und dadurch gleichermaßen die Effektivität der Leistung im Unternehmen zu verbessern. Herzberg kommt aufgrund seiner Untersuchungen und Erfahrungen zu dem Ergebnis, daß die Merkmale einer „guten Arbeit" folgende sind:

- unmittelbare Rückmeldung,
- jeden wissen lassen, für wen er arbeitet,

---

[51] Vgl. Knebel, H., Zander, E. (1989), S. 87ff.

- lernen können,
- seine Arbeit selbst einteilen können,
- sich wenigstens in bestimmten Teilgebieten als alleiniger Fachmann fühlen können,
- selbst über bestimmte Mittel verfügen können,
- sich unmittelbar an andere wenden können,
- sich persönlich verantwortlich fühlen können.

Die Schriftform der Verteilung von Aufgaben und Kompetenzen führt meist zu folgender Konsequenz in der Wechselbeziehung zwischen Vorgesetzten und Mitarbeitern:

> Dem Mitarbeiter wird sichtbar gemacht, daß ihm bestimmte Aufgaben und Kompetenzen übertragen sind und daß der Vorgesetzte damit die selbständige Erledigung dieser Aufgaben unter Ausschöpfung der Kompetenzen erwartet. Daraus erwächst das Verantwortungsbewußtsein des Mitarbeiters: Er sieht die Aufgabe nun als seine Aufgabe an und wird sich ganz dafür einsetzen, sie so erfolgreich wie möglich zu erledigen. Er möchte das in ihn gesetzte Vertrauen rechtfertigen.

Das schriftliche Formulieren der übertragenen Aufgaben und Kompetenzen soll andererseits dem Vorgesetzten deutlich machen, daß er sich nicht ohne besonderen Anlaß in die Aufgabenerledigung seiner Mitarbeiter einzumischen hat, da dies in jedem Falle als Mißtrauensbeweis angesehen werden muß. Er wird sich insoweit bei einem Eingreifen immer rechtfertigen müssen; das wird ihn dazu veranlassen, bei einem eingearbeiteten Mitarbeiter nur in ganz besonderen Situationen einzugreifen und sich dies vorher genau zu überlegen. Diese Feststellung ist weniger aus juristischen Überlegungen interessant, wonach sich der Vorgesetzte in solchen Fällen auch bei Fehlentscheidungen oder Fehlhandlungen seiner Mitarbeiter freisprechen kann, wenn er die richtige Person ausgesucht und diese genügend eingearbeitet und kontrolliert hat. Viel bedeutsamer für die betriebliche Praxis ist die psychologische Wirkung der schriftlichen Übertragung von Aufgaben und Kompetenzen für den Beschäftigten, in der die ernste Absicht zu delegieren zum Ausdruck kommt, während mündliche Erklärungen dieser Art meist reine Deklamationen bleiben.

b) Wie entstehen Arbeitsplatzbeschreibungen?

Zuerst wird man sich die Fragen überlegen, die für die jeweilige Apotheke wichtig sind. Sie werden bei größeren Apotheken ausführlicher und differenzierter sein als bei kleinen Apotheken, bei denen der Chef oder die Chefin der einzige Vorgesetzte ist. Solche Fragen können wie folgt lauten:

- Wie werden die Aufgaben gestellt und wie erfolgt die Beaufsichtigung?
- Wie umfangreich muß die Qualifikation sein?
- Welche zusätzlichen Kenntnisse oder Schulungen sind erforderlich?
- Welche Befugnisse sind vorhanden?
- Welche Aufgaben müssen vertraulich behandelt werden?
- Welcher Grad an Kreativität ist erforderlich?
- Welche Kontakte sind mit welchen Stellen notwendig?

Natürlich ist der/die Apothekeninhaber(in) meist in der Lage, alle Arbeitsplatzbeschreibungen selbst vorzunehmen. Es empfiehlt sich aber, den Mitarbeiter, soweit er in der Lage ist, zu beteiligen. Approbierte – bei größeren Apotheken auch andere Führungskräfte – sollte man selbst einen Entwurf machen lassen. Bei weniger qualifizierten Mitarbeitern ist dies nicht sinnvoll, da sie Hemmungen beim Beschreiben ihrer Tätigkeiten und Schwierigkeiten beim Formulieren ihrer Gedanken haben.
Das Beschreiben des Arbeitsplatzes für die Mitarbeiter hat oft den Vorteil, daß Vorgesetzte manchmal erst im ganzen Umfang dadurch erfahren, was ihre Mitarbeiter wirklich tun. Das weicht nicht selten von dem ab, was sie tun sollten. Auch dadurch sind schon Schwachstellen zu erkennen. Unabhängig von Ideen des/der Apothekeninhabers(in) sind weitere Verbesserungen, vor allem des Arbeitsablaufs, durch Mitwirkung der Mitarbeiter möglich.
Es reicht nicht aus, die Mitarbeiter nur bei der Beschreibung des Ist-Zustandes an ihren Arbeitsplätzen mitwirken zu lassen. Damit ist die Mitwirkung der Betroffenen noch nicht ausgeschöpft. Die Veränderungsmöglichkeit zeigt in vielen modern geführten Apotheken, daß die Mitarbeiter nicht nur in der Lage, sondern auch gewillt sind, an der Verbesserung der Tätigkeiten und Arbeitsabläufe mitzuwirken. Oft tun sie das nicht nur aus materiellen Gründen, sondern auch aus Interesse an einer Verbesserung der betrieblichen Leistung. Es gibt wohl kaum bessere Situationen für die umfangreiche und maßgebliche Mitarbeit der Betroffenen an ihrer eigenen Arbeit, wie die Aufforderung, im Rahmen der Aufgabenbeschreibung (Ist-Aufnahme) auch Verbesserungsvorschläge für die eigene Arbeit zu machen. Fast alle Mitarbeiter haben Wünsche zur Verbesserung ihrer eigenen Tätigkeit. Sie haben nicht immer Gelegenheit, diese an der richtigen Stelle auszusprechen, oder sie haben nicht den Mut dazu, weil sie nachteilige Auswirkungen für die eigene Person erwarten. Nicht überall sind Verbesserungsvorschläge schon erwünscht gewesen. Die Mitarbeiter müssen deshalb im Rahmen der Arbeitsplatzbeschreibungsaktion durch gezielte Fragen aufgefordert werden, Vorschläge zu den einzelnen Punkten ihrer

Tätigkeit zu machen. Viele Mitarbeiter werden erfahrungsgemäß bei einer solchen Aufforderung von der Gelegenheit zur Mitwirkung Gebrauch machen, andere werden nur spärlich Verbesserungsvorschläge machen. Oft ist das ein Ergebnis des unterschiedlichen Führungsstils des Chefs oder der Chefin. Wer Kritikfreudigkeit immer anerkannt hat, kann erfahrungsgemäß mit mehr und guten Vorschlägen rechnen. Für einen Erfolg hat es sich als nützlich erwiesen, den Mitarbeitern dazu gezielte Fragen in einem vorbereiteten Formular zu stellen.

c) Wie könnten Arbeitsplatzbeschreibungen aussehen?

Da die Anzahl unterschiedlicher Tätigkeiten in einer Apotheke nicht sehr groß ist, brauchen wir hier nur einige typische Arbeitsplatzbeschreibungen aufzuführen. Sie sind in Seminaren erarbeitet und in verschiedenen, meist mittelgroßen Apotheken eingeführt worden. Darüber hinaus werden sie zur Fort- und Weiterbildung der Pharmaziestudenten im 3. Prüfungsabschnitt verwandt.
Wir wollen nicht bei jeder Arbeitsplatzbeschreibung eine weibliche und männliche Form der Formulierung gebrauchen und gehen darum von einem Apothekenleiter, einer Leiterin des Handverkaufs, einem pharmazeutisch-technischen Assistenten und einer Helferin aus.

Apothekenleiter

Der Inhaber oder Pächter leitet die Apotheke und legt die langfristige Planung fest. Er wählt die Mitarbeiter aus und führt sie. Er entscheidet über Organisation und Investitionen. Er legt die Richtlinien der Einkaufs- und Verkaufspolitik fest. Er entscheidet über Investitions- und Finanzplanung sowie mittel- und langfristige Geldanlagen. Er legt in Zusammenarbeit mit den Mitarbeitern den Werbeplan fest. Er nimmt an Fachtagungen teil, besucht Ausstellungen, wertet die Fachliteratur aus und vertritt die Apotheke nach außen (Apothekerkammer, Behörden, Apothekerverein). Er berät Ärzte. Er vertritt die Leiterin des Handverkaufs, den pharmazeutisch-technischen Assistenten in der Rezeptur, Defektur und in Arzneimitteluntersuchungen und in Ausnahmefällen die Helferinnen beim täglichen Großhandelseinkauf.

Leiterin des Handverkaufs

Sie ist dem Inhaber direkt verantwortlich und vertritt ihn. Sie ist insbesondere bei größeren Apotheken Vorgesetzte der pharmazeutischen Mitarbeiter, der Helferinnen und der Raumpflegerinnen. Sie berät Ärzte und bedient und berät Kunden. Sie disponiert in dringenden Fällen (Epidemien, Lieferengpässe, Preisveränderungen) über Einkauf und Warenlager abweichend von dem geplanten Bestand und den vorprogrammierten Bestellungen, notfalls auch durch Einschaltung neuer Lieferanten und schnellerer Transportmittel. Sie wacht über die pünktliche und restlose Zustellung von Arzneimitteln an die Kunden. Sie informiert den Inhaber sofort bei personellen, wirtschaftlichen oder behördlichen Schwierigkeiten. Sie wertet Fachliteratur aus, besucht Fortbildungsveranstaltungen, unterrichtet das pharmazeutische Personal in Arzneimitteluntersuchungen und die Helferinnen in Defektur. Sie ist für Betriebssicherheit und Ordnung in ihrem Bereich verantwortlich.

Pharmazeutisch-technischer Assistent

Er führt alle Rezeptur- und Defekturarbeiten sowie Arzneimitteluntersuchungen unter Anleitung und verantwortlicher Kontrolle des HV-Leiters durch. Er faßt alle flüssigen und festen Arzneimittel ein und sorgt für ausreichende Vorräte an Drogen und Chemikalien, einschließlich Reagenzien und Aqua demin. und dest. Er sorgt für Ordnung und Sauberkeit in Rezeptur und Labor einschließlich aller Standgefäße und Geräte. Er bringt die Nachtdienstbeschilderung an und schließt abends alle Fenster und Türen. Er arbeitet Präparate aus und übt sich in der Erkennung der Drogen. Er ergänzt laufend die Stoffliste, trägt die BTM-Liste in die BTM-Kartei ein und legt dem HV-Leiter die Kartei zur monatlichen Abzeichnung vor. Er führt Gift-, Defektur- und Untersuchungsbuch. Er sucht Arzneimittel für Rezepte zusammen und taxiert diese komplett (einschließlich der Rezepturen). Unter unauffälliger Anleitung des HV-Leiters berät und bedient er die Kunden. Er vertritt die Helferinnen.

Apothekenhelferin

Sie bestellt die Ware und kontrolliert das Warenlager. Sie überwacht gegebenenfalls das Kärtchensystem. Falls ein Computer vorhanden ist, sollte sie zuständig sein für den gesamten Einkauf und die dazugehörigen Arbeiten mit dem Großhandel und den Herstellern. Sie nimmt Preisänderungen vor, ändert und ergänzt gegebenenfalls die Bestellkärtchen, sie bearbeitet eingehende Sendungen sowie Retouren und führt die Einkaufskartei. Sie erstellt Rechnungen, versendet Waren und stempelt Rezepte. Sie bedient im allgemeinen das Telefon, sie sucht Arzneimittel für Rezepte zusammen und taxiert, von Rezepturen abgesehen, diese auch.

Auf weitere Tätigkeiten wollen wir hier nicht eingehen, da sie meistens Mischformen darstellen oder sich nicht wesentlich von Tätigkeiten in anderen Betrieben unterscheiden.

4. Bewertung der Leistung

Einmal jährlich werden in den meisten Apotheken die Gehälter überprüft, deren Höhe das tarifliche Entgelt übersteigt. Manche Chefs teilen die Bezüge vor den Festtagen den Betroffenen mit, gewissermaßen als „Weihnachtsgeschenk". Andere informieren ihre Mitarbeiter bewußt nach den Festtagen als Auftakt zum neuen Jahr und als Trennung von dem mehr emotionalen Weihnachtsritus. Dabei bietet sich die Jahresmitte an.

a) Bewertungsschema

Wie eine Gehaltsüberprüfung auch im einzelnen durchgeführt wird, zuvor muß sich der Inhaber oder die Inhaberin über die Leistung des Mitarbeiters im abgelaufenen Jahr im klaren sein. Erleichtern kann dies ein Formular. Es hilft, einen für alle Mitarbeiter gleichen Maßstab anzulegen. Ein einfaches, in Seminaren für Apothekeninhaber(innen) erarbeitetes und bewährtes System bietet sich dazu an.

Leistungsbeurteilung für Apotheken-Mitarbeiter

Name: Zeitraum:

Beurteilungskriterien	*Bewertung (s. Katalog)*				
Arbeitsgüte	1	2	3	4	5
Arbeitsmenge/-tempo	1	2	3	4	5
Arbeitsbereitschaft	1	2	3	4	5

Summe der Punkte [ ]

Bemerkungen des Beurteilten:

Bemerkungen des Beurteilers:

Leistungszulage von DM ____________ ab ______________________

Für die einzelnen Beurteilungskriterien sind folgende Merkmale bestimmend:

Arbeitsgüte

- Fachkenntnisse
- Kenntnisse und Beachten der Vorschriften
- Beobachtungsgabe (Erkennen von Mängeln, Unregelmäßigkeiten und Fehlerquellen)
- Aufmerksamkeit
- innere Ruhe
- Konzentrationsfähigkeit
- Auftreten gegenüber Kunden
- Auffassungsgabe
- Spezielles Geschick und spezielle Begabungen, z. B.
- Ausdrucksvermögen
- Organisationstalent
- Verhandlungsgeschick
- Fähigkeit zum Improvisieren
- Grad der Wendigkeit und Umstellungshäufigkeit
- Selbständigkeit
- Kontrolle eigener Arbeit
- Zielstrebigkeit
- Zuverlässigkeit
- Sorgfalt
- Genauigkeit

- Ordnung
- Überwachen von Arbeitsabläufen
- Arbeitseinteilung
- Einhaltung von Terminen

Soweit der Mitarbeiter, z. B. Approbierter, Vorgesetztenfunktionen einnimmt, kommen noch folgende Merkmale hinzu:

- Überzeugungskraft
- Durchsetzungsvermögen
- Beurteilungsfähigkeit (Menschenkenntnis)
- Dispositionsfähigkeit
- Delegationsfähigkeit
- Fähigkeiten, den Arbeitsablauf kostengünstig zu gestalten
- Aufgeschlossenheit für Anregungen und Kritik.

Arbeitsmenge

- Menge pro Zeiteinheit (bei sich wiederholenden Arbeiten)
- Zeitaufwand für einwandfrei erledigte Einzelaufträge
- Stetigkeit der Ausdauer, Leistung
- Belastbarkeit bei besonderen Anforderungen wie Arbeitsmenge unter Zeitdruck im Stoßgeschäft.

Unter Arbeitsmenge/Arbeitstempo wird also vor allem beurteilt, wieviel der Mitarbeiter in der Zeiteinheit schafft oder – anders betrachtet – welche Zeit er durchschnittlich für den einwandfrei erledigten Auftrag benötigt im Vergleich zu seinen Kollegen, die entsprechende oder ähnliche Aufgaben haben.
Vor einem häufigen Fehler beim Beurteilen der Arbeitsmenge wird gewarnt: Fleiß und Aktivität eines Mitarbeiters sind noch keine Beweise für ein gutes Arbeitstempo und eine große Arbeitsmenge. Bei der Beurteilung dieses Kriteriums darf man sich nicht allzusehr auf das Vorliegen dieser im allgemeinen sehr leicht festzustellenden Eigenschaften verlassen. Gefragt wird hier nach der Arbeitszeit für die einwandfreie Leistung, beurteilt nach der Zahl der Kunden oder Rezepte.

Arbeitsbereitschaft

Dieses Leistungsmerkmal wird, je nach Arbeitsplatz, bestimmt durch folgende Eigenschaften:

- Einsatzbereitschaft sowohl bei normalem Arbeitsablauf als auch im Stoßgeschäft und in Sonderfällen
- Eigeninitiative

- Fortbildungsbemühen, z. B. Besuch von Vorträgen, Lesen der Fachzeitschriften, Lernbereitschaft
- Bereitschaft, durch gute Zusammenarbeit die Leistung des gesamten Teams positiv zu beeinflussen
- Verantwortungsbereitschaft, Ausschöpfen von Kompetenzen
- Bereitschaft, ggf. auch unangenehme und unpopuläre Aufgaben zu übernehmen und durchzuführen

b) Bewertungsstufen

Die einzelnen Bewertungsstufen können durch sehr einfache Bezeichnungen eingeteilt werden, wie[52]:

Stufe	Definition
1	Die Anforderungen wurden nicht erfüllt
2	Die Anforderungen wurden im allgemeinen erfüllt
3	Die Anforderungen wurden voll erfüllt
4	Die Anforderungen wurden übertroffen
5	Die Anforderungen wurden beträchtlich übertroffen

Stufe	Definition
1	Genügt den Anforderungen nicht immer
2	Genügt den Anforderungen
3	Übertrifft die Anforderungen
4	Übertrifft die Anforderungen in erheblichem Maße
5	Übertrifft die Anforderungen in außergewöhnlichem Maße

[52] Vgl. hierzu ausführlich: Zander, E. (1990a), S. 161 ff.

Stufe	Definition
1	Die Anforderungen werden nicht immer erfüllt
2	Die Anforderungen werden erfüllt
3	Die Anforderungen werden gut und in vollem Umfange erfüllt
4	Die Anforderungen werden weit übertroffen
5	Die Anforderungen werden so übertroffen, wie es nur selten anzutreffen ist

Um danach möglichst objektiv zu beurteilen, sind langjährige Erfahrungen notwendig. Zuverlässiger kann der Vorgesetzte nach folgenden Stufenbezeichnungen beurteilen:

Arbeitsgüte

1 Gegenwärtige Arbeitsgüte entspricht nicht immer den Mindestanforderungen des Arbeitsplatzes. Infolge geringer Eignung oder fehlender Übung oder nicht abgeschlossener Einarbeitung ist die Fehlerzahl noch zu hoch.
2 Arbeitsgüte reicht aus. Erfüllt die Anforderungen des betreffenden Arbeitsplatzes. Behandelt seine Arbeiten noch zu oberflächlich. Fehlerzahl hält sich jedoch in vertretbarem Rahmen.
3 Erreicht eine gleichmäßig befriedigende, zum Teil gute Arbeitsqualität. Erfüllt also mehr als die Mindestanforderungen des betreffenden Arbeitsplatzes.
4 Arbeitsqualität ist bei angemessenem Zeitaufwand meist sehr gut. Es kommen sehr wenig Fehler vor. Ist bestrebt, diese Fehler selbst zu finden. Vorgesetzter kann den Mitarbeiter, soweit es die Tätigkeit überhaupt zuläßt, weitgehend selbständig arbeiten lassen.
5 Arbeitsgüte ist hervorragend. Arbeitet – auf die Erfordernisse des Arbeitsplatzes bezogen – mit äußerster Sorgfalt, Zuverlässigkeit und Selbständigkeit bei einem angemessenen Zeitaufwand. Vorgesetzter kann sich immer darauf verlassen, daß bestmögliche Arbeit geleistet wird.

Arbeitsmenge (Arbeitstempo)

1 Arbeitet zu langsam oder zu umständlich. Mängel ergeben sich infolge geringer Eignung oder fehlender Übung, nicht ausreichender Ausbildung.
2 Erledigt die Arbeiten meist in einem vertretbaren Zeitaufwand und erfüllt bei einwandfreier Arbeitsgüte die Anforderungen hinsichtlich der an dem betreffenden Arbeitsplatz geforderten Mengenleistung! Mitarbeiter ist nicht schnell. Muß der Vorgesetzte Sonderaufträge vergeben, die besonders eilig sind, wird er lieber auf andere Mitarbeiter zurückgreifen.
3 Erfüllt seine Aufträge bei einwandfreier Arbeitsgüte meistens schnell und schafft meistens viel.
4 Erfüllt seine Aufträge bei einwandfreier Arbeitsqualität immer sehr schnell und schafft immer sehr viel.
5 Arbeitsmenge und Arbeitstempo liegen bei einwandfreier Arbeitsgüte und bei vorbildlicher Arbeitseinteilung eindeutig an der Spitze verglichen mit den anderen Mitarbeitern.

Arbeitsbereitschaft

1 Mitarbeiter zeigt zu wenig Interesse und Leistungswillen.
2 Mitarbeiter setzt sich für seine Arbeit und die Apotheke soweit ein, wie es für eine befriedigende Erledigung seiner Aufgaben erforderlich ist. Fügt sich in das Team ein. Sofern es sich um einen Arbeitsplatz handelt, der wachsende Kenntnisse erfordert: Bildet sich soweit fort, wie es für seine jetzigen Arbeiten unbedingt erforderlich ist und gefordert wird.
3 Mitarbeiter hat reges Interesse an seinem Arbeitsgebiet und setzt sich bereitwillig für die Apotheke ein. Fügt sich in das Team ein.
4 Mitarbeiter ist an seinem Arbeitsgebiet sehr rege interessiert. Tritt durch Eigeninitiative sowohl beim betrieblichen Einsatz als auch – sofern es die Tätigkeit erfordert – bei seiner Fortbildung hervor. Fügt sich in das Team ein.
5 Mitarbeiter ist an der Arbeit äußerst interessiert. Zeigt ein Maß an Eigeninitiative sowohl beim Einsatz als auch – sofern es die Tätigkeit erfordert – bei seiner Fortbildung, wie es nur selten an entsprechenden Arbeitsplätzen anzutreffen ist. Dem Mitarbeiter wird nichts zuviel. Fügt sich in das Team ein.

c) Beurteilungsgründe

Manche Mitarbeiter stehen einem Beurteilungswesen mißtrauisch gegenüber; zum Teil beruht diese Abneigung auf schlechten Erfahrungen, die sie, entweder im Beruf oder beim Militär, wo in allen Nationen eine periodische Beurteilung – (mindestens jährlich) – üblich ist, damit gemacht haben.
Der Apothekenleiter muß daher offen den Zweck der Beurteilung darlegen. So wird der Eindruck vermieden, als interessierten sich die Vorgesetzten für das Privatleben ihrer Mitarbeiter. Eine vorherige Information, die gerade auf Zweifel und Mißtrauen der Betriebsangehörigen eingeht, ist zu empfehlen.
Den Mitarbeitern wird vor allen Dingen daran gelegen sein, daß die Beurteilung persönlich besprochen wird. Dieser Forderung sollte der Apothekenleiter weitgehend nachkommen. Es nützt dem Betrieb und dem Mitarbeiter am meisten, wenn jeder weiß, wie er beurteilt wird. Doch nicht alle Führungskräfte wünschen diese Offenheit.
Es läßt sich aber häufig feststellen, daß solche Gespräche mit dem Mitarbeiter auch für den Vorgesetzten fruchtbar sind und das gegenseitige Vertrauen stärken, auf das sich eine erfolgreiche Entwicklung des Mitarbeiters gründet. Er wird es in den meisten Fällen begrüßen, wenn ihm der Vorgesetzte seine Schwächen zeigt und ihm hilft, sie zu beseitigen.
Die Eröffnung des Beurteilungsergebnisses darf keine Abneigung wecken und in irgendeiner Form als Störung empfunden werden. Der Beurteilte muß das Gefühl haben, ehrlich und nach bestem Wissen beurteilt worden zu sein.
Für den Leiter hingegen ist es wichtig zu sehen, wie der Mitarbeiter die Beurteilung aufgenommen hat, ob er sie als zutreffend anerkennt, ob er sich in kritisierten Punkten besser einschätzt, ob er ein negatives Urteil übelnimmt und schließlich, ob die Beurteilung eine sichtbare Wirkung zur Folge hat und ihn zu besseren Leistungen anspornt.
Auf der anderen Seite aber muß der Beurteiler bereit sein, sein Urteil zu korrigieren, wenn er bei einem Gespräch zu einem anderen Ergebnis kommt. Nie jedoch darf die Korrektur aus Unsicherheit oder Schwäche geschehen, nur um den Mitarbeiter zufriedenzustellen. Die anfangs oft schwierige Eröffnung der Beurteilung kann in begründeten Einzelfällen zurückgestellt werden. In manchen Fällen ist dagegen sogar die Gegenzeichnung des Beurteilten sinnvoll. Damit ist nicht eine Anerkennung der Beurteilung durch den Mitarbeiter, sondern nur die Kenntnisnahme gemeint.
Als Vorgesetzter hat der Apothekenleiter grundsätzlich die Pflicht, den von ihm beurteilten Mitarbeiter über die wesentlichen Punkte der Beurtei-

lung zu orientieren. Hierzu eignet sich ein Gespräch unter vier Augen. Mängel in der Arbeitsleistung und Schwierigkeiten in der Wesensart müssen dem Mitarbeiter klar zum Ausdruck gebracht werden. Positive Arbeitsleistungen sollten anerkannt werden, ohne daß unerfüllbare Hoffnungen geweckt werden. Im allgemeinen wird der Mitarbeiter bei richtiger Gesprächsführung die Beurteilung akzeptieren. Können wesentliche Meinungsunterschiede nicht ausgeräumt werden, so ist dies zu vermerken.
Die systematische Beurteilung der Leistung eines Mitarbeiters soll langfristig aber nicht nur finanzielle Auswirkungen haben. Werden die sorgfältig vorgenommenen Beurteilungen richtig ausgewertet, so lassen sich folgende Konsequenzen daraus ziehen:
Negativ beurteilte Mitarbeiter – besonders, wenn sie schon einige Zeit in der Apotheke tätig sind – werden nur selten sofort entlassen. Es könnte ja sein, daß die Beurteilung wegen besonderer Schwierigkeiten zwischen dem Mitarbeiter und dem beurteilenden Vorgesetzten ein nicht ganz objektives Bild des Beurteilten vermittelt. Erst wenn er ein weiteres Mal ähnlich negativ beurteilt wird, kann man erwägen, ihn zu entlassen.
Nicht nur die schlechten Beurteilungen, sondern auch die guten und sehr guten Beurteilungen verdienen besondere Beachtung.
Mit der Förderung der Mitarbeiter, die an sich gearbeitet haben, wird auch demonstrativ der Wille der anderen Apothekenangehörigen zur Fortbildung angeregt. Lebenslanges Lernen setzt sich als Forderung immer mehr durch und kann unterstützt durch ein entsprechendes Beurteilungssystem eher verwirklicht werden.
In den letzten Jahren wurden in verschiedenen Betrieben auch Zielvereinbarungen erfolgreich praktiziert.

5. Rechtliche Probleme der Zusammenarbeit

Von den verschiedenen rechtlichen Einflüssen wollen wir nur das Betriebsverfassungsrecht und die verschiedentlich vorkommenden Probleme bei der Beurteilung behandeln. Muster für Arbeitsverträge – auch für Ehegatten – sind im Anhang wiedergegeben.

a) Betriebsverfassungsrecht

In vielen Apotheken wissen Inhaber und Mitarbeiter wenig vom Betriebsverfassungsgesetz (BetrVG)[53], weil sie kaum davon betroffen werden,

[53] Vgl. Betriebsverfassungsgesetz vom 15. 1. 1972, BGBl I S. 13; ausführlich dazu: Glaubrecht, H., Halberstadt, G., Zander, E. (1977).

denn es gilt für kleine Betriebe – wenn überhaupt – nur eingeschränkt. Da von gewerkschaftlicher Seite und von Studierenden das Thema in letzter Zeit stärker angesprochen wird, kann aber Unkenntnis manche Probleme bringen.
Dabei wird davon ausgegangen, daß sich eine kleine Betriebsgröße, die Nähe des Chefs und ein großer Frauenanteil negativ auf die Bildung von Betriebsräten auswirken.
Die seit 1972 geltende Fassung des BetrVG stellt auch Apothekenleiter vor ungewohnte Aufgaben. Denn nach § 1 des BetrVG besteht „Betriebsratsfähigkeit", wenn in der Regel mindestens fünf ständige wahlberechtigte Arbeitnehmer, von denen drei wählbar sein müssen, vorhanden sind. Dadurch sind Apotheken, in denen weniger Mitarbeiter beschäftigt sind, von der Betriebsverfassung ausgenommen.
Eine in solchen Kleinbetrieben evtl. auf freiwilliger Basis gebildete Arbeitnehmervertretung hat nicht die Stellung eines Betriebsrates; die Belegschaft kann also keine Kollektivvereinbarungen mit dem Arbeitgeber treffen.
Beim Feststellen der Mindestzahlen werden Teilzeitkräfte mitgezählt. Es ist also ohne Bedeutung, ob die Arbeitnehmer voll oder nur stundenweise beschäftigt werden. Maßgebend ist allein die Arbeitnehmereigenschaft und eine ständige, nicht also bloß vorübergehende Beschäftigung, z. B. als Aushilfe. Nach herrschender Meinung ist Arbeitnehmer, wer aufgrund eines Arbeitsvertrages – Schriftform ist nicht notwendig – im Dienste eines anderen fremdbestimmte Arbeit in persönlicher Abhängigkeit leistet.
Zu den Arbeitnehmern gehören auch die zu ihrer Berufsausbildung Beschäftigten: Lehrlinge (Auszubildende), Anlernlinge, Volontäre, Praktikanten. Dagegen zählen leitende Angestellte (§ 5 BetrVG), wie z. B. Approbierte, die den Leiter voll vertreten, bei der Ermittlung der Zahl der Arbeitnehmer nicht mit.
Sinkt die Arbeitnehmerzahl nicht nur vorübergehend unter fünf ab, endet damit die Amtszeit des Betriebsrates.
Wahlberechtigt sind nach § 7 BetrVG alle Arbeitnehmer, die am Wahltag das 18. Lebensjahr vollendet haben.
Wählbar sind nach § 8 BetrVG die Wahlberechtigten, die sechs Monate dem Betrieb angehören. Nicht wählbar ist natürlich, wer infolge Richterspruchs die Fähigkeit nicht besitzt, Rechte aus öffentlichen Wahlen zu erlangen.
Der Betriebsrat besteht nach § 9 BetrVG in Betrieben mit in der Regel 5–20 wahlberechtigten Arbeitnehmern aus einer Person (Betriebsobmann). Der Betriebsobmann ist ein vollwertiger Betriebsrat, er hat im wesentlichen die gleichen Rechte und Pflichten wie ein mehrgliedriger Betriebsrat.

Die gesetzliche Verpflichtung des Arbeitgebers zur Unterrichtung über wirtschaftliche Angelegenheiten mindestens einmal im Vierteljahr gilt nach § 110 BetrVG erst für Betriebe ab 21 wahlberechtigten Arbeitnehmern (mündliche Unterrichtung). Nach § 43 BetrVG hat aber auch der Apothekenleiter im Kleinbetrieb (5 bis 20 Arbeitnehmer) die Verpflichtung, einmal im Jahr in einer Betriebsversammlung über die wirtschaftliche Lage der Apotheke zu berichten:

§ 43 Regelmäßige Betriebs- und Abteilungsversammlungen

(1) Der Betriebsrat hat einmal in jedem Kalendervierteljahr eine Betriebsversammlung einzuberufen und in ihr einen Tätigkeitsbericht zu erstatten. Liegen die Voraussetzungen des § 42 Abs. 2 Satz 1 vor, so hat der Betriebsrat in jedem Kalenderjahr zwei der in Satz 1 genannten Betriebsversammlungen als Abteilungsversammlungen durchzuführen. Die Abteilungsversammlungen sollen möglichst gleichzeitig stattfinden. Der Betriebsrat kann in jedem Kalenderhalbjahr eine weitere Betriebsversammlung oder, wenn die Voraussetzungen des § 42 Abs. 2 Satz 1 vorliegen, einmal weitere Abteilungsversammlungen durchführen, wenn dies aus besonderen Gründen zweckmäßig erscheint.

(2) Der Arbeitgeber ist zu den Betriebs- und Abteilungsversammlungen unter Mitteilung der Tagesordnung einzuladen. Er ist berechtigt, in den Versammlungen zu sprechen. Der Arbeitgeber oder sein Vertreter hat mindestens einmal in jedem Kalenderjahr in einer Betriebsversammlung über das Personal- und Sozialwesen des Betriebs und über die wirtschaftliche Lage und Entwicklung des Betriebs zu berichten, soweit dadurch nicht Betriebs- oder Geschäftsgeheimnisse gefährdet werden.

(3) Der Betriebsrat ist berechtigt und auf Wunsch des Arbeitgebers oder von mindestens einem Viertel der wahlberechtigten Arbeitnehmer verpflichtet, eine Betriebsversammlung einzuberufen und den beantragten Beratungsgegenstand auf die Tagesordnung zu setzen. Vom Zeitpunkt der Versammlungen, die auf Wunsch des Arbeitgebers stattfinden, ist dieser rechtzeitig zu verständigen.

(4) Auf Antrag einer im Betrieb vertretenen Gewerkschaft muß der Betriebsrat vor Ablauf von zwei Wochen nach Eingang des Antrags eine Betriebsversammlung nach Absatz 1 Satz 1 einberufen, wenn im vorhergegangenen Kalenderhalbjahr keine Betriebsversammlung und keine Abteilungsversammlungen durchgeführt worden sind.

Wenn auch für den Kleinbetrieb (weniger als fünf wahlberechtigte Arbeitnehmer) das BetrVG nicht gilt, besteht das Mitwirkungs- und Beschwerderecht (§§ 81–86 BetrVG) des einzelnen Arbeitnehmers in jedem Betrieb.

Das gilt für die Unterrichtungspflicht des Arbeitgebers gegenüber dem Arbeitnehmer genauso, wie für das Anhörungs- und Erörterungsrecht des Arbeitnehmers, wie auch für das Recht des Arbeitnehmers zur Einsichtnahme in seine Personalakte.
Das schließt im übrigen alle sog. Individualrechte des Arbeitnehmers, die nicht ausschließlich im BetrVG begründet sind, ein; so gelten z. B. die Grundsätze des § 75 BetrVG über die Pflicht zur Gleichbehandlung der Mitarbeiter schon aufgrund des Artikels 3 GG für jedermann, nicht nur für Arbeitnehmer.

§ 75 Grundsätze für die Behandlung der Betriebsangehörigen

(1) Arbeitgeber und Betriebsrat haben darüber zu wachen, daß alle im Betrieb tätigen Personen nach den Grundsätzen von Recht und Billigkeit behandelt werden, insbesondere, daß jede unterschiedliche Behandlung von Personen wegen ihrer Abstammung, Religion, Nationalität, Herkunft, politischen oder gewerkschaftlichen Betätigung oder Einstellung oder wegen ihres Geschlechts unterbleibt. Sie haben darauf zu achten, daß Arbeitnehmer nicht wegen Überschreitung bestimmter Altersstufen benachteiligt werden.
(2) Arbeitgeber und Betriebsrat haben die freie Entfaltung der Persönlichkeit der im Betrieb beschäftigten Arbeitnehmer zu schützen und zu fördern.

Die Mitbestimmung bei personellen Einzelmaßnahmen (§ 99 BetrVG) ist den Betriebsräten in Betrieben mit über 20 wahlberechtigten Arbeitnehmern vorbehalten. Dagegen gilt das Mitbestimmungsrecht bei Kündigungen (§ 102 BetrVG) für alle betriebsratsfähigen Betriebe.
Entscheidend ist aber – wie bei vielen personellen und führungstechnischen Maßnahmen – nicht das Erfüllen von Vorschriften, sondern die Haltung von Vorgesetzten. Führt er seine Mitarbeiter entsprechend, sind manche Probleme leichter zu lösen und die Wirtschaftlichkeit kann sich – auch im Interesse der Mitarbeiter – bessern.
Je kleiner ein Betrieb, um so größer sind die Chancen für einen persönlichen Führungsstil, wie er heute häufiger erwartet wird als allgemein angenommen.
Die Zufriedenheit und die Leistungsfähigkeit eines Mitarbeiters hängen selten allein von der Gehaltsfestsetzung oder vom strikten formalen Einhalten der vertraglichen Regelungen ab. Entscheidend ist, wie stark es dem Apotheker gelingt, den Wünschen der Mitarbeiter weitgehend entgegenzukommen, indem er sie richtig führt, ihnen Entfaltungsmöglichkeiten gibt und sich auch bemüht, sie gerecht zu entlohnen.

b) Mitarbeiterrechte bei der Beurteilung

Es gibt ein Recht des Mitarbeiters auf Beurteilung seiner Leistung und ein Recht des Vorgesetzten, beurteilen zu dürfen. Beides ist eng verzahnt und im Konfliktfall für jeden Apothekenleiter wichtig. Hier sollen im einzelnen beide Ausgangslagen behandelt werden.
In einem bedeutsamen Urteil hat das Bundesarbeitsgericht zu den Voraussetzungen einer stichhaltigen Leistungsbeurteilung Stellung genommen und dem Arbeitnehmer ein Recht darauf zugesprochen, daß seine dienstliche Beurteilung „ordnungsgemäß zustande kommt und sachlich richtig ist".[54] Der Arbeitnehmer habe Anspruch auf eine Darlegung der für das Leistungsbeurteilungsergebnis maßgebenden Gründe durch den beurteilenden Vorgesetzten. Dieser habe dabei die Tatsache anzugeben, auf die er seine Beurteilung stützt. Besonders in den Fällen, in denen es zwischen der Beurteilung und der eigenen Einschätzung des Arbeitnehmers erhebliche Unterschiede gebe, erlange diese Verpflichtung des Vorgesetzten Bedeutung. Nur diese Begründungspflicht stelle sicher, daß das zusammenfassende Werturteil eines Vorgesetzten sachlich richtig sei, und versetze den Arbeitnehmer in einem Rechtsstreit in die Lage, sich gegen unrichtige dienstliche Beurteilungen wehren zu können. In erster Linie müsse der Arbeitgeber seine Beurteilung durch Darlegung von Tatsachen begründen; es könne dem Arbeitnehmer nicht zugemutet werden, seinerseits zu jedem einzelnen Beurteilungsmerkmal Tatsachen vorzutragen, die eine günstigere Beurteilung rechtfertigen können.
Das bedeutet, Daten der persönlichen Leistung schriftlich festzuhalten, da das Rekonstruieren der Fakten in der gebotenen Differenzierung, auch bei einer kleinen Mitarbeitergruppe in der Apotheke, ein noch so gutes Gedächtnis überfordere. Das Protokollieren solcher zwischenzeitlicher Ergebnisse persönlicher Leistung ist bisher oft Widerständen begegnet, und zwar wegen des befürchteten zusätzlichen Arbeitsaufwandes und zum Teil auch aus psychologischen Gründen, weil dies als „schwarze Liste" angesehen werden könnte.
Eine regelmäßige schriftliche Auswertung einzelner Leistungsergebnisse während des Beurteilungszeitraums wird von den Mitarbeitern akzeptiert, wenn sie in der Apotheke allgemein angewendet wird und sich in motivierender Anerkennung und aufbauender Kritik auswirken kann.
Um die Anforderungen des BAG-Urteils[55] voll zu erfüllen, müßten die Daten mit dem Mitarbeiter jeweils besprochen werden. Er muß Gelegenheit zur Stellungnahme haben und jederzeit die Auswertungsunterlage

---

[54] Vgl. BAG-Urteil vom 28. 3. 1979, DB 1979, S. 1703.
[55] Vgl. dazu ausführlich: Zander, E., Knebel, H. (1993).

einsehen können. Dies bietet den Mitarbeitern die Möglichkeit, ihre Leistungen im noch laufenden Beurteilungszeitraum zu verbessern.
Meistens wird im Apothekenbereich ein Beurteilungsgespräch unter vier Augen üblich sein; denn bisher führen die Apothekenleiter kaum schriftliche Beurteilungen durch.

c) Beurteilungsrechte des Arbeitgebers

Der Apothekenleiter hat aus dem Arbeitsvertrag das Recht, den Mitarbeiter zu beurteilen. Danach ist der Arbeitgeber für betriebsbedingte Zwecke berechtigt, über jeden seiner Mitarbeiter einen Personalbeurteilungsbogen anzulegen und die sachgerechten Maßnahmen zu einer persönlichen Beurteilung zu treffen. Er kann dem Mitarbeiter bestimmte Fragen aus dem Beurteilungskatalog stellen. Der Mitarbeiter ist verpflichtet, angemessene Fragen zu beantworten; dieses läßt sich aus einer spezifischen, aus dem Arbeitsvertrag hervorgehenden Nebenpflicht ableiten. Damit werden innerhalb des Beurteilungsvorganges Rechte und Pflichten der Beteiligten abgegrenzt.
Ein Vorgesetzter darf einen Mitarbeiter nur insoweit beurteilen und dies in einem Beurteilungsbogen niederlegen, als er hierfür unter Berücksichtigung der Besonderheiten des eingegangenen Arbeitsverhältnisses und im Hinblick auf die arbeitsvertraglich übernommene Tätigkeit ein berechtigtes und billigenswertes Interesse hat.
Damit wird nicht ausgeschlossen, daß auch solche persönlichen Merkmale beurteilt werden können, die sich in der zu erbringenden Leistung konkretisieren könnten. Trotzdem können als Bezugsgrößen für eine persönliche Bewertung nur Merkmale anerkannt werden, die für eine Beurteilung der Arbeitsleistung, des Arbeitsverhaltens in Betracht kommen. Dieser Rahmen darf nicht verlassen werden.
Ein Bewertungssystem, das leistungsfremde Merkmale enthält, ist rechtlich unzulässig. Nur solche Beurteilungsfaktoren dürfen Eingang in die betriebliche Personalbeurteilung finden, die für die Arbeitsausführung erheblich sind. Gaul vertritt die Ansicht, daß durch eine Bewertung nur der Anteil innerer Werte erfaßt werden darf, der sich in irgendeiner Form bei der Ausführung der dem Arbeitnehmer zugewiesenen Tätigkeit auswirkt. Will man also die Leistungspersönlichkeit eines Mitarbeiters beurteilen, zu der auch eine Anzahl außerbetrieblicher, arbeitsfremder Momente wie z. B. höchst persönliche oder familiäre Einflüsse gehören, so dürfen nur solche Eigenschaften berücksichtigt werden, welche die Arbeitsleistung unmittelbar bestimmen. Dem Arbeitgeber muß derjenige Persönlichkeits-

bereich verschlossen bleiben, der mit dem Arbeitsverhältnis in keiner unmittelbaren Beziehung steht oder stehen kann.
Zur Absicherung dieser Vorschriften hat der Gesetzgeber allgemeine Beurteilungsgrundsätze der Mitbestimmung des Betriebsrates unterstellt (§ 94 Abs. 2 BetrVG), soweit einer vorhanden ist. Da die sachgerechte Ausgestaltung der Beurteilungsgrundsätze von erheblicher Bedeutung ist, gilt auch hier das notfalls über die Einigungsstelle durchsetzbare Mitbestimmungsrecht des Betriebsrats, was für Apotheken kaum von Bedeutung ist. Der Betriebsrat besitzt jedoch kein Initiativrecht zur Einführung einer systematischen Mitarbeiterbeurteilung, kann also nur die Einführung eines von ihm nicht akzeptierten Beurteilungssystems verhindern, und zwar auch nur dann, wenn er hierfür sachgerechte Gründe hat.
Kein Mitbestimmungsrecht hat der Betriebsrat bei der für den einzelnen Mitarbeiter abgegebenen konkreten Beurteilung. Die individuelle Beurteilung ist nämlich allein Sache des Arbeitgebers bzw. seines Vertreters und des Mitarbeiters. Der Mitarbeiter allerdings hat einen Anspruch auf Beurteilung seiner Leistungen sowie auf Erörterung seiner beruflichen Entwicklung im Betrieb (vgl. § 82 Abs. 2 Satz 1 BetrVG). Dieses Recht steht dem Mitarbeiter aber ganz persönlich zu. Freilich kann er nicht verlangen, nach einem bestimmten System oder überhaupt nach einem System beurteilt zu werden. Vielmehr muß er sich notfalls auch damit begnügen, nur mündlich und nicht vielleicht ausschließlich nach dem besten Können seines Vorgesetzten beurteilt zu werden. Seinem Anspruch ist ferner Genüge getan, wenn das Beurteilungsgespräch in angemessenen Zeitabständen stattfindet.
Wenn das Gesetz dem Mitarbeiter in § 82 Abs. 2 Satz 2 BetrVG das Recht einräumt, ein Mitglied des Betriebsrats zu diesem Gespräch hinzuzuziehen, so verleiht es dem Betriebsratsmitglied gleichsam den Status eines Beraters und Fürsprechers; er handelt dann gleichermaßen im Auftrag des Mitarbeiters, jedenfalls aber nicht als autonomes Betriebsverfassungsorgan. Deshalb darf der Betriebsrat dem Mitarbeiter nicht vorschreiben, welches seiner Mitglieder die Aufgabe übernimmt. Das Bestimmungsrecht steht also ausschließlich dem Mitarbeiter zu.

6. Entgelte und Rahmenbedingungen

Die Personalkosten spielen nicht nur bei der Diskussion um den Standort Deutschland, sondern auch für die Wirtschaftlichkeit einer Apotheke eine große Rolle. Sie müssen also bei Umsatzrückgang, wie er gegenwärtig in den meisten Fällen festzustellen ist, vermindert werden.

Geht man von einer Umsatzleistung je Mitarbeiter von 350 000 DM aus – bei pharmazeutischen Kräften rechnet man 670 000 DM –, bedeutet das bei den einzelnen Apothekengrößenordnungen folgende Belegschaftszahl:

Umsatz der Apotheke	Anzahl der Mitarbeiter (inkl. Inhaber)[56]
2,0 Mio DM	5,7
1,8 Mio DM	5,1
1,6 Mio DM	4,6
1,5 Mio DM	4,3

a) Tarifverträge

In den meisten Bereichen der Wirtschaft gibt es Tarifverträge, die die Lohn- und Gehaltsfestsetzung weitgehend bestimmen. In der Mehrzahl der Apotheken spielte der Gehaltstarifvertrag lange Zeit nur eine untergeordnete Rolle, da die tatsächlichen Bezüge der Mitarbeiter wesentlich höher waren.
Dies hat sich in den letzten Jahren, auch beeinflußt durch die Arbeitsmarktlage, sehr verändert. Die Tarifgehälter sind relativ stark angestiegen, die Effektivbezüge jedoch nicht in gleichem Umfang. Da die Tarifentgelte im Apothekenbereich keine Leistung direkt berücksichtigen – von dem Erfahrungswert der Berufsjahre sei hier einmal abgesehen –, ist eine Leistungsbewertung sinnvoll. Leistungsbezahlung setzt eine Leistungsbeurteilung voraus.
Dabei werden verstärkt Ziele vorgegeben. Solche Zielvorgaben könnten z. B. in der Apotheke bedeuten: den Lagerbestand vermindern, einen Service verbessern, Schaufenster interessant gestalten. Zielvorgaben sollen auch zu besserer Leistung motivieren und schmälern auf keinen Fall die Verantwortung des Vorgesetzten.
Ein Tarifvertrag ist das wichtigste Instrument der Koalitionen, um die Arbeits- und Wirtschaftsbedingungen zu gestalten, und regelt nach dem Tarifvertragsgesetz die Rechte und Pflichten der Vertragspartner. Seine wesentlichen Bestandteile sind:

- Schutzfunktion zugunsten der Arbeitnehmer,
- Ordnungsfunktion, um die betroffenen Arbeitsverhältnisse für die Laufzeit zu regeln,

[56] Kollenberg, G., In Krisenzeiten müssen alle an einem Strang ziehen! In: Beraten und Verkaufen 3/93.

- Friedensfunktion, um während der Laufzeit Arbeitskämpfe zu verbieten und neue Forderungen zu verhindern.

Tariffähigkeiten haben auf der Arbeitnehmerseite nur Gewerkschaften oder vergleichbare Vereinigungen wie der Bundesverband der Angestellten in Apotheken. Auf der Arbeitgeberseite sind Arbeitgeberverbände und -vereinigungen wie die Tarifgemeinschaft der Apothekenleiter im Bundesgebiet einschl. West-Berlin oder auch einzelne, meist große Firmen (Werk- oder Firmentarife) tariffähig.
Die Lohn- und Gehaltstarife – in den letzten Jahren auch vereinzelt die Entgelttarife für Arbeiter und Angestellte[57] – regeln die Entgelte, während alle anderen Bedingungen in Rahmen- oder Manteltarifverträgen vereinbart werden.
Der zur Zeit für Apothekenmitarbeiter gültige Entgelttarifvertrag ist im Anhang wiedergegeben.
Neben den Lohn- und Gehaltstarifen gibt es Mantel- oder Rahmentarifverträge, die Arbeitszeit und andere Arbeitsvereinbarungen regeln. Wie diese Bedingungen im einzelnen aussehen, zeigen unter anderem die Veröffentlichungen der Sozialpartner. Auch die Bundesregierung gibt Übersichten heraus, die für Vergleiche interessant sind. Danach liegen die Mitarbeiter in Apotheken einschließlich Bildungsurlaub an der Spitze der Urlaubszeit.
Für die Apothekenmitarbeiter wurde 1991 ein neuer Bundesrahmentarifvertrag abgeschlossen, der im Anhang wiedergegeben ist und erstmals zum 31. 12. 1994 gekündigt werden kann.

b) Effektivbezüge

Da für viele Mitarbeiter in Apotheken übertarifliche Leistungen gewährt werden, erfolgen z. B. Gehaltserhöhungen nicht automatisch nach Tarifabschluß. Aufgrund der schlechteren wirtschaftlichen Lage und sicher auch beeinflußt durch den Arbeitsmarkt werden die Gesamtbezüge prozentual nicht im gleichen Umfang erhöht wie die Tarifbezüge. Das galt bisher auch schon für andere Branchen.
Die Veränderung der Löhne und Gehälter kann auf strukturelle Entwicklungen[58], wie sie durch die Bergbau- und Stahlkrise im damaligen Hochlohnbereich Ruhrgebiet erfolgte, zurückgeführt werden. Andererseits sind ungewöhnliche Unterschiede, wie höhere Bezüge in ländlichen Gebieten

---

[57] Vgl. Zander, E. (1981), S. 160ff.
[58] Vgl. Zander, E. (1990), S. 6f.

im Apothekenbereich, auf heute mehr im Vordergrund stehende Fragen nach der Lebensqualität zurückzuführen.
Die Apothekenleiter stehen nun vor dem Problem – je nach Leistung der Mitarbeiter und nach der örtlichen Situation –, eine relativ geringe Erhöhung (z. B. 2 %) vorzunehmen oder die Erhöhung jeweils auf den 1. 5. zu verschieben, um dann die Bezüge um rd. 4 % zu steigern. Manchmal wünschen die Mitarbeiter auch eine Umwandlung in Freizeit.
Ein kleinerer und mittlerer Betrieb hat allerdings die Möglichkeit, in vieler Hinsicht individueller vorzugehen, ohne die Gleichbehandlung zu verletzen. Er kann eher auf die Wünsche der Mitarbeiter eingehen, z. B. hinsichtlich der Arbeitszeit[59], ihnen dadurch mehr das Gefühl der Zufriedenheit geben, als es vielleicht mit einer Gehaltserhöhung möglich wäre.[60]
Das Erfüllen besonderer Wünsche der Mitarbeiter kann ein starker Anreiz zu hoher Leistung sein. Sonderleistungen, die nicht geheim zu sein brauchen, sondern im Mitarbeiterkreis abgestimmt sein können, vermögen stärker zu motivieren als eine gute einheitliche Behandlung. Je mehr ein Mitarbeiter spürt, daß auf seine speziellen Wünsche eingegangen wird, je stärker kann dies ein Impuls für besondere Leistungen sein.
Aufgrund der in den meisten Branchen und Regionen langfristig abgeschlossenen Tarifverträge, die in sehr unterschiedlicher Weise mit Arbeitszeitverkürzung verbunden sind, liegen wenig auswertbare Lohn- und Gehaltsvergleiche vor.
Lagen die Startbezüge für Akademiker mit pharmazeutischer Ausbildung lange Zeit an der Spitze, so sind sie jetzt niedriger geworden. Das gilt besonders gegenüber Diplomchemikern und Diplominformatikern.
Aber auch in anderen Ausbildungsbereichen sind sehr unterschiedliche Gehaltsentwicklungen[61] festzustellen.
Innerhalb der einzelnen Branchen und Berufsgruppen spielen außerdem die Arbeitsbedingungen, die Arbeitsmarktlage und die wirtschaftliche Situation der einzelnen Betriebe eine große Rolle. Darum können pauschale Übersichten nur Anhaltspunkte geben, von denen in Einzelfällen beträchtlich abgewichen wird.
Die Neigung, übertarifliche Bezüge zu zahlen, hängt einmal von der Eigenart und Höhe der Entgelttarife ab, berücksichtigt aber auch spezifische Situationen. So ist die relativ hohe Einstiegsbezahlung bei Apothekern auch zurückgegangen, da die tarifvertraglich vorgesehenen 15 % als Abgeltung von Notdienst sowie Sonn- und Feiertagstätigkeiten in ihrer Bedeutung zurückgehen. Die Notdienste sind weiter verringert worden und werden sicher auch in Zukunft erneut eingeschränkt.

[59] Vgl. Glaubrecht, W., Wagner, D., Zander, E. (1988), S. 27 ff.
[60] Vgl. Zander, E. (1994 b).
[61] Vgl. Rohr, S., Zander, E. (1993). Beck, M., Hummel, Th. R., Zander, E. (1993).

Leider liegen kaum Ergebnisse vor, die etwas über die effektiven Bezüge aussagen. Trotzdem wollen wir in einer Übersicht Anhaltspunkte geben, die auch die unterschiedlichen Relationen in den verschiedenen Bundesländern andeuten.

Abb. 24: Monatliche Grundbezüge von approbierten Apothekern

	1. Berufsjahr	2.–5. Berufsjahr	6.–10. Berufsjahr	über 10 Berufsjahre
Tarifgehalt (West)	4056 DM	4182 DM	4500 DM	5072 DM
Durchschnittlich gezahlt in: Bundesländern (West)	4627	4905	5446	5589
Berlin	3232	–	4626	3791
Schleswig-Holstein	–	4685	–	5377
Bremen	–	4259	–	5962
Hamburg	4555	4994	5578	6184
Niedersachsen	4991	5071	5611	4680
Hessen	4593	4937	5177	5392
Nordrhein-Westfalen	4782	4894	5675	5703
Rheinland-Pfalz	4008	5286	–	5641
Saarland	–	–	6129	–
Baden-Württemberg	4600	4880	4877	6205
Bayern	4713	4640	5242	5914
Tarifgehalt (Ost)	2296 DM	2368 DM	2596 DM	2926 DM
Durchschnittlich gezahlt in: Bundesländern (Ost)	–	2370	–	3073

Quelle: BBE

Auch hier gibt es je nach Eigenart der Apotheke und nach Gegend große Unterschiede.

Bei den Personalzusatzkosten sind die Abweichungen von Branche zu Branche beträchtlich. Im Falle von Zusatzleistungen, wie sie von Apothekern auch sehr unterschiedlich gewährt werden, sollte der Nutzeffekt nicht vergessen werden. Jeder Apothekenleiter muß klare Vorstellungen darüber haben, was er mit den freiwilligen Zusatzleistungen bewirken will.

Allgemein will ein Betrieb mit derartigen zusätzlichen Leistungen, die vom Essenangebot bis zur Unterstützung in Notfällen gehen können, folgendes erreichen:

- dauerhaftes Erhalten der Einsatz- und Leistungsbereitschaft aller Mitarbeiter (Motivation),
- Abwenden von Notsituationen bei Mitarbeitern, wenn diese für den Arbeitsprozeß nachteilige Auswirkung haben (können), sowie Wiederherstellen der Arbeitsbereitschaft der Mitarbeiter,
- Herstellen und Erhalten eines möglichst angenehmen Arbeitsumfeldes und Arbeitsklimas, so daß die Mitarbeiter sich wohl fühlen und ihrer Arbeit gern nachgehen,
- Zufriedenstellen derjenigen Mitarbeiter, die im Vergleich zu anderen mehr leisten und mehr Verantwortung tragen.[62]

In vielen mittleren und großen Firmen werden seit Jahren zur Zufriedenheit der Betroffenen Erfolgs- und Gewinnbeteiligungssysteme praktiziert. Das gilt besonders dann, wenn aufgrund relativ niedriger Tarife der Spielraum für außertarifliche Leistungen groß genug ist.[63] In Apotheken ist eine Erfolgsbeteiligung noch sehr selten anzutreffen, obwohl manche Gründe – insbesondere bessere Motivation der Mitarbeiter, größere Flexibilität bei den Personalzusatzkosten – dafür sprechen. Bei den vorhandenen Systemen sind die unterschiedlichsten Bezugsgrößen anzutreffen.
Der einfachste Maßstab ist eine Leistungsbewertung als Zulage in Prozenten der monatlichen Bezüge. Ein Apotheker berichtet von einer Orientierung am Rohgewinn, wobei Veränderungen im Warenlager berücksichtigt werden müssen. Dabei müssen größere Veränderungen im Warenlager beachtet werden, was bei permanenter Inventur keine Schwierigkeiten bereiten dürfte.
Bei einer Orientierung am Umsatz sind die Kassenrezepte eine gute Bezugsgröße. Dabei muß berücksichtigt werden, daß bei einem großen Freiwahlsortiment die oft sehr niedrig kalkulierten Preise die Personalkosten nicht mehr decken.[64]

[62] Vgl. dazu ausführlich: Zander, E. (1990a).
[63] Vgl. dazu ausführlich: Schneider, H., Zander, E. (1993).
[64] Vgl. Urban, M. H. (1989), S. 14ff.

VI Sonderformen der Apotheken

Die wesentlichsten Punkte der Betriebsführung, die hier beschrieben wurden, gelten für alle Formen der Apothekenführung. Allerdings haben sich für verschiedene Sonderformen rechtliche und wirtschaftliche Konsequenzen ergeben, auf die wir hier nur kurz eingehen wollen.

1. Verwaltung

Um den Erben nach dem Tode des Apothekeninhabers zeitlich die Möglichkeit zur Entscheidung über die Apotheke zu geben, ist die Verwaltung einer Apotheke für längstens zwölf Monate durch einen Apotheker möglich. Der dafür angestellte Apotheker (Verwalter) erhält für diesen Zeitraum eine behördliche Genehmigung. Er muß zwar die Apotheke persönlich leiten, besitzt jedoch nicht die „uneingeschränkte eigene Verantwortung", da er für das wirtschaftliche Risiko der Apotheke nicht verantwortlich ist. Er führt vielmehr als Angestellter in abhängiger Stellung die Apotheke und ist wirtschaftlich den Erben, die auch das Betriebsrisiko tragen, verantwortlich.
Apotheker, die eine eigene Existenz aufbauen wollen, haben im Verlauf einer Verwaltertätigkeit die Möglichkeit, die Apothekenbetriebsführung in ihrer vollständigen Form kennenzulernen und, falls vertraglich eine spätere Pacht abgemacht wird, die Apotheke automatisch zu übernehmen. Für die Verwaltertätigkeit selbst gelten im übrigen, genauso wie für andere Apotheken, die Apothekenbetriebsordnung und die Vorschriften über die Herstellung von Arzneimitteln und den Verkehr mit diesen.
Ist es den Erben nicht möglich, einen Verwalter oder Pächter zu finden, muß die Apotheke verkauft oder geschlossen werden. Allerdings kann der Inhaber einer nahegelegenen Apotheke auf Antrag die Erlaubnis auf Betrieb einer Zweigapotheke erhalten, was heute selten vorkommt. Der Leiter der Zweigapotheke fungiert dann als Verwalter in abhängiger Stellung vom Inhaber der Stammapotheke. Für ihn gelten die gleichen Vorschriften des in abhängiger Stellung tätigen Verwalters (siehe § 13 Apothekengesetz).

2. Pacht

Normalerweise darf sich ein Apotheker nach § 1 Absatz 4 der Apothekenbetriebsordnung nicht mehr als drei Monate im Jahr vertreten lassen. Es sei denn, es liegt ein in der Person des (Apothekers oder) Apothekenleiters

begründeter wichtiger Anlaß vor. Das kann z. B. hohes Alter oder die Änderung des Wohnsitzes als Folge einer Heirat sein. Dann wird die zuständige Behörde den Einzelfall prüfen und unter Umständen eine über drei Monate im Jahr dauernde Vertretung in der Leitung zulassen. Lehnt sie es ab, ist (noch) die Verpachtung der Apotheke möglich.
Aber nicht nur solche Gründe, sondern auch der Tod des Erlaubnisinhabers berechtigen zur Verpachtung der Apotheke. Die überlebende, erbberechtigte Witwe – im Zuge der Gleichberechtigung wird man besser Ehegatte sagen – kann bis zu der Wiederverheiratung die Apotheke verpachten. Ebenso ist eine Verpachtung möglich, solange das jüngste der erbberechtigten Kinder das 23. Lebensjahr noch nicht vollendet hat.[65]
Als Folge der Niederlassungsfreiheit wird eine Verpachtung von Apotheken zwar zahlenmäßig geringer und die Pachtzinsen werden fallen, jedoch gibt es immer Apotheker, die ohne eigene Mittel und mit nur geringer Erfahrung in der Apothekenführung den Weg über die Pacht zur eigenen Apotheke wählen.
Pacht bedeutet die vertragliche Überlassung des Gebrauchs eines Rechtes, und zwar gegen Zahlung von Pachtzinsen. Der Verpächter übergibt dem Pächter das Inventar, das dieser bei Beendigung des Pachtverhältnisses zurückgeben muß.
Für Apothekenverpachtungen sind Musterverträge ausgearbeitet worden, die die allgemeinen Dinge regeln. Umstritten bei Verpachtungen ist vor allem die Höhe des Pachtzinses.
Gewisse Voraussetzungen für die Übernahme einer Pachtapotheke müssen auf jeden Fall beachtet werden. So muß der wirtschaftliche Ertrag so groß sein, daß er beiden Seiten interessant erscheint. Um den Pächter wirtschaftlich unabhängig zu machen, fordert das Apothekengesetz (§ 9, Abs. 2) die berufliche Verantwortlichkeit und die Entscheidungsfreiheit des pachtenden Apothekers, d. h. Eigentum des Warenlagers. Den Apothekenraum, die vorgeschriebene Einrichtung und im gewissen Sinne den Kundenstamm bringt der Verpächter ein.
Die Verpachtung einer Apotheke mit einem Umsatz von unter 1 Mio DM im Jahr dürfte in den seltensten Fällen neben der Vergütung der eigenen Arbeitsleistung noch Gewinne erbringen, es sei denn, der Verpächter begnügt sich mit einem relativ niedrigen Pachtzins. Als Untergrenze des Pachtzinses kann der Zinsbetrag angesetzt werden, den der Verpächter für das investierte Kapital und für die Minderung durch normale Abnutzung erhalten könnte. Andererseits ist die Gefahr neuer Konkurrenz durch Eröffnung einer Apotheke in der Nähe um so größer, je höher der Umsatz der Pachtapotheke ist.

[65] Vgl. § 9 ApoG.

Einen Vergleich der wirtschaftlichen Eckdaten einer vom Inhaber geführten und einer Pachtapotheke zeigt folgendes Bild[66]:

Abb. 25: Kennziffern

Kennziffern	1992 TDM	Prozent vom Umsatz	1993 TDM	Prozent vom Umsatz
Umsatz	2000	100,0	1800	100,0
Brutto- bzw.				
Rohertrag	656	32,8	590,4	32,8
Betriebskosten	484	24,2	460,8	25,6
davon:				
Personalkosten	214	10,7	217,8	12,1
Pacht	138	6,9	124,2	6,9
Raumkosten	12	0,6	14,4	0,8
Werbung	12	0,6	12,6	0,7
Kfz-Kosten	6	0,3	7,2	0,4
Fremdkapitalzinsen	12	0,6	12,6	0,7
Abschreibungen	16	0,8	16,2	0,9
Gewerbesteuer	22	1,1	5,4	0,3
übrige Kosten	52	2,6	50,4	2,8
Betriebsergebnis	172	8,6	129,6	7,2

Der Pächter – wenn er nicht außergewöhnliche Umsatzsteigerungen erwarten kann – sollte eine Verzinsung des von ihm finanzierten Warenlagers und eine Grundvergütung plus Unternehmerlohn für seine Tätigkeit plus Gewinn veranschlagen.
Ein Muster-Pachtvertrag, der aber nur als Rahmen betrachtet werden sollte, ist im Anhang auszugsweise wiedergegeben.
Es empfiehlt sich, in einem derartigen Vertrag auch Einzelheiten (laufende Investitionen, Anschaffungen aufgrund neuer gesetzlicher Bestimmungen) und erforderliche Sicherungen (Kosten bei Auseinandersetzungen) zu regeln.
Aus diesen Zahlen sind der verbesserte Personaleinsatz und verminderte Versicherungsbeiträge am deutlichsten erkennbar.
Wer sich zur Pacht oder Verpachtung entschließt, sollte auch die zahlreichen steuerlichen Besonderheiten beachten, auf die hier nicht näher eingegangen werden kann.

[66] Kollenberg, G. (1993): Heft 5/93, S. 4ff.

Bei gutem Willen beider Seiten wird es auch heute noch befriedigende Pachtverhältnisse[67] geben, die der einen Seite den Start als Apotheken-inhaber erleichtern und der anderen ein Auskommen ermöglichen.

[67] Vgl. dazu ausführlich: Fichtel, U.: Apotheken-Verpachtung in: AWA – Aktueller Wirtschaftsdienst für Apotheken v. 1.2.1990, Baierbrunn bei München, S. 1 ff.

VII Ausblick

Wir schilderten die gegenwärtige Situation und gingen verstärkt auf die Themen Kunden und Mitarbeiter ein.
In den verschiedenen Kapiteln versuchten wir aufzuzeigen, wie notwendig gute betriebswirtschaftliche Grundlagen für eine Apothekenführung sind. Die Vergangenheit hat gezeigt, wie unterschiedlich die Öffentlichkeit Apotheken betrachtet. Manchmal wird die Arbeitsleistung unterschätzt und oft die Gewinnspanne immer noch überschätzt. Kurz: Das Bild des Apothekers in der Öffentlichkeit entspricht nicht dem Wunschbild des Apothekers. Zuweilen wird der Berufsstand im Rahmen unserer Volkswirtschaft nicht richtig und gerecht bewertet. Viele Patienten vertrauen nach einer Lintas-Studie allerdings besonders dem Apotheker.

1. Härterer Wettbewerb und sinkende Rendite

Aber es genügt nicht, anderen vorzuhalten, sie sähen den Apothekerstand nicht richtig, sondern die Apotheker müssen selbst einiges dazu tun, d. h., die Öffentlichkeitsarbeit muß intensiviert werden. Wie für alle Wirtschaftszweige gilt hier der Grundsatz, daß das Wissen in fünf bis sieben Jahren überholt ist. Wie viele Apotheker glauben jedoch noch, daß sie mit dem nun einmal erworbenen Wissen lebenslang auskommen und dabei auch noch wirtschaftlich gut dastehen können. Dies mag zeitweilig in gewissem Maße so gewesen sein. Jedoch wird in Zukunft der Apotheker, der sich auf seinem Fachgebiet nicht weiterbildet und der die wirtschaftlichen Grundsätze einer Betriebsführung nicht beachtet, nicht damit rechnen können, seine Existenz zu sichern. Gute fachliche Beratung in Verbindung mit einer optimalen Lieferbereitschaft sind die Chancen der Apotheken. Nachlässigkeit und Stillstand bedeuten zwangsläufig das Ende, weil ohne die Erfüllung dieser wichtigen Funktionen keine Existenzberechtigung für die Gesellschaft mehr besteht.
Der Wettbewerb verschont in Zukunft auch die Apotheken nicht. Wir müssen damit rechnen, daß bei der Entwicklung, wie sie nun einmal abzusehen ist, die Konkurrenz eher härter wird. Ohne betriebswirtschaftliche Kenntnisse kommt ein Apothekenleiter nicht mehr aus.
Mit einer weiteren Verringerung der Handelsspanne ist zu rechnen. Die Kosten werden weiter steigen, und die Rendite wird sinken. Die Apothekenleiter müssen sich einfach mit der Betriebswirtschaft beschäftigen, wenn auch die meisten die notwendigen Kenntnisse während der Ausbildung nicht erwerben konnten.

Wer heute aktiv im Apothekenmarkt agiert, braucht nicht den härter werdenden Wettbewerb zu fürchten. Der aktive Apotheker wird nicht erst reagieren, wenn sich ihm eine neue Situation darstellt, sondern er wird vorher Initiativen entwickeln. Dies führt dazu, daß andere sich an ihm ausrichten und sich in einem permanenten Prozeß des Reagierens befinden. Somit muß für den aktiven Apotheker auch nicht unweigerlich gelten, daß mit einer allgemeinen Verringerung der Handelsspanne für einzelne Artikel insgesamt auch die Rendite der Apotheke als Unternehmen sinkt. Der Einsatz zeitgemäßer Informationsmittel sowie der ständige Dialog mit qualifizierten Beratern gibt dem Apotheker jederzeit wertvolle Hinweise, die er für neue Aktivitäten nutzen kann.
In Deutschland wird der Apotheker sicherlich in der nächsten Zeit zu beachten haben, wie sich außer den sich verändernden Einkaufs- und Verhaltensweisen des Endverbrauchers mögliche Auswirkungen des Gesundheitsreformgesetzes kompensieren lassen und wie den verstärkten Herausforderungen des europäischen Binnenmarktes begegnet werden kann.
Die Berufsverbände geben sich vor allem auf dem pharmazeutisch-wissenschaftlichen Gebiet große Mühe um die Weiterbildung der Apotheker. Auf Kongressen wird das Thema „Die Elektronik im Dienste des Offizin-Apothekers" genauso behandelt wie eine Verbesserung in der Zusammenarbeit mit Krankenkassen, Ärzten, ja sogar mit Politikern.
Der Ruf, den sich die Apotheker durch ihre Einstellung und durch ihre Haltung in den vergangenen Jahrzehnten erworben haben, ist keine Garantie für die Zukunft. Nachdem die Gesetzgebung auf den meisten Gebieten der Apothekenbetriebsführung sichere Grundlagen für die nächsten Jahre geschaffen hat, müssen nun die Apothekeninhaber handeln. Dabei haben sie die schwierige Aufgabe, zwischen der Versorgungspflicht und der Wirtschaftlichkeit einen Weg zu wählen, der ihnen im Beruf Befriedigung, aber auch für ihre Familie und für ihre Mitarbeiter eine gute wirtschaftliche Existenz bietet.
Die Apothekeninhaber sind, selbst wenn wir ihre Angehörigen dazurechnen, eine zu kleine Zahl im gesellschaftlichen Leben, um politisches Gewicht haben zu können. Um so notwendiger ist es aber, viele für die Apothekenbetriebsführung notwendige Grundsätze auch bei uns zu verwirklichen. Das bezieht sich auch auf die großen Probleme, wie die Abwehr von Verstaatlichungstendenzen, und auf aktuelle Schwierigkeiten, wie die notwendige Beschränkung des Sonntags- und Feiertagsdienstes, die Ladenöffnungszeiten und die Revisionen.
Die wirtschaftliche Betriebsführung läßt sich verbessern, wenn der Apotheker nicht mehr mit nur scheinbar voneinander abweichenden unzähligen Spezialitäten umgehen muß, die ihm nicht nur die Arbeit erschweren, sondern auch den Kunden verwirren. Die Interessen der Bevölkerung und

der Apotheker sind hier identisch. Von seiten der Apotheker ist Aktivität in jeder Hinsicht notwendig, wenn sie noch Unternehmer bleiben wollen. Arzneimittelabgabestellen sind in jeder politischen Landschaft möglich. Apotheker, die aber gleichzeitig Unternehmer sein wollen, müssen etwas mehr für ihren Berufsstand und ihre Apotheke tun.
Dieses wird auch immer mehr von allen Beteiligten erkannt.

2. Verstärkte internationale Einflüsse

Der internationale Einfluß auf das Geschehen in der Bundesrepublik Deutschland, auch im Bereich Arzneimittel-Apotheken, ist sehr viel größer, als man es allgemein empfindet. Als Beispiele sei an das Europäische Arzneibuch oder an das internationale Abkommen über psychotrope Stoffe erinnert.
Im Jahr 1945 entstand als Nachfolger des Völkerbundes die Organisation der Vereinten Nationen (United Nations Organization – UNO).
Die Erhaltung des Friedens, die internationale Zusammenarbeit auf wirtschaftlichem, sozialem, kulturellem und humanitärem Gebiet sowie der Schutz der Menschenrechte und der Grundfreiheiten sind die Ziele dieser globalen Organisation.
Neben dem Sekretariat der Vollversammlung, dem Sicherheitsrat und anderer Einrichtungen ist der Wirtschafts- und Sozialrat der UNO für wirtschaftliche, soziale, medizinische und kulturelle Fragen zuständig. Bei ihm existiert seit 1957 eine Suchtkommission und seit 1961 ein Suchtstoffamt. Dieses Amt arbeitete das Abkommen über „psychotrope Stoffe“ aus, das in der UNO akzeptiert und später auch in der Bundesrepublik ratifiziert wurde.
So hat es im Betäubungsmittelrecht unseres Landes seinen Niederschlag gefunden und dabei die Zahl der Stoffe und Zubereitungen, die durch dieses Recht erfaßt wurden, entscheidend ausgeweitet.[68] Eine Reihe von Barbitursäureverbindungen sowie Verbindungen, deren Wirkung den Barbituraten vergleichbar ist, fallen z. B. seitdem unter die Betäubungsmittelvorschriften. Sie sind in der Anlage III, Teil B des Betäubungsmittelgesetzes (BtMG) aufgeführt.
Eine der Sonderorganisationen der UNO ist die Weltgesundheitsorganisation (World Health Organization – WHO). Ihre Aufgabe ist es, den besten erreichbaren Gesundheitszustand aller Völker herbeizuführen. Dazu hat die WHO eine vielbeachtete Definition des Begriffes Gesundheit gefun-

[68] Vgl. Gesetz über den Verkehr mit Betäubungsmitteln (Betäubungsmittelgesetz – BtMG) v. 28.7.1981, BGBl I S. 681, ber. S. 1187.

den, die über das Freisein von Krankheit und Gebrechen hinausgeht, ja die den medizinischen Rahmen sprengt: „Gesundheit ist der Zustand des vollständigen körperlichen, geistigen und sozialen Wohlbefindens."
Außer internationalen Gesundheitsvorschriften hat die WHO die bekannten Regeln „Quality Control of Drugs" beschlossen, die bekannter unter der Bezeichnung „Good Manufacturing Practices – GMP-Richtlinien" geworden sind.
Die Grundsätze der GMP-Richtlinien sind in das AMG 1976 eingearbeitet worden. Soweit es irgend möglich ist, finden sie auch ihren Eingang bei der Herstellung von Arzneimitteln in öffentlichen und in Krankenhaus-Apotheken.[69]
Die größte Vereinigung europäischer Staaten ist der 1949 gegründete Europarat. In ihm ist eine große Zahl europäischer Staaten zusammengeschlossen. Schwerpunkte seiner Arbeit sind u. a. Fragen der Menschenrechte (z. B. Europäische Menschenrechtskonvention 1959), Jugend (z. B. Europäische Jugend-Stiftung), Erziehung, Kultur und Sport sowie öffentliche Gesundheit.
Neben Studien zur pharmazeutischen Ausbildung über den Mißbrauch von Arzneimitteln und über Fragen der Selbstmedikation wurde eine Liste der Stoffe erarbeitet, die in Europa verschreibungspflichtig sein sollten (Resolution AP [88]2). Die Europa-Arzneibuchkommission bestimmt mit ihrer Arbeit den Inhalt der Europäischen Arzneibücher. In der Bundesrepublik sind diese Vorschriften zusammen mit den nationalen Bestimmungen zum verbindlichen Arzneibuch zusammengefaßt.
Internationale Zusammenarbeit findet am intensivsten in der Europäischen Union statt. Die EWG (Europäische Wirtschaftsgemeinschaft) wurde durch den Vertrag von Rom 1958 geschaffen. Sie hat sich inzwischen zur Europäischen Gemeinschaft mit dem Ziel eines Staatenbundes gewandelt. Die Gründerstaaten waren seinerzeit Belgien, die Bundesrepublik Deutschland, Frankreich, Italien, Luxemburg und die Niederlande. Durch die Beitritte Dänemarks, Irlands, Griechenlands, Portugals, Spaniens und des Vereinigten Königreichs gehören jetzt 12 Staaten der Gemeinschaft an. Weitere haben ihren Beitritt beantragt. Die Ziele der Gemeinschaft sind:

- ein gemeinsamer Markt,
- Freizügigkeit der Arbeitnehmer,
- Niederlassungsfreiheit der Selbständigen und freier Dienstleistungsverkehr,

[69] Vgl. Oeser, W., Sander, A. (1989).

- Assoziierung überseeischer Gebiete,
- Beziehung zu Drittländern.

Durch ihre Initiativen soll die Integration der Gemeinschaft gefördert werden. Dazu erarbeitet sie u.a. Richtlinienvorschläge, die in der Regel den beiden Beratungsgremien, dem Wirtschafts- und Sozialausschuß und dem Europäischen Parlament, zur Stellungnahme vorgelegt werden. Nach deren Entschließungen und eventuellen Abänderungsvorschlägen überweist die Kommission die Papiere endgültig dem Ministerrat, einem Gremium der Regierungsvertreter der einzelnen Mitgliedsstaaten. Durch Annahme der Vorschläge werden die Richtlinien geltendes EU-Recht und müssen meist nach einer Übergangszeit in die Gesetzgebung der Länder aufgenommen werden.
So wurden im Gesundheitswesen z.B. Richtlinien über die gegenseitige Anerkennung der Diplome der Ärzte, Zahnärzte, Tierärzte und Apotheker erlassen. Sie ermöglichen es diesen Berufsangehörigen, sich grundsätzlich im gesamten EU-Raum beruflich zu betätigen. Durch zwei allgemeine Anerkennungsrichtlinien ist sichergestellt, daß auch andere Berufe, akademische oder nichtakademische, in der Gemeinschaft gegenseitig anerkannt werden. Für den Apothekensektor sind hier die PtA's und PkA's zu nennen.
Viele Einzelbeziehungen werden heute noch von den Mitgliedsstaaten individuell geregelt. So ist z.B. das Niederlassungsrecht für Apotheker in der EG nicht vereinheitlicht. Es gibt Mitgliedsstaaten mit mehr oder weniger strengen Bedürfnisprüfungen bis hin zum liberalen System der Bundesrepublik. Seit den Verträgen von Maastricht (Schaffung der Europäischen Union) gilt der Grundsatz der Subsidiarität. Das bedeutet, daß nur die Dinge von der Gemeinschaft geregelt werden, deren Harmonisierung durch Vorschriften der einzelnen Mitgliedsstaaten nicht erreicht wird.
Am 1. Januar 1993 begann in der Gemeinschaft eine neue Phase: der Binnenmarkt. Auf dem Gebiet der Arzneimittel wurde dazu eine Anzahl harmonisierender Richtlinien erlassen, die z.B. die Verschreibungspflicht von Arzneimitteln, die Beschriftung der Arzneimittel, den Großhandel mit Arzneimitteln und die Werbung für Arzneimittel regelt. Die Zulassung der Arzneimittel erfolgt nach dem sog. „Dualen System", d.h., gentechnologisch hergestellte Produkte müssen, hoch innovative Produkte können auf Wunsch der Hersteller europaeinheitlich zugelassen werden. Federführend dafür ist eine Agentur. Alle nationalen Zulassungen der Arzneimittel können nach einem vereinfachten Verfahren gegenseitig anerkannt werden. Offen bleiben bisher die Probleme der Preisbildung für Arzneimittel und die Frage der Erstattungsfähigkeit der verordneten Präparate durch die sozialen Einrichtungen in den Mitgliedsstaaten.

Eine vom Ministerrat eingesetzte Expertenrunde bei der EG-Kommission, der Beratende Ausschuß für die pharmazeutische Ausbildung, beschäftigt sich mit einer möglichen Harmonisierung der Grundausbildung an den Universitäten der Gemeinschaft. Er hat bereits eine Empfehlung für das Praktikum im Rahmen der Ausbildung – in Deutschland der dritte Prüfungsabschnitt – gegeben. Bei den Arbeiten zu diesem Papier wurden die großen Unterschiede in der Ausbildung für Pharmazeuten in den verschiedenen Mitgliedsstaaten deutlich. Darüber hinaus beschäftigt sich der Ausschuß mit Fragen der Spezialisierung zum Fachapotheker und mit Empfehlungen für die Fortbildung. Bei der Spezialisierung zum Offizinapotheker sollen neben der Vertiefung der wissenschaftlichen Kenntnisse im Vergleich zum Grunddiplom vor allem ökonomische Kenntnisse vermittelt werden, z. B. auf dem Gebiet der Warenbewirtschaftung, der Organisation und Leitung einer Apotheke, des Einsatzes von EDV-Einrichtungen und der Personalpolitik.
Obgleich es nicht möglich und auch nicht wünschenswert ist, für die Apotheker Europas einheitliche Berufsregeln oder gar eine Berufsordnung zu erlassen – das bleibt den einzelnen Mitgliedsstaaten vorbehalten –, haben sich die Apotheker Europas doch auf gewisse Rahmenbestimmungen geeinigt. Ihr europäischer Verband in Brüssel, der seit 1958 besteht, hat eine Charta der europäischen Pharmazie erarbeitet. Danach gehört der Apotheker zu den freien Heilberufen mit akademischer Ausbildung. Nur ein Apotheker kann Besitzer einer Apotheke sein, wobei ein Mehrbesitz ausgeschlossen ist. Zum Schutz der öffentlichen Gesundheit und im Interesse der Verbraucher muß der Apotheker als Arzneimittelfachmann von der Fertigung der Arzneimittel bis zu ihrer Abgabe an die Öffentlichkeit präsent sein.
Der Binnenmarkt, der Beitritt von sechs EFTA-Staaten (Finnland, Island, Liechtenstein, Norwegen, Österreich und Schweden) und der Vertrag von Maastricht bringen der Gemeinschaft neue Probleme, die gemeistert werden müssen. Viele Detailfragen wird es im Apotheken- und Arzneimittelsektor zu lösen geben.
Die Bundesvereinigung Deutscher Apothekerverbände – ABDA – unterhält deshalb seit einigen Jahren ein Verbindungsbüro in Brüssel.
Ein weiteres ungelöstes Problem sind die unterschiedlichen Erstattungssysteme der sozialen Einrichtungen für die Krankenversorgung. Man kann davon ausgehen, daß die Angleichung der sozialen Leistungen in den verschiedenen Mitgliedsstaaten die EU-Kommission vor eine fast unlösbare Aufgabe stellt. Außerdem müssen die Vorschriften der Abgabesysteme von Arzneimitteln an das Publikum harmonisiert werden, um Ungerechtigkeiten – Diskriminierung – zu vermeiden. Es muß nicht nur festgelegt werden, wer Arzneimittel an den Verbraucher abgeben soll und wel-

che Artikel diese Verkaufsstelle – die Apotheke – außerdem noch freihalten darf, sondern es müssen auch einheitliche Listen über verschreibungspflichtige und apothekenpflichtige Arzneimittel aufgestellt werden.
Schließlich ergeben sich Fragen über die Ausbildung und über die Spezialisierung der Apotheker. Ihre Freiberuflichkeit, d.h. ihre unabhängige Entscheidungsfindung in der Berufsausübung, muß garantiert werden. Dazu benötigt man außerdem eine Koordinierung der Berufsregeln und auch eine Art ihrer Überwachung.
Eine Fülle von Problemen ist auf dem Wege zu einer europäischen Pharmazie also zu lösen. Dabei soll aber die Erhaltung einzelstaatlicher Eigenheiten nicht aus dem Auge verloren werden.
Zukünftig werden durch den Binnenmarkt neue Probleme auf die Apotheken zukommen. Die Anerkennung von Diplomen und beruflichen Qualifikationen in allen EU-Ländern wird langfristig manche Verschiebungen bringen. Seit 1987 erlauben die EU-Richtlinien den 210000 Apothekern in der Gemeinschaft, sich im Mitgliedsstaat ihrer Wahl niederzulassen und dort – wenn sie eine mindestens fünfjährige Fachausbildung absolviert haben – uneingeschränkt zu arbeiten.
Neben der Kompetenz eines Apothekers für Arzneimittel kommen weitere Forderungen aus einer verstärkten Aus-, Fort- und Weiterbildung und aus intensiven Produktinformationen. Die Fortbildung darf sich nicht nur auf den pharmezeutischen Teil beschränken, sondern muß viele betriebswirtschaftliche Fragen einbeziehen. Wenn die jungen Akademiker eingehende Kenntnisse im Apotheken-, Arzneimittel- und Betäubungsmittelrecht vermittelt bekommen und auch über Fragen der Organisation und Leitung einer Apotheke, Warenbewirtschaftung und Mitarbeitereinsatz informiert werden, dann darf der schon länger berufstätige Apotheker nicht stehenbleiben. Die gute Ausbildung im pharmazeutischen Bereich und eine erfolgreiche Weiterbildung müssen Grundlage für die ständige Fortbildung sein, um den Wissensstand aufzufrischen und die neuesten Ergebnisse in der Praxis anwenden zu können.

Diese neue Auflage der Apothekenbetriebslehre könnte zur Meinung verleiten, daß die Zukunftsaussichten der Apotheken schlecht sind, wie es auch auf dem ärztlichen Sektor publiziert wird.
Der Blick auf andere Branchen relativiert aber das Bild. In mittelständischen Bereichen kennen wir seit Jahrzehnten die z.T. einschneidenden Schrumpfungsentwicklungen. Ein Vergleich der Renditeentwicklungen

zwischen Apotheken und Einzelhandel zeigt dies deutlich (Abb. 26). Gegenwärtig wird dies auch in vielen großen Unternehmen im In- und Ausland deutlich.
Da die meisten Apotheken im Vergleich zu vielen Einzelhandelsbetrieben aber wirtschaftlich relativ gesund sind, ist kein Pessimismus nötig. Das setzt jedoch voraus, daß die wirtschaftlichen Probleme und die Führungsprobleme viel stärker beachtet werden. Die Apothekenleiterin und der Apothekenleiter sind eben kein isolierter Fachmann in einem großen Unternehmen, sondern haben einen Betrieb zu führen.
Ob die Apotheken nun anders werden und ausländische Einflüsse sich stärker auswirken, bleibt abzuwarten. Mehr Beratung wird auf jeden Fall notwendig sein. Auch das weite Gebiet des Marketing wird mehr in den Vordergrund treten.
Es gibt Denkmodelle, die eine Differenzierung in verschiedene Apothekenarten – von der Seniorenapotheke bis zur Ökologieapotheke – sehen. Das ist erfolgreich bei verschiedenen Markenartikeln gelungen. Verließe die Apotheke aber ihre umfassende Betreuung durch zu große Spezialisierung, würde das Image – Versorgung auf allen Gebieten der Gesundheit – mit allen negativen Folgen leiden. Dagegen wird sich die Zukunftsapotheke mehr um Standortprobleme und den damit verbundenen Kundengruppen kümmern.
Von verschiedenen Seiten – natürlich nicht von den Standesvertretungen – werden Marketingkonzepte angeboten, die darauf abzielen, die Dienstleistungen weiter auszubauen. Das gilt nicht nur für Kundenzeitungen und Botendienste.
Wenn auch die aktuelle Diskussion und Entwicklung manche nüchterne Überlegung überschatten, so hat die Apotheke wie gut geführte Unternehmen anderer Branchen eine Zukunft. Apothekenleiterinnen und Apothekenleiter müssen jedoch lernen, sich mehr mit der Marktwirtschaft auseinanderzusetzen, die gerade in den letzten Jahren immer stärker als das System anerkannt wird, das uns größtmöglichen Lebensstandard und Freiheitsspielraum gewährt.

Abb. 26: Das betriebswirtschaftliche Betriebsergebnis der Apotheken im Vergleich zum Einzelhandel[70]

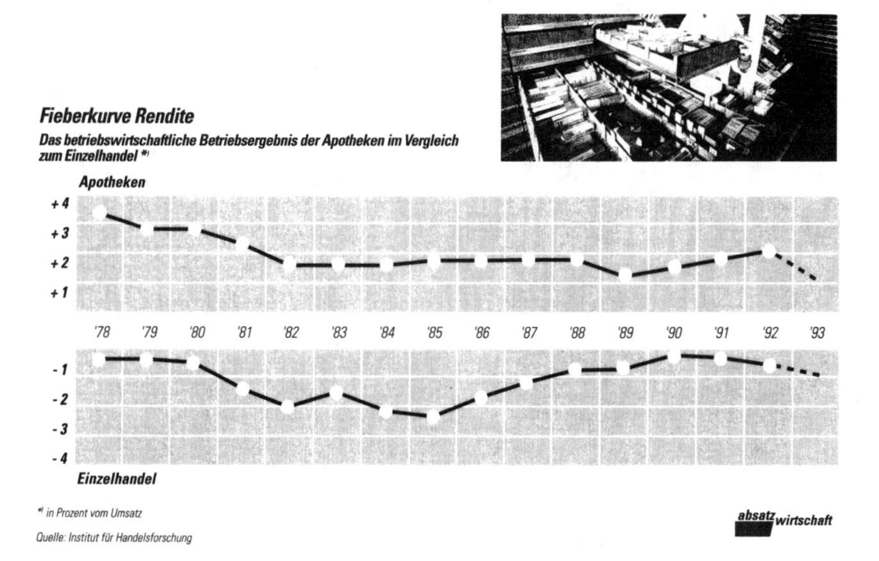

[70] Stippel, P., Apotheken: Im Kern gesund. In: Absatzwirtschaft 4/93.

Anhang

I. Apotheken-Pachtvertrag

Zwischen

Apotheker(in)*)
der Witwe*)
dem (den) Kind(ern)
des Erlaubnisinhabers*) .... in ....

als Verpachtungsberechtigte der ....-Apotheke in ....

als Verpächter

und

Apotheker(in) .... in ....

geboren am .... in .... bestallt am ....

durch .... als Pächter

wird, vorbehaltlich der Übereinstimmung mit den Vorschriften des Bundes-Apothekengesetzes und Erteilung der Erlaubnis zum Betrieb der Pachtapotheke durch die zuständige Behörde, nachstehender

Pachtvertrag

geschlossen.

§ 1 Gegenstand des Vertrages

1. Gegenstand des Vertrages ist die .... -Apotheke in .... einschließlich

a) der dem Apothekenbetrieb dienenden Räume (vgl. Aufzeichnung bzw. Skizze, Anlage 1),

b) der Geschäftseinrichtung des Apothekenbetriebes (vgl. Aufstellung, Anlage 2),

c) der sonstigen zum Weiterbetrieb der Apotheke gehörenden Vermögenswerte, wie Vorschriften über die in der überlassenen Apotheke seither hergestellten Eigenspezialitäten mit dazugehörigen Schutzrechten, soweit sie dem Verpächter gehören, der Geschäftsbücher sowie der etwa für den Apothekenbetrieb laufenden Verträge (z. B. Krankenhausbelieferungsvertrag u. a. m.) laut Aufstellung in Anlage 3.

(Für die Räume und deren Nutzung etwa vereinbarte Nebenleistungen sind in Anlage 4 aufzunehmen.)

*) Nichtzutreffendes streichen!

Das Formblatt wurde uns freundlicherweise vom Deutschen Apotheker-Verlag zur Verfügung gestellt.

2. Der Pächter ist nicht berechtigt, seine Rechte aus diesem Vertrag auf einen Dritten zu übertragen.

Oder:

1. Verpächter ist Eigentümer des eingerichteten Geschäftsbetriebes der

....-Apotheke in ....

2. Die Apotheke wird in Räumen betrieben, die der Verpächter gemäß Mietvertrag vom .... von dem Grundstückseigentümer

.... ermietet hat.

Die dem Apothekenbetrieb dienenden Räume sind in Anlage 1 (Aufzeichnung bzw. Skizze) zusammengestellt.

3. Dem Pächter ist der unterzeichnete Mietvertrag bekannt. Er ist ferner über die geschäftliche Entwicklung der gepachteten Apotheke, insbesondere über die Umsätze in den letzten Jahren, sowie über die Beschaffenheit des Warenlagers unterrichtet.

4. Verpächter verpachtet an den Pächter den eingerichteten Geschäftsbetrieb der ....-Apotheke. Die Geschäftseinrichtung wird in einer besonderen, von beiden Parteien zu unterzeichnenden Aufstellung zu diesem Vertrag als Anlage 2 beigefügt.

5. Verpächter überläßt dem Pächter die von ihm vermieteten Räume mit der Maßgabe, daß der Pächter Untermieter des Verpächters ist. Der Pächter hat sich mangels ausdrücklicher Zustimmung des Verpächters aller Maßnahmen zu enthalten, die dem Abschluß eines Mietvertrages zwischen Hauseigentümer und Pächter unmittelbar dienen. § 5 Abs. 3 Buchst. f bleibt unberührt.

6. Der Pächter ist nicht berechtigt, seine Rechte aus diesem Vertrag auf einen Dritten zu übertragen.

§ 2 Handelsfirma

1. Der Pächter ist verpflichtet, die bisherige Firma der Apotheke zu führen und sich auf seine Kosten als Pächter in das Handelsregister eintragen zu lassen. Die Firmierung wird lauten:

"..-Apotheke, Pächter ...."

Ist die Firma noch nicht in das Handelsregister eingetragen, so treffen die Kosten den Verpächter.

2. Der Pächter haftet nicht für Verbindlichkeiten, die vor Beginn des Pachtvertrags begründet sind. Der Ausschluß dieser Haftung ist auf Kosten des Pächters in das Handelsregister einzutragen und bekanntzumachen.

3. Der Pächter übernimmt den Einzug der Außenstände mit monatlicher Abrechnung.

4. Bei Beendigung des Pachtverhältnisses gelten diese Vereinbarungen entsprechend. Die alsdann notwendig werdende Änderung der Handelsregistereintragung erfolgt in diesem Fall auf Kosten des Verpächters.

§ 3 Pachtzins

1. Der Pachtzins einschließlich der Nutzung für die dem Apothekenbetrieb dienenden Räume, der Geschäftseinrichtung und der sonstigen, zum Weiterbetrieb der Apotheke gehörenden Vermögenswerte beträgt jährlich ...... %
des Netto-Jahresumsatzes (Umsatz ohne Umsatzsteuer), monatlich DM
Übersteigt der Umsatz DM ...., beträgt der Pachtzins für diesen Umsatz
.... %. Es ist ein monatlicher Mindestpachtzins von DM vereinbart.

Der Pächter hat dem Verpächter zusätzlich zum Pachtzins die hierauf entfallende Umsatzsteuer zu entrichten und diese monatlich in gesonderter Abrechnung auszuweisen.

2. Der Pachtzins ist monatlich am letzten Tag eines jeden Kalendermonats kostenfrei vom Pächter an den Verpächter auf das von diesem zu bestimmende Konto abzuführen. Eine Gesamtabrechnung für das Geschäftsjahr erfolgt innerhalb eines Monats nach dessen Ablauf.

3. Der Festsetzung des Pachtzinses (Absatz 1) ist zugrundegelegt der vom Verpächter angegebene und buchmäßig nachgewiesene

a) Reinertrag der letzten 3 Jahre in Höhe von durchschnittlich DM

b) Netto-Jahresumsatz der letzten 3 Jahre in Höhe von durchschnittlich DM ....

4. Der Verpächter kann verlangen, daß der Pächter ihm eine Abschrift der Umsatzsteuer-Voranmeldung übergibt. Er ist weiter berechtigt, die Umsätze durch Auskunft des Finanzamts zu überprüfen. Der Pächter erteilt hiermit dem Verpächter Vollmacht zur Einsicht in die Umsatzsteuerakten des Finanzamts.

5. Sollten sich durch unvorhergesehene und unabwendbare Gründe aus generellen Gegebenheiten, z. B. wesentlichen Änderungen der Arzneitaxe, Reform der Krankenversicherung oder grundsätzlichen oder schwerwiegenden Änderungen der Arzneilieferungsverträge mit den gesetzlichen Krankenkassen, Umsatz oder Rentabilität der verpachteten Apotheke um mehr als 20 %, gegenüber dem Jahresumsatz von .... DM erniedrigen, so sind die Vertragschließenden darüber einig, alsdann in Verhandlungen über eine Ermäßigung der in § 3 Abs. 1 genannten Mindestpachtzinsen einzutreten. Entsprechendes gilt, wenn die gleichen Folgen durch Errichtung weiterer Apotheken im Einzugsgebiet der verpachteten Apotheke eintreten sollten.

§ 4 Abgaben und Versicherungen

1. Jeder Vertragsteil trägt die ihn persönlich treffenden Steuern selbst.

2. Der Verpächter trägt insbesondere*)

a) die auf dem Grundstück lastenden Steuern;

b) die Kosten der Feuerversicherung des Gebäudes;

c) die Gebühren für die Warenzeichen;

....

....

3. Der Pächter trägt insbesondere*)

a) die den Apothekenbetrieb als solchen belastenden Geschäftssteuern und Abgaben (Gewerbesteuer, Umsatzsteuer);

b) die Kosten der Versicherung der Geschäftseinrichtung;

....

....

4. Der Pächter ist verpflichtet, auf seine Kosten die gesamte Geschäftseinrichtung des Apothekenbetriebs in ausreichender Höhe gegen Feuer zu versichern. Falls die Lösung eines vom Verpächter geschlossenen Versicherungsvertrags nach den Versicherungsbestimmungen nicht möglich ist, ist der Pächter verpflichtet, in diesen Vertrag einzutreten.

5. Die Hypothekenzinsen, Grundschuldzinsen, Reallasten treffen den Verpächter. Es wird vereinbart, daß unter Anrechnung auf den Pachtzins der Pächter folgende Zahlungen leistet:

....

....

§ 5 Pachtdauer

1. Der Vertrag wird geschlossen auf die Dauer von 5 Jahren, und zwar

vom .... bis ....

2. Wird der Vertrag nicht mit einer Frist von 6 Monaten zum Vertragsende gekündigt, so verlängert er sich jeweils um 3, 4, 5*) Jahre.

3. Das Vertragsverhältnis kann fristlos gekündigt werden

A durch den Verpächter,

a) wenn das Konkursverfahren oder ein gerichtliches Vergleichsverfahren über das Vermögen des Pächters eröffnet wird;

---

*) Nichtzutreffendes streichen!

b) wenn der Pächter sich erhebliche Verstöße gegen seine Pflichten als verantwortlicher Leiter der Apotheke zuschulden kommen läßt;

c) wenn der Pächter wegen einer ehrenrührigen Handlung mit einer Freiheitsstrafe bestraft wird;

d) wenn der Ruf der gepachteten Apotheke durch offensichtliches Verschulden des Pächters erheblich und nachhaltig gefährdet wird;

e) wenn der Pächter mit der Bezahlung von mehr als einer Pachtzinsrate trotz Mahnung in nicht unerheblichem Maße in Rückstand bleibt;

f) wenn der Pächter durch Verhandlungen versucht, die der Pachtapotheke dienenden Betriebsräume durch eigene Abmachung ohne Wissen des Verpächters sich mit dem Ziele zu sichern, den Verpächter aus dem Besitz der Räume auszuschalten;

g) wenn der Verpächter nachweisen kann, daß der Pächter durch Neugründung einer Apotheke oder durch Beteiligung an einer bestehenden Apotheke, sei es während der Vertragsdauer, sei es für die Zeit nach Ablauf des Vertrages, mit der Pachtapotheke in Wettbewerb zu treten beabsichtigt.

B durch den Pächter,

a) wenn die Angaben des Verpächters über Umsatz oder Reinertrag offensichtlich unrichtig sind;

b) wenn der Pächter durch Maßnahmen des Verpächters in seiner Verpflichtung zur verantwortlichen Leitung der Apotheke trotz schriftlicher Abmahnung nachhaltig behindert wird;

c) wenn der Verpächter trotz wiederholter Aufforderung es versäumt, die ihn treffenden Verpflichtungen zur Instandhaltung der Apotheke zum Zwecke eines ordnungsgemäßen Apothekenbetriebes zu erfüllen.

4. Der Pächter verpflichtet sich, für die Dauer des Vertragsverhältnisses sich keine Erlaubnis zum Betreiben einer anderen Apotheke erteilen zu lassen und nicht in anderer Weise durch ein von ihm zu vertretendes Verhalten das Erlöschen oder die Zurücknahme seiner Erlaubnis zum Betreiben der Pachtapotheke herbeizuführen. § 15 dieses Vertrages gilt neben dieser Verpflichtung.

5. Der Pächter kann jedoch das Vertragsverhältnis mit sechsmonatlicher Frist zum Ende des Geschäftsjahres vorzeitig kündigen, wenn durch Eröffnung weiterer Apotheken die Ertragslage der Pachtapotheke unangemessen absinkt.

6. Das Vertragsverhältnis, mit Ausnahme des Vertrages über die Wohnung, endet mit dem Tode des Pächters. Gehört zu den Erben des Pächters ein bestallter Apotheker, der die gesetzlichen Voraussetzungen für die Übernahme einer Apothekenpachtung erfüllt, kann dieser das Vertragsverhältnis durch Erklärung gegenüber dem anderen Teil als Pächter fortsetzen. Die Erklärung ist binnen 1 Monat nach dem Tode des Pächters abzugeben. Die Fortsetzung des Vertragsverhältnisses tritt nicht ein, wenn der Verpächter der Erklärung des Erben unverzüglich, spätestens binnen 1 Woche nach Zugang, widerspricht. Der Widerspruch bedarf keiner Begründung.

7. Für den Fall des Verkaufs der Apotheke räumt der Verpächter dem Pächter ein Vorkaufsrecht*) ein. Übt der Pächter nach Mitteilung des Kaufvertrags das Vorkaufsrecht nicht innerhalb von vier Wochen aus, so ist der Verpächter berechtigt, die Pacht ohne Rücksicht auf die vereinbarte Pachtdauer zum ersten desjenigen Monats zu kündigen, der auf den Monat folgt, in dem der Käufer die Betriebserlaubnis der bisher verpachteten Apotheke erhält. Der Verpächter ist verpflichtet, das Warenlager vom Pächter zurückzukaufen und die Kosten der Inventarisierung allein zu tragen, wenn durch seine Kündigung der Pachtvertrag vorzeitig beendet wird. Für Warenforderungen des Pächters gilt § 6 entsprechend. Bei vorzeitiger Kündigung infolge Verkaufs trägt der Verpächter die Umzugskosten des Pächters.

§ 6 Warenlager

1. Der Pächter übernimmt vom Verpächter das Warenlager auf Grund einer bei Inkrafttreten des Vertrags von beiden Parteien unterschriftlich anerkannten und diesem Vertrag beizufügenden Bestandsaufnahme. Wird der Warenbestand durch eine fremde Firma aufgenommen, so trägt jede Partei die Hälfte der Kosten.

2. Die Übernahme von Warenmengen, die dem normalen Geschäftsumfang des Apothekenbetriebs nicht angemessen sind, sowie von unbrauchbaren, verdorbenen oder unverkäuflichen und veralteten Vorräten können Pächter bei Beginn und Verpächter bei Beendigung der Pacht ablehnen.

3. Der Kaufpreis des Warenlagers ist bei Beginn der Pacht vom Pächter und bei Beendigung der Pacht vom Verpächter bar zu bezahlen.

4. Der Verpächter versichert, daß an dem Warenlager keinerlei Rechte Dritter bestehen:

....

oder folgende Rechte Dritter bestehen:

....

Insoweit verpflichtet er sich, das uneingeschränkte Eigentum an den Waren gemäß der mit dem(n) Gläubiger(n) getroffenen Vereinbarung in der Weise zu übertragen, daß der Pächter den/die Warengläubiger in Höhe der derzeitigen Forderung unter Anrechnung auf den Gesamtpreis des Warenlagers direkt befriedigt.

5. Es wird vereinbart, daß der Pächter zur Abdeckung der Verpflichtung des Verpächters unter Anrechnung auf den Pachtzins folgende Zahlungen zu folgenden Terminen leistet:

a) an Gläubiger ....

b) an Gläubiger ....

---

*) Wird das Vorkaufsrecht auf das Apothekengrundstück eingeräumt, so ist der Vertrag notariell zu beurkunden und das Vorkaufsrecht in das Grundbuch einzutragen.

§ 7 A p o t h e k e n e i n r i c h t u n g

1. Der P ä c h t e r trägt, ausgenommen die Fälle von höherer Gewalt, wie Blitzschlag, Überschwemmung, Krieg, Plünderung, die Gefahr des Untergangs der gesamten Geschäftseinrichtung. Er hat bei Beendigung der Pacht eine gleichwertige Geschäftseinrichtung in ordnungsgemäßer Beschaffenheit zurückzugewähren, wobei die der Pachtdauer entsprechende Abnutzung zu berücksichtigen ist.

2. Der V e r p ä c h t e r hat Anschaffungen, die auf Grund medizinalgesetzlicher Bestimmungen und Erfordernisse sowie zur Aufrechterhaltung und notwendigen Verbesserung des Betriebs gemacht worden sind, bei Beendigung der Pacht zum Gegenwartswert zu übernehmen. Größere Anschaffungen dieser Art sind vom Verpächter bereits bei der Anschaffung zu bezahlen und gehen damit in sein Eigentum über. Als Anschaffungen größerer Art gelten solche mit einem Anschaffungswert von mehr als .... DM.

3. Der V e r p ä c h t e r versichert, daß an den Einrichtungsgegenständen keinerlei Rechte Dritter bestehen. Die Vertragschließenden vereinbaren, daß zur Abfindung der Gläubiger, die Rechte an der Einrichtung haben, vom P ä c h t e r unter Anrechnung auf den Pachtzins folgende Zahlungen zu folgenden Terminen geleistet werden:

a) an Gläubiger ....

b) an Gläubiger ....

§ 8 A p o t h e k e n r ä u m e

1. Der V e r p ä c h t e r hat die Apothekenräume in ordnungsgemäßem Zustand zu übergeben. Der Pächter ist verpflichtet, die Räume dauernd auf seine Kosten in ordnungsgemäßem Zustand zu erhalten.

2. Der P ä c h t e r haftet für die Beachtung aller Polizei- und Betriebsvorschriften bezüglich der Apothekenräume und des Zugangs zu denselben und ist verpflichtet, für den Fall, daß der V e r p ä c h t e r wegen Nichtbeachtung solcher Vorschriften zivil- oder strafrechtlich in Anspruch genommen wird, diesen schadlos zu halten.

3. Zu den wesentlichen baulichen Veränderungen innerhalb der Apothekenräume wie auch an der Außenfront derselben bedarf der P ä c h t e r der Zustimmung des V e r p ä c h t e r s. Der P ä c h t e r ist jedoch ohne Genehmigung des V e r p ä c h t e r s berechtigt, Firmen- und Reklameschilder sowie Auslegekästen auf seine Kosten anbringen zu lassen unter der Verpflichtung, daß er dieselben bei Beendigung der Pacht dem V e r p ä c h t e r unentgeltlich überläßt.

4. Bauliche Veränderungen, welche von der Aufsichtsbehörde oder durch neue Gesetze und Verordnungen vorgeschrieben werden, sind vor ihrer Ausführung vom P ä c h t e r mit dem V e r p ä c h t e r zu besprechen. Die Kosten hat der V e r p ä c h t e r zu tragen.

5. Instandsetzung des Daches, der Außenfronten des Gebäudes und im Treppenhaus sind vom V e r p ä c h t e r zu übernehmen, Instandsetzungen der

Innenräume vom Pächter, sofern er dieselben für sich, seine Familie und den Apothekenbetrieb in Benutzung hat.

§ 9 Bücher

1. Die Geschäftsbücher, soweit sie zur Fortführung des Apothekenbetriebs erforderlich sind, werden dem Pächter übergeben. Er hat sie nach den Regeln kaufmännischer Buchführung weiterzuführen und seine und die ihm vom Verpächter übergebenen Geschäftsbücher bei Beendigung der Pacht zurückzugeben.

2. Die Aufzeichnungen, die nach der Apothekenbetriebsordnung, nach dem Betäubungsmittelrecht und nach giftrechtlichen Bestimmungen zum Betrieb der Apotheke erforderlich sind, werden dem Pächter übergeben. Er hat sie sorgfältig weiterzuführen und bei Vertragsbeendigung zurückzugeben.

§ 10 Verbindlichkeiten

1. Der Pächter tritt an Stelle des Verpächters nach vorher eingeholter Zustimmung der Beteiligten in alle Verträge (z. B. Anstellungs- und Dienstverträge, Verträge für Lichtanlagen, Lieferungsverträge usw.) ein. Ausgenommen sind:

....

....

2. Nach Beendigung des Pachtvertrages hat der Verpächter die gleiche Verpflichtung gegenüber dem Pächter.

§ 11 Nebenbetrieb

Mitverpachtet ist folgender Betrieb:

....

....

(Siehe Anlage ....)

§ 12 Feststellung des Zustandes der Apotheke

1. Der Verpächter verpflichtet sich, auf seine Kosten rechtzeitig vor der Übergabe der Apotheke an den Pächter eine amtliche Besichtigung seiner Apotheke zu beantragen und die sich dabei ergebenden Beanstandungen auf seine Kosten beheben zu lassen.

2. Er übergibt auch dem Pächter eine Abschrift des dazugehörenden Besichtigungsprotokolls.

3. Umgekehrt übernimmt der Pächter dieselbe Verpflichtung bei Beendigung des Pachtvertrages. Er hat zu diesem Zweck die Besichtigung 3 Monate vor Ablauf des Pachtvertrages bei der zuständigen Behörde zu beantragen.

§ 13 Versagungsgründe

Der Pächter erklärt, daß ihm nach bestem Wissen keine Tatsachen bekannt sind, die nach dem Apothekengesetz zur Versagung der Erlaubnis zum Betrieb der Pachtapotheke führen könnten.

§ 14 Nebenabreden

1. Mündliche Nebenabreden neben diesem Vertrag sind ungültig. Weitere schriftliche Vereinbarungen haben nur Gültigkeit, wenn sie als Anlagen zu diesem Vertrag schriftlich niedergelegt und von den Vertragschließenden unterzeichnet worden sind.

2. Dasselbe gilt für etwaige Änderungen dieses Vertrages.

3. Soweit dieser Vertrag keine ausdrückliche Bestimmung enthält, gelten die allgemeinen gesetzlichen Vorschriften, insbesondere die Vorschriften des Apothekenrechts und des Bürgerlichen Gesetzbuches über die Pacht.

§ 15 Konkurrenzverbot

Der Pächter verpflichtet sich, während der Dauer des Pachtverhältnisses und innerhalb eines Zeitraumes von .... Jahren nach Beendigung desselben in .... oder in einem Umkreis von .... m/km um die Pachtapotheke keine eigene Apotheke zu eröffnen, eine Apotheke nicht zu pachten, sich nicht an einer Apotheke zu beteiligen oder in Diensten einer solchen tätig zu sein.

Für den Fall, daß der Pächter dieser Vereinbarung zuwiderhandelt, verpflichtet er sich, an den Verpächter eine Vertragsstrafe von DM .... (in Worten DM ....) zu zahlen. Die Geltendmachung eines höheren Schadens wird dadurch nicht ausgeschlossen.

§ 16 Schiedsklausel

Sollten sich aus diesem Pachtvertrag einschließlich seiner Anlagen und Ergänzungen unter den Vertragspartnern Meinungsverschiedenheiten ergeben, die sich im Verhandlungswege nicht bereinigen lassen, so soll ein Schiedsgericht entscheiden. Hierüber schließen die Vertragspartner einen Schiedsvertrag (nach Anlage 5).

§ 17 Kosten

Kosten und Gebühren dieses Vertrages tragen die Parteien je zur Hälfte.

§ 18 Vertragsausfertigungen

Von diesem Vertrag werden vier Ausfertigungen hergestellt, von denen Verpächter und Pächter je zwei Exemplare erhalten.

...., den ....19 ....

....

(Unterschrift des Verpächters) (Unterschrift des Pächters)

Verbindliche und offizielle Formulare über den Abschluß eines Pachtvertrages oder eines kombinierten Miet- und Pachtvertrages gibt es nicht. Die einzelnen Paragraphen müssen deshalb genau überprüft werden, ob sie auf den Einzelfall anwendbar sind. In solchen Fällen ist der Vordruck zweckdienlich abzuändern. In allen Fällen empfiehlt sich der Abschluß eines Schiedsvertrages.

Deutscher Apotheker-Verlag, Stuttgart, Vordruck F 0001

Anlage 1

zu dem Apotheken-Pachtvertrag .... / ....
(Verpächter) (Pächter)

Verzeichnis der Apothekenbetriebsräume

Dem Betrieb der ....-Apotheke dienen folgende Räume:
(Name der Apotheke)

1. ....
2. ....
3. ....
4. ....
5. ....
6. ....
7. ....
8. ....
9. ....
10. ....

Die Lage der Räume ist aus dem anliegenden Plan ersichtlich.

Anlage 2

zu dem Apotheken-Pachtvertrag ....
(Verpächter) (Pächter)

Aufstellung der Einrichtungsgegenstände

1. In der Offizin:
2. Im Laboratorium:
3. Im ersten Vorratsraum:
4. Im zweiten Vorratsraum:
5. Im Nachtdienstzimmer:

Anlage 3
zu dem Apotheken-Pachtvertrag ..../..........................
(Verpächter) (Pächter)

Aufstellung zu § 1 Ziffer 1 Buchstabe c

....

....

Anlage 4
zu dem Apotheken-Pachtvertrag ..../..........................
(Verpächter) (Pächter)

Nebenleistungen

I.

(1) Der Pächter ist zur Mitbenutzung folgender Einrichtungen des Hauses berechtigt:

Wasserleitung
Sammelheizung
Stromleitung
Gasversorgung
Fahrstuhl
Gemeinschaftsantenne
Waschküche zum Waschen der Berufskleidung
Trockenboden
Treppenbeleuchtung

(2) Die Kosten werden im Umlegeverfahren aufgeteilt und sind in der Weise zu bezahlen, daß monatlich zugleich mit dem Pachtzins eine angemessene Vorschußzahlung geleistet und nach Ablauf eines Kalenderjahres endgültig abgerechnet wird. Die monatliche Vorschußzahlung beträgt bis auf weiteres DM ....

(3) Soweit für die Apotheke eigene Zähler eingerichtet sind, wird in Abweichung von der in vorstehendem Absatz 2 vorgesehenen Regelung über die Zähler abgerechnet.

II.

Der Pächter übernimmt es, in dem gemeinderechtlich vorgeschriebenen Umfang anstelle des Verpächters den Bürgersteig vor der Apotheke zu reinigen, bei Glätte zu streuen und bei Schnee zu räumen.

III.

Die für Mieter geltende Hausordnung ist auch für den Pächter verbindlich. Er verpflichtet sich darüber hinaus, daß auch das Apothekenpersonal die Hausordnung beachtet.

...., den .... 19 ....

....
(als Verpächter) **(als Pächter)**

Anlage 5

Schiedsvertrag

zwischen

Apotheker(in)*).. als Verpächter

und

Apotheker(in) .... als Pächter.

Die Vertragsbeteiligten haben heute einen Vertrag über die Pacht der

....-Apotheke in .... geschlossen. Entstehen aus diesem Pachtvertrag zwischen den Vertragsbeteiligten Meinungsverschiedenheiten, die sich im Verhandlungswege nicht bereinigen lassen, so soll unter Ausschluß des Gerichtswegs ein Schiedsgericht entscheiden.

Für die Benennung der Schiedsrichter und für das Schiedsverfahren gilt die Schieds-(Schlichtungs-)Ordnung der.. (Landes)-Apothekerkammer ....

Soweit eine Schieds-(Schlichtungs-)Ordnung nicht besteht, benennt jede Partei innerhalb von 30 Tagen der anderen Partei einen Schiedsrichter, die sodann gemeinsam einen im Apothekenrecht erfahrenen Juristen zum Vorsitzenden wählen.

Für die Anordnung eines Arrests oder einer einstweiligen Verfügung verbleibt es bei der Zuständigkeit der staatlichen Gerichte.

Der vorliegende Schiedsvertrag bindet auch die Rechtsnachfolger der Vertragsbeteiligten.

Das Schiedsgericht entscheidet endgültig.

...., den ....19 ...

....

(Verpächter) (Pächter)

*) Nichtzutreffendes streichen

II. Dienstvertrag

Herr*)
Frau .... als Inhaber*)
Fräulein bevollmächtigter Verwalter*)

der .... Apotheke in ....,
im nachstehenden Apothekenleiter genannt,

und

Herr*)
Frau .... wohnhaft ....,
Fräulein

im nachstehenden Mitarbeiter(in) genannt,

schließen nachfolgenden

Dienstvertrag

§ 1

Herr*) Apotheker,
Frau .... als Apothekerassistent,
Fräulein pharmazeutisch-technischer Assistent*)

wird von

Herrn*)
Frau .... zum ....
Fräulein

in die .... Apotheke in ....

eingestellt.

§ 2 Vertragsdauer

(1) Die Einstellung erfolgt vorerst auf 3 Monate zur Probe. Während dieser Zeit kann das Vertragsverhältnis mit einer Frist von 1 Monat zum Monatsende gekündigt werden. Nach Ablauf der Probezeit geht das Vertragsverhältnis in ein ordentliches Anstellungsverhältnis über mit der Maßgabe, daß die gesetzlichen bzw. tarifvertraglich vereinbarten Kündigungsfristen von Beginn des Arbeitsverhältnisses an gerechnet werden.

(2) Für die fristlose Auflösung des Vertragsverhältnisses gelten beiderseits die gesetzlichen Bestimmungen.

(3) Der / Die Mitarbeiter(in) kann ohne Rücksicht auf die Dauer der Betriebszugehörigkeit unter Einhaltung einer Frist von 6 Wochen zum Schluß eines Kalendervierteljahres kündigen, wenn er / sie eine Apotheke pachtet oder eine Betriebserlaubnis erwirbt.

---

*) Nichtzutreffendes streichen

§ 3 Gehalt

(1) Als Entgelt für seine / ihre Tätigkeit bezieht der / die Mitarbeiter(in) ein monatliches Gehalt von .... DM brutto, ausschließlich eventuelle Leistungen aus der Gehaltsausgleichskasse.

(2) Für die gewährten Sachbezüge (Wohnung, Verpflegung, Wäsche) werden von den vereinbarten Bezügen monatlich .... DM in Abzug gebracht.

§ 4 Arbeitszeit

(1) Die regelmäßige Arbeitszeit richtet sich nach den tarifvertraglichen Bestimmungen und beträgt derzeit wöchentlich .... Stunden, in denen Ruhepausen nicht enthalten sind.

Die tägliche Arbeitszeit beginnt um .... Uhr und endet um .... Uhr.

Eine Mittagspause, die Ruhepause ist, wird täglich für .... Stunde(n) gewährt. Die Mittagspause kann verkürzt werden oder auch ganz entfallen, wenn aus irgendwelchen Gründen die tägliche Arbeitszeit mindestens .... Stunden vor dem sonst üblichen Dienstschluß beendet wird.

(2) Abweichungen von der täglichen Arbeitszeit, soweit sie betrieblich notwendig werden, sind zulässig, wenn sie sich in angemessenem Rahmen halten und die wöchentliche Arbeitszeit von .... Stunden dadurch nicht überschritten wird.

(3) Im übrigen gelten für die Ableistung von Notdienstbereitschaft, für Mehrarbeit, Nacht-, Sonn- und Feiertagsarbeit die tarifvertraglich festgelegten Bestimmungen.

§ 5 Urlaub

(1) Der Urlaub dient der Erholung und der Erhaltung der Arbeitskraft. Er wird nach den tarifvertraglichen Bestimmungen gewährt.

§ 6 Pflichten des Mitarbeiters / der Mitarbeiterin

(1) Der / Die Mitarbeiter(in) ist verpflichtet, unter Beachtung der Berufsordnung sein / ihr Hauptbestreben auf die Wahrung der Interessen des Apothekenleiters zu richten und seinen Weisungen zu folgen. Die Ergebnisse seiner / ihrer normalen Berufstätigkeit und die Erfüllung seiner / ihrer Dienstobliegenheiten erworbenen Erfahrungen und Beobachtungen sind dem Apothekenleiter laufend zu übermitteln und zum ausschließlichen Gebrauch zu stellen. Über alle Vorkommnisse und Ergebnisse, über Beobachtungen und Erfahrungen ist Dritten gegenüber Stillschweigen zu wahren.

(2) Im Krankheitsfalle hat der / die Mitarbeiter(in) möglichst sofort den Apothekenleiter zu verständigen und auf Verlangen durch Vorlage einer ärztlichen Bescheinigung die Arbeitsunfähigkeit nachzuweisen. Der / Die Mitarbeiter(in) ist vor Abschluß dieses Vertrages verpflichtet, über eventuell

vorliegende chronische oder periodisch wiederkehrende Erkrankungen, die Arbeitsunfähigkeit hervorrufen, dem Apothekenleiter Mitteilung zu machen.

(3) Der / Die Mitarbeiter(in) hat sich laufend mit den neuesten Erkenntnissen und Fortschritten der Wissenschaft auf seinem / ihrem Arbeitsgebiet bekanntzumachen.

§ 7 Pflichten des Apothekenleiters

(1) Der Apothekenleiter übernimmt gegenüber dem / der Mitarbeiter(in) die Verpflichtung, auf ein gedeihliches Zusammenarbeiten in der Apotheke hinzuwirken.

(2) Der Apothekenleiter wird dafür sorgen, daß dem / der Mitarbeiter(in) die nötige Fachliteratur zur Fortbildung zur Verfügung steht und wird ihm / ihr im Rahmen der betrieblichen Möglichkeiten Zeit zu seiner / ihrer Fortbildung gewähren.

§ 8 Wettbewerbsverbot

(1) Während der Dauer des Dienstverhältnisses und innerhalb von 2 Jahren nach dessen Beendigung darf der / die Mitarbeiter(in) in .... / im Umkreis von .... zur Apotheke des Apothekenleiters keine Apotheke errichten, betreiben oder sich daran beteiligen. Er / Sie darf sich auch zu diesem Zweck keiner Mittelsmänner bedienen. Er / Sie darf ferner während des gleichen Zeitraumes keine Beschäftigung als Mitarbeiter(in) in einer Apotheke in .... / im Umkreis von .... zur Apotheke des Apothekenleiters annehmen.

(2) Der Apothekenleiter wird dem / der Mitarbeiter(in) eine unterzeichnete Urkunde aushändigen, aus der sich der Inhalt des Wettbewerbsverbotes im einzelnen ergibt.

(3) Bis zum Ablauf von 2 Jahren nach Beendigung des Dienstverhältnisses hat der Apothekenleiter seinem / seiner früheren Mitarbeiter(in) die Hälfte der zuletzt bezogenen Dienstbezüge einschließlich eventueller Leistungen aus der GAK zu gewähren. Diese Entschädigung ist bis zum Ende eines jeden Monats zu bezahlen. Für die Anrechnung anderweitigen Erwerbs durch den / die Mitarbeiter(in) finden die Bestimmungen des § 74 c HGB Anwendung, nach denen sich u. a. der / die Mitarbeiter(in) auf die fällige Entschädigung jenen Betrag anrechnen lassen muß, den er / sie durch anderweitige Verwertung seiner / ihrer Arbeitskraft erwirbt oder zu erwerben böswillig unterläßt. Auf die weiteren Vorschriften des HGB betr. Wettbewerbsverbot wird hingewiesen.

(4) Der Apothekenleiter ist nach § 75 a HGB berechtigt, während des noch bestehenden Dienstverhältnisses durch schriftliche Erklärung auf das Wettbewerbsverbot zu verzichten. Eine derartige Erklärung bewirkt, daß er mit dem Ablauf eines Jahres seit der Erklärung von der Verpflichtung zur eventuellen Zahlung einer Entschädigung frei wird.

(5) Zuwiderhandlungen gegen dieses Wettbewerbsverbot ziehen eine Vertragsstrafe nach sich, deren Höhe zu vereinbaren ist und aus der im Abs. 2 erwähnten Urkunde ersichtlich sein muß. Die §§ 338 ff. BGB finden entsprechende Anwendung.

§ 9 Besondere Vereinbarungen

....

§ 10 Schlußbestimmungen

(1) Soweit in diesem Vertrag keine Bestimmungen getroffen worden sind, gelten die entsprechenden Vorschriften des BGB, des HGB, sonstiger einschlägiger Gesetze und die tarifvertraglichen Bestimmungen.

(2) Wird dem / der Mitarbeiter(in) eine Werkswohnung zur Verfügung gestellt, ist diese mit Beendigung des Dienstvertrages zu räumen.

...., den .... 19........

....

Apothekenleiter Mitarbeiter(in)

Soweit Bestimmungen im Einzelfall nicht anwendbar sind, wird empfohlen, den Vordruck zweckdienlich abzuändern.

III. Ergänzungsschreiben zum bestehenden Anstellungsvertrag (Muster)

Herrn/Frau
. . .

Betr.: Ihr Anstellungsverhältnis

Sehr geehrte(r) Herr/Frau. . . . . ,

wir beziehen uns auf die mit Ihnen geführten Gespräche und bestätigen folgende, Ihren Anstellungsvertrag vom . . . in den angesprochenen Punkten abändernde Vereinbarungen:

1. Mit Wirkung vom . . . üben Sie Ihre bisherige Tätigkeit als . . . als Teilzeitkraft im Teilzeit-Partner-System zusammen mit einem anderen von uns zu bestimmenden Mitarbeiter aus.

2. Ihre tägliche Arbeitszeit stimmen Sie so mit Ihrem Teilzeitpartner ab, daß eine gleichzeitige Beschäftigung zusammen mit ihm vermieden wird.

3. Ihre regelmäßige wöchentliche Arbeitszeit beträgt . . . Stunden. Dafür erhalten Sie eine monatliche Vergütung von DM . . . brutto.

4. Sie sind verpflichtet, Ihren Teilzeitpartner bei dessen Krankheit, Urlaub oder sonstiger Arbeitsverhinderung zu vertreten und für diesen Zeitraum die Vollzeitbesetzung des Arbeitsplatzes zu gewährleisten. Diese Vertretungszeiten werden mit DM . . . brutto pro Stunde besonders vergütet und nicht auf Ihre regelmäßige wöchentliche Arbeitszeit angerechnet.

5. Sie haben sich bereit erklärt, auf unsere Anforderung und nach einer Vorankündigungsfrist von 1 Monat jederzeit wieder auf dauernde Vollzeittätigkeit überzugehen. Mit dem Übergang auf die Vollzeittätigkeit endet die Wirkung dieser Änderungsvereinbarung.

6. Alle übrigen Bestimmungen Ihres Anstellungsvertrages vom . . . bleiben unverändert.

Wir bitten Sie, Ihr Einverständnis mit vorstehender Änderung des Anstellungsvertrages auf der beigefügten Kopie zu bestätigen und uns die Kopie zurückzureichen.

Mit freundlichem Gruß

IV. Gehaltstarif

(gültig ab 1. Mai 1992)

I. Gehälter

	Spalte 1	Spalte 2	Spalte 3
1. Approbierte			
1. Berufsjahr	4291,–	130,–	208,–
2.– 5. Berufsjahr	4425,–	134,–	215,–
6.–10. Berufsjahr	4761,–	144,–	231,–
ab 11. Berufsjahr	5366,–	163,–	260,–
2. Apothekerassistenten			
bis 11. Berufsjahr	3513,–	106,–	170,–
12.–14. Berufsjahr	3667,–	111,–	178,–
ab 15. Berufsjahr	3879,–	118,–	188,–
3. Pharmazie-Ingenieure			
1. Berufsjahr	3138,–	95,–	152,–
2. Berufsjahr	3209,–	97,–	156,–
3.– 5. Berufsjahr	3315,–	100,–	161,–
6.–11. Berufsjahr	3473,–	105,–	168,–
12.–14. Berufsjahr	3667,–	111,–	178,–
ab 15. Berufsjahr	3879,–	118,–	188,–
4. Pharmazeutisch-technische Assistenten			
1. Berufsjahr	2384,–		
2. Berufsjahr	2498,–		
3.–5. Berufsjahr	2652,–		
6.–8. Berufsjahr	3007,–		
ab 9. Berufsjahr	3246,–		

Ab 1. Januar 1994 haben sich die Tarifgehälter um 2 % erhöht.

Spalte 1: Brutto-Monatsgehalt.

Spalte 2: Vergütungsbetrag für Notdienstbereitschaft in der Nacht entsprechend § 4 Abs. 1 BRT, sofern nicht § 4 Abs. 4 anzuwenden ist.

Spalte 3: Vergütungsbetrag für Notdienstbereitschaft an Sonn- und Feiertagen entsprechend § 4 Abs. 2 BRT, sofern nicht § 4 Abs. 4 anzuwenden ist.

	Spalte 1
5. Apothekenassistenten	
bis 20. Berufsjahr	3174,–
ab 21. Berufsjahr	3351,–
6. Helfer, Facharbeiter und Pharmazeutische Assistenten	
1. Berufsjahr	1991,–
2. Berufsjahr	2116,–
3.– 6. Berufsjahr	2165,–
7.– 9. Berufsjahr	2237,–
10.–13. Berufsjahr	2514,–
ab 14. Berufsjahr	2752,–

II. Ausbildungsbeihilfen

Pharmaziepraktikanten erhalten während ihrer Ausbildungszeit in öffentlichen Apotheken eine Ausbildungsbeihilfe, die in den ersten 6 Monaten **DM 1000,–** und danach **DM 1400,–** (jeweils monatlich brutto) beträgt.

Dipl.-Pharmazeuten ohne Approbation erhalten während ihrer Ausbildungszeit in öffentlichen Apotheken eine Ausbildungsbeihilfe, die in den 6 Monaten **DM 1400,–** monatlich beträgt.

PTA-Praktikanten erhalten während ihrer sechsmonatigen Ausbildungszeit in öffentlichen Apotheken eine Ausbildungsbeihilfe von **DM 850,–** monatlich.

Apothekenhelfer in Ausbildung erhalten

im 1. Ausbildungsjahr **DM 850,–**
im 2. Ausbildungsjahr **DM 950,– monatlich.**

III. Einmalzahlung

Pharmazeutisch-technische Assistenten sowie Apothekenhelfer, Apothekenfacharbeiter und pharmazeutische Assistenten, deren Arbeitsverhältnis am 1.5.1992 bestanden hat, erhalten eine Einmalzahlung von

a) DM 300,– im 1. Berufsjahr
b) DM 250,– im 2. Berufsjahr
c) DM 150,– im 3. und den folgenden Berufsjahren.

Die Auszahlung erfolgt mit dem Juli-Gehalt. Für die Berufsjahrberechnung ist maßgebend der Stand am 1.5.1992.

Dieser Tarif tritt mit Wirkung vom 1.5.1992 in Kraft und kann mit einer Frist von drei Monaten, frühestens zum 30.4.1993, gekündigt werden.

V. Bundesrahmentarifvertrag

in der Fassung vom 17. Juli 1991
gültig ab 1. Januar 1991

zwischen der Tarifgemeinschaft
der Apothekenleiter im Bundesgebiet e. V.
und dem Bundesverband der Angestellten in Apotheken

Präambel

Die Tarifvertragsparteien sind sich darüber einig, daß die Rahmenarbeitsbedingungen aller öffentlichen Apotheken in den alten Bundesländern und dem Beitrittsgebiet gemäß Artikel 3 Einigungsvertrag vom 31. August 1990 möglichst bald vereinheitlicht werden sollen. Zeitlich befristete Sonderregelungen enthalten die §§ 2, 8, 8a, 13a und 14.

Die Bezeichnung der Mitarbeiter sowie der Apothekenleiter in männlicher Form umfaßt aus Gründen der praktischen Vereinfachung auch die Mitarbeiterinnen und Apothekenleiterinnen.

§ 1 Geltungsbereich

1. Der Tarif gilt
   1. räumlich:
      für die Länder der Bundesrepublik Deutschland,
   2. fachlich:
      für alle öffentlichen Apotheken,
   3. persönlich für:
      a) Apotheker,
      b) Pharmazeutisch-technische Assistenten,
      c) Apothekerassistenten,
      d) Pharmazie-Ingenieure,
      e) Apothekenassistenten,
      f) Apothekenhelfer,
      g) Apothekenfacharbeiter,
      h) Pharmazeutische Assistenten,
      i) Personen, die sich in der Ausbildung zu einem der Berufe unter a) – h) befinden.
2. Auf Verwalter und Vertreter im Sinne des § 11 finden die Bestimmungen der §§ 2, 5 und 6 keine Anwendung.

§ 1a Arbeitsvertrag

Der Arbeitsvertrag soll schriftlich geschlossen werden.

§ 2 Arbeitszeit

1. Die regelmäßige Arbeitszeit ausschließlich der Ruhepausen beträgt wöchentlich in der Zeit vom 1. 1. 1992 bis 31. 12. 1993 38,0 Stunden, danach 37,5 Stunden. Fallen in die Woche ein oder mehrere gesetzliche Feiertage, so verkürzt sich die wöchentliche Arbeitszeit um die an den Feiertagen ausfallenden Arbeitsstunden.

2. Beginn und Ende der täglichen Arbeitszeit, der Pausen und der Notdienstbereitschaft werden durch den Apothekenleiter festgelegt. Das gilt auch für die durch die Arbeitszeitverkürzung geänderten Arbeitszeiten. Statt einer Verkürzung der Arbeitszeit kann auch ein Zeitausgleich durch Freistunden oder freie Tage erfolgen. Die Verkürzung kann an allen oder einzelnen Tagen gleichmäßig oder ungleichmäßig vorgenommen werden. Der Ausgleich muß innerhalb des laufenden Kalendervierteljahres vorgenommen werden.

3. Abweichend von Ziff. 1 Satz 1 kann die Arbeitszeit aus betrieblichen Gründen auf wöchentlich 35 bis 41 Stunden in der Zeit vom 1. 1. 1992 bis 31. 12. 1993, danach auf wöchentlich 34,5 bis 40,5 Stunden in der Weise verteilt werden, daß sie innerhalb eines Kalenderjahres im Durchschnitt 38,0 Stunden (vom 1. 1. 1992 bis 31. 12. 1993) beziehungsweise 37,5 Stunden (ab 1. 1. 1994) beträgt.

4. Dem Apothekenleiter bleibt vorbehalten, für einzelne oder alle Arbeitsverhältnisse mit einer Ankündigungsfrist von einem Monat die Geltung einer wöchentlichen Arbeitszeit von bis zu 1,5 Stunden über der jeweiligen regelmäßigen wöchentlichen Arbeitszeit festzulegen. Macht er hiervon Gebrauch, so erhöht sich das jeweilige Tarifgehalt um 1,6 v. H. für jede halbe Stunde, die die regelmäßige wöchentliche Arbeitszeit übersteigt.

5. Die Arbeitszeitregelung nach Maßgabe obiger Ziff. 2 bis 4 kann für die einzelnen Mitarbeiter unterschiedlich festgelegt werden.

6. In der Zeit bis zum 31. 12. 1991 gilt § 2 in der Fassung des BRTV vom 22. 4. 1987.

Für das Beitrittsgebiet gelten folgende Übergangsregelungen:

7. Die regelmäßige Arbeitszeit ausschließlich der Ruhepausen beträgt wöchentlich 41 Stunden in der Zeit bis zum 31. 10. 1991. In der Zeit ab 1. 11. 1991 bis 30. 6. 1992 beträgt die Arbeitszeit wöchentlich 40 Stunden, ab 1. 7. 1992 bis 31. 12. 1992 wöchentlich 39,5 Stunden, ab 1. 1. 1993 bis 30. 6. 1993 wöchentlich 39,0 Stunden, ab 1. 7. 1993

bis 31.12.1993 wöchentlich 38,5 Stunden, ab 1.1.1994 bis 30.6.1994 wöchentlich 38,0 Stunden, ab 1.7.1994 37,5 Stunden. Fallen in die Woche ein oder mehrere gesetzliche Feiertage, so verkürzt sich die wöchentliche Arbeitszeit um die an den Feiertagen ausfallenden Arbeitsstunden.

8. Abweichend von Ziff. 7 Satz 1 und 2 kann die Arbeitszeit aus betrieblichen Gründen in der Zeit

bis 31.10.1991	auf 38 –44 Stunden
1.11.1991–30. 6.1992	auf 37 –43 Stunden
1. 7.1992–31.12.1992	auf 36,5–42,5 Stunden
1. 1.1993–30. 6.1993	auf 36 –42 Stunden
1. 7.1993–31.12.1993	auf 35,5–41,5 Stunden
1. 1.1994–30. 6.1994	auf 35 –41 Stunden
ab 1.7.1994	auf 34,5–40,5 Stunden

in der Weise verteilt werden, daß sie innerhalb eines Kalenderjahres dem Durchschnitt der für den jeweiligen Zeitraum gültigen wöchentlichen Arbeitszeit entspricht.

9. Die Ziffern 2, 4 und 5 gelten entsprechend.

§ 3 Notdienstbereitschaft

1. Als Notdienstbereitschaft gilt die Zeit, in der die Apotheke außerhalb der allgemeinen Öffnungszeiten notdienstbereit und entsprechend gekennzeichnet ist.
2. Die nach der Verordnung über den Betrieb von Apotheken zur Ausübung der Notdienstbereitschaft berechtigten Mitarbeiter sind neben der regelmäßigen Arbeitszeit zur Notdienstbereitschaft verpflichtet. Während der Notdienstbereitschaft sind nur die sich aus der Notdienstbereitschaft ergebenden Aufgaben zu erledigen.
3. Der Apothekenleiter ist verpflichtet, für den Aufenthalt während der Notdienstbereitschaft einen Raum mit angemessener wohnlicher Ausstattung einschließlich Bettwäsche sowie ein Rundfunkgerät und ein Fernsehgerät bereitzustellen.
4. Die Notdienstbereitschaft ist im Wechsel möglichst gleichmäßig von den zum Notdienst Verpflichteten zu übernehmen. Von dem einzelnen Diensttuenden kann nicht mehr als die Hälfte der von der Apotheke zu leistenden Notdienstbereitschaft verlangt werden, von zwingenden Notfällen abgesehen. Abweichend hiervon kann bei einem Notdienstturnus, der nicht mehr als vier Tage pro Apotheke umfaßt, der Apothekenleiter die Übernahme von 10 Notdiensten in der Nacht pro Monat verlangen. Diese Regelung gilt auch für Apotheken mit ständiger Notdienstbereitschaft mit der Maßgabe, daß der Diensttuende nicht mehr als viermal pro Woche zur Notdienstbereitschaft in der Nacht herangezogen werden darf.

5. Notdienstbereitschaft in der Nacht ist die Zeit von 18.30 Uhr bis 8.00 Uhr des folgenden Tages. Notdienstbereitschaft an Sonn- und Feiertagen ist die Zeit von 8.00 Uhr bis 18.30 Uhr.

§ 4 Vergütung der Notdienstbereitschaft

1. Für jede Notdienstbereitschaft in der Nacht wird nach Wahl des Apothekenleiters eine Freizeit von 5 Arbeitsstunden oder eine entsprechende Vergütung gewährt, die in der Gehaltstafel Spalte 2 verzeichnet ist.
2. Für jede Notdienstbereitschaft an Sonn- und Feiertagen wird nach Wahl des Apothekenleiters eine Freizeit von 8 Stunden oder eine entsprechende Vergütung gewährt, die in der Gehaltstafel Spalte 3 verzeichnet ist.
3. Wird die Notdienstbereitschaft nur teilweise geleistet, werden Freizeit beziehungsweise Vergütung gemäß Ziff. 1 beziehungsweise Ziff. 2 entsprechend zeitanteilig gewährt.
4. Durch ein Gehalt, das um mehr als 15 % über dem Tarifgehalt liegt, ist die Notdienstbereitschaft in der Nacht und an Sonn- und Feiertagen abgegolten. Davon ausgenommen sind zusätzlich geleistete Notdienste, die entsprechend der Regelung in den Ziffern 1 und 2 zu vergüten sind.
5. Nach einer Notdienstbereitschaft von mehr als 24 Stunden soll eine Freizeit von mindestens 12 Stunden gewährt werden, soweit nicht dringende betriebliche Gründe entgegenstehen.
6. Bis zum 31.7.1991 gilt § 4 BRTV in der Fassung vom 22.4.1987.

§ 5 Mehrarbeit, Nacht-, Sonn- und Feiertagsarbeit

1. Über die regelmäßige Arbeitszeit hinaus kann vom Apothekenleiter in begründeten Ausnahmefällen Mehrarbeit im gesetzlichen Rahmen verlangt werden. Arbeiten, die sich aus dem Publikumsverkehr vor Geschäftsschluß ergeben, gelten bis zur Dauer von 10 Minuten täglich nicht als Mehrarbeit.
2. Erfolgt statt Arbeitszeitverkürzung ein Zeitausgleich gemäß § 2 Ziff. 2 in Verbindung mit Ziff. 9, so ist für die Stunden, die die regelmäßige wöchentliche Arbeitszeit überschreiten, ein Zuschlag entsprechend § 6 zu berücksichtigen.
3. Nachtarbeit ist die von 20.00 Uhr bis 6.00 Uhr, Sonn- und Feiertagsarbeit ist die an Sonn- und Feiertagen in der Zeit von 0.00 bis 24.00 Uhr geleistete Arbeit.

4. Mehrarbeit, Nacht-, Sonn- und Feiertagsarbeit sind nach § 6 zu entlohnen.

5. Die Notdienstbereitschaft gemäß § 3 Ziff. 5 ist – unbeschadet abweichender lohnsteuer- und sozialversicherungsrechtlicher Beurteilung – arbeitsrechtlich weder Mehrarbeit noch Nacht-, Sonn- und Feiertagsarbeit.

§ 6 Vergütung der Mehr-, Nacht-, Sonn- und Feiertagsarbeit

1. Ein Anspruch auf Vergütung für geleistete Mehr-, Nacht-, Sonn- und Feiertagsarbeit besteht nur, wenn diese vom Apothekenleiter oder seinem Beauftragten angeordnet, ausdrücklich gebilligt oder geduldet worden ist. Für jede als Mehr-, Nacht-, Sonn- und Feiertagsarbeit geleistete Arbeitsstunde ist eine Grundvergütung und ein Zuschlag zu zahlen.

   Die Grundvergütung beträgt bei einer regelmäßigen Wochenarbeitszeit von:

41 Stunden	1/178
40 Stunden	1/173
39,5 Stunden	1/171
39 Stunden	1/169
38,5 Stunden	1/167
38 Stunden	1/165
37,5 Stunden	1/163

   des Tarifgehalts.
   Die Zuschläge betragen für Mehrarbeit:

bis 50. Stunde	25 % der Grundvergütung
ab 51. Stunde	50 % der Grundvergütung
für Nachtarbeit	50 % der Grundvergütung
für Sonntagsarbeit	75 % der Grundvergütung
für Feiertagsarbeit	75 % der Grundvergütung

   Treffen mehrere Zuschläge für die gleiche Arbeitszeit zusammen, so ist nur der jeweils höchste Zuschlag zu zahlen.

2. Die Vergütung für Mehr-, Nacht-, Sonn- und Feiertagsarbeit ist den Mitarbeitern bei der nächsten Gehaltszahlung auszuzahlen.

§ 7 Fortzahlung des Gehaltes bei Arbeitsverhinderung

1. Mitarbeiter haben bei Arbeitsversäumnis infolge selbst erlittenen unverschuldeten Unglücks (insbesondere Krankheit oder Unfall) Anspruch auf Weiterzahlung des Gehaltes bis zur Dauer von 6 Wochen.

2. Sachbezüge sind insoweit abzugelten, als sie während der Dauer der Arbeitsverhinderung nicht gewährt werden können. Als Sachbezüge gelten die im Lohnsteuerrecht als solche bezeichneten Leistungen.

3. Die Erkrankung des Mitarbeiters ist dem Apothekenleiter oder dessen Stellvertreter unverzüglich mitzuteilen. Der Mitarbeiter ist verpflichtet, die Erkrankung durch Vorlage einer Arbeitsunfähigkeitsbescheinigung nachzuweisen. Dies gilt bei einer Krankheitsdauer bis zu 3 Tagen nur auf ausdrückliches Verlangen des Apothekenleiters.

§ 7a Fortzahlung des Gehaltes im Todesfall

1. Im Todesfall ist das Gehalt für weitere 6 Wochen an den unterhaltsberechtigten Ehegatten zu zahlen. Ist ein solcher nicht vorhanden, so steht dieser Anspruch den Kindern des Verstorbenen zu, falls dieser ihnen gegenüber unterhaltspflichtig war.

2. Auf den Anspruch gemäß Ziff. 1 werden Zahlungen angerechnet, die der Verstorbene für Krankheitszeiten gemäß § 7 erhalten hat im unmittelbaren zeitlichen Zusammenhang mit seinem Tod. Anzurechnen sind höchstens Zahlungen für 32 Tage. Leistungen aus Versicherungen bleiben hierbei unberücksichtigt, Leistungen aus betrieblichen Versorgungszusagen sind anzurechnen.

§ 7b Beurlaubung aus besonderen Anlässen

1. Alle Mitarbeiter haben ferner Anspruch auf Fortzahlung des Gehaltes bei

a)	eigener Eheschließung	2 Arbeitstage
b)	Teilnahme an der Eheschließung der Kinder oder Geschwister	1 Arbeitstag
c)	Niederkunft der Ehefrau	2 Arbeitstage
d)	Tod des Ehegatten und der mit den Eltern in häuslicher Gemeinschaft lebenden Kindern	2 Arbeitstage
e)	Tod der Eltern, Stiefeltern, Schwiegereltern und der Kinder, soweit diese nicht unter d) genannt	1 Arbeitstag
f)	Teilnahme an der Beerdigung der unter d) und e) genannten Angehörigen sowie der Geschwister und Großeltern	1 Arbeitstag

g)	Anzeigen auf dem Standesamt, die persönlich erledigt werden müssen	die nach dem Ermessen der Behörde notwendige Zeit
h)	bei Vorladungen vor Gericht oder bei sonstigen Behörden	die nach dem Ermessen der Behörde notwendige Zeit
i)	Wohnungswechsel mit eigenem Hausstand und eigener Möbelausstattung	2 Arbeitstage
j)	Wohnungswechsel ohne eigenen Hausstand	1 Arbeitstag (höchstens einmal jährlich)
k)	Aufsuchen eines Arztes und zur ärztlichen und zahnärztlichen Behandlung, sofern dies nicht außerhalb der Dienstzeit möglich ist	die notwendige Zeit
l)	Stellenwechsel	die zum Aufsuchen eines neuen Arbeitsplatzes erforderliche Zeit, jedoch nicht über 3 Arbeitstage insgesamt
m)	durch Attest nachzuweisender Erkrankung eines Kindes bis 14 Jahren oder des Ehegatten	bis zu insgesamt 5 Arbeitstagen jährlich, soweit kein Anspruch auf anderweitigen Vergütungsersatz besteht.

2. Für Teilzeitkräfte, die wöchentlich im Durchschnitt an nicht mehr als 3 Werktagen tätig sind, ist der Fortzahlungsanspruch aus den in a), c) und i) bezeichneten Anlässen beschränkt auf jeweils einen Arbeitstag. Aus den in j) und l) bezeichneten Anlässen steht ihnen ein Lohnfortzahlungsanspruch nicht zu.
3. Soweit die oben angeführten Gründe zwingend zu längerer Unterbrechung der Arbeitsleistung führen, als vorstehend hierfür bezahlte Freizeit zugebilligt wird, kann die längere Freizeit im Einvernehmen mit dem Mitarbeiter lediglich als unbezahlte Freizeit gewährt werden. Die Vereinbarung muß schriftlich getroffen werden.
4. Der Zeitpunkt der Freistellung ist – soweit das nach der jeweiligen Besonderheit der Verhinderung möglich ist – rechtzeitig mit dem Apothekenleiter abzustimmen, wobei die betrieblichen Erfordernisse berücksichtigt werden sollen.

§ 8 Erholungsurlaub

1. Der Urlaub dient der Erholung und der Erhaltung der Arbeitskraft. Er ist seiner Bestimmung entsprechend möglichst zusammenhängend zu nehmen und zu gewähren. Jeder Mitarbeiter hat Anspruch auf bezahlten Erholungsurlaub nach Maßgabe der folgenden Bestimmungen:
2. Urlaubsjahr ist das Kalenderjahr.
3. Für jeden vollen Monat der Betriebszugehörigkeit hat der Mitarbeiter Anspruch auf 1/12 des tariflichen Jahresurlaubs.
4. Lassen besondere Umstände des Betriebs ausnahmsweise die Verwirklichung des Urlaubs nicht zu, so ist der Urlaub auf das nächste Jahr zu übertragen. Im Falle der Übertragung muß der Urlaub in den ersten 3 Monaten des folgenden Kalenderjahres gewährt und genommen werden. Ist die Übertragung wegen Beendigung des Arbeitsverhältnisses nicht möglich, so ist jeder Urlaubstag mit 1/25 des monatlichen Bruttogehalts abzugelten.
5. Bei der zeitlichen Festlegung des Urlaubs durch den Apothekenleiter sind die Urlaubswünsche der Mitarbeiter zu berücksichtigen, es sei denn, daß ihrer Berücksichtigung dringende betriebliche Belange oder Urlaubswünsche anderer Mitarbeiter, die unter sozialen Gesichtspunkten den Vorrang verdienen, entgegenstehen.
6. Erkrankt ein Mitarbeiter während des Urlaubs, so werden die durch ärztliches Zeugnis nachgewiesenen Tage der Arbeitsunfähigkeit auf den Jahresurlaub nicht angerechnet. Der Mitarbeiter hat sich nach Ablauf des Urlaubs oder, falls die Krankheit über das vorgesehene Ende des Urlaubs fortdauert, nach Beendigung der Krankheit zunächst dem Apothekenleiter zur Dienstleistung zur Verfügung zu stellen. Dieser entscheidet entsprechend Ziffer 5, wann der Rest des Urlaubs genommen werden kann.
7. Muß ein Mitarbeiter im Interesse des Betriebes seinen Urlaub unterbrechen oder einen bereits bewilligten Urlaub verschieben, so sind ihm die nachgewiesenen notwendigen Mehrkosten zu ersetzen, die durch die Unterbrechung oder Verschiebung entstanden sind. Die zur Reise benötigte Zeit ist im Falle der Unterbrechung nicht auf den Urlaub anzurechnen.
8. Für die Zeit des Urlaubs ist dem Mitarbeiter das Gehalt als Urlaubsvergütung weiterzuzahlen. Bei Berechnung der Urlaubsvergütung ist neben dem tatsächlichen Gehalt der Mehrverdienst für Mehrarbeit zu berücksichtigen, und zwar insoweit, als sie regelmäßig mindestens während dreier Monate vor dem Urlaub geleistet wurde. Sachbezüge sind nur insoweit abzugelten, als sie während der Dauer des Urlaubs nicht weiter gewährt werden. Fällt der

regelmäßige Zahltag in die Urlaubszeit, so sind die für diesen Zeitpunkt fälligen Beträge bei Antritt des Urlaubs zu zahlen.

9. Ein vor Ausscheiden aus dem Betrieb bestehender Urlaubsanspruch ist möglichst während der Kündigungsfrist zu erfüllen. Lassen betriebliche Verhältnisse ausnahmsweise den Erholungsurlaub nicht zu, so ist der Urlaub abzugelten (§ 8 Ziff. 4).

10. Während des Urlaubs darf der Mitarbeiter keine dem Urlaubszweck widersprechende Erwerbstätigkeit ausüben.

11. a) Der Urlaub beträgt ab 1. 1. 1992 für Mitarbeiter, die am 1. 1. des Kalenderjahres das 18. Lebensjahr bereits vollendet haben, bis zur Vollendung des

29. Lebensjahres	30 Werktage;
ab 30. Lebensjahr	33 Werktage.

Ab 1. 1. 1993 erhöhen sich diese Urlaubsansprüche jeweils um einen Tag, also auf 31 beziehungsweise 34 Werktage je Kalenderjahr. Ab 1. 1. 1994 erhöhen sich die Urlaubsansprüche der Mitarbeiter bis zur Vollendung des 29. Lebensjahres auf 32 Werktage.

Hierzu wird den Mitarbeitern nach 3jähriger ununterbrochener Betriebszugehörigkeit ein Zusatzurlaub von einem Werktag für jedes weitere Kalenderjahr gewährt, jedoch nur bis zu einer Höchstgrenze von 5 Werktagen. Der Jahresurlaub einschließlich Zusatzurlaub gemäß Satz 1 darf insgesamt 36 Werktage nicht überschreiten. Für Jugendliche, die am 1. 1. des Kalenderjahres das 18. Lebensjahr noch nicht vollendet haben, berechnet sich der Urlaub nach dem Jugendarbeitsschutzgesetz. Für 1991 gilt § 8 Abs. 11 BRTV in der Fassung vom 22. 4. 1987.

11. b) Für das Beitrittsgebiet gelten hinsichtlich des Umfanges des Erholungsurlaubs anstelle der Ziff. 11. a) für 1991 die Rechtsvorschriften der ehemaligen Deutschen Demokratischen Republik einschließlich rahmenkollektivvertraglicher Regelungen fort. Im Einzelfall darf der Erholungsurlaub 1991 jedoch nicht mehr als 35 Werktage betragen. Arbeitstage sind in Werktage umzurechnen. Ab 1. 1. 1992 gilt Ziff. 11. a).

12. Bei einem Jahresurlaub von mehr als 24 Werktagen kann der Apothekenleiter Teilung in zwei Teilurlaube verlangen, von denen der eine mindestens 3 Wochen betragen muß.

13. Der Urlaubsberechnung ist das bei Beginn des Kalenderjahres bereits vollendete Lebensjahr des Mitarbeiters zugrunde zu legen.

14. Werktag ist jeder Tag, der nicht Sonn- oder Feiertag ist.

§ 8a Bildungsurlaub

1. Apotheker erhalten für fachlich-wissenschaftliche Fortbildungsveranstaltungen innerhalb von 2 Kalenderjahren 6 Werktage Bildungsurlaub unter Fortzahlung des Gehaltes. Für Apothekerassistenten, Pharmazie-Ingenieure, Apothekenassistenten und pharmazeutisch-technische Assistenten beträgt der Bildungsurlaub für fachliche Fortbildungsveranstaltungen 5 Werktage und für Apothekenhelfer, Apothekenfacharbeiter und Pharmazeutische Assistenten 3 Werktage, jeweils innerhalb von 2 Kalenderjahren.
2. Der Anspruch auf Bildungsurlaub wird erstmalig nach einer Wartezeit von 6 Monaten seit Beginn des Arbeitsverhältnisses erworben. Teilansprüche können nicht erworben werden. Der Anspruch auf Bildungsurlaub besteht nicht, soweit der Mitarbeiter für den laufenden Zweijahreszeitraum bereits von einem früheren Arbeitgeber Bildungsurlaub erhalten hat. Hierüber hat der Mitarbeiter eine Bescheinigung des früheren Arbeitgebers vorzulegen, zu deren Ausstellung dieser verpflichtet ist.
3. Voraussetzung für die Gewährung des Bildungsurlaubs ist, daß der Mitarbeiter diesen mindestens 1 Monat vorher beantragt und seine Teilnahme an der Fortbildungsveranstaltung nachweist. Sollten die personellen Verhältnisse unter keinen Umständen die Gewährung des Bildungsurlaubs zum gewünschten Zeitpunkt zulassen, besteht kein Anspruch auf die Gewährung der bezahlten Freizeit. Der Mitarbeiter kann in solchem Fall den Bildungsurlaub für eine andere Veranstaltung zu einem geeigneten Zeitpunkt erneut geltend machen.
4. Im Laufe des Zweijahreszeitraumes im Sinne der Ziff. 1 nicht genommener Bildungsurlaub entfällt ersatzlos. Er kann weder auf den nächsten Zweijahreszeitraum übertragen noch abgegolten werden.
5. Nimmt ein Mitarbeiter an einer Fortbildungsveranstaltung im Sinne der Ziff. 1 an einem für ihn arbeitsfreien Wochenende (Sonnabend und/oder Sonntag) teil, so kann er in entsprechendem Umfang innerhalb der nächsten 12 Wochen Arbeitsbefreiung unter Fortzahlung des Gehaltes verlangen. Macht er von diesem Recht Gebrauch, so ist sein Bildungsurlaubsanspruch insoweit erfüllt. Dieses Recht besteht nicht, falls beziehungsweise soweit dem Mitarbeiter ein Bildungsurlaub nicht zusteht.
6. Freistellung von der Arbeit bis zu 4 Stunden zur Teilnahme an einer Fortbildungsveranstaltung wird als ½ Tag auf den Bildungsurlaub angerechnet.
7. Vorstehende Regelung der Ziff. 1 bis 6 gilt nicht, sofern ein gesetzlicher Bildungsurlaubsanspruch besteht.

8. Im Beitrittsgebiet erhalten Apotheker für fachlich-wissenschaftliche Fortbildungsveranstaltungen in 1991 zwei Werktage Bildungsurlaub unter Fortzahlung des Gehaltes. Für das übrige pharmazeutische Personal beträgt der Bildungsurlaub insoweit in 1991 zwei Werktage für fachliche Fortbildungsveranstaltungen. Bis 31.12.1991 nicht genommener Bildungsurlaub entfällt ersatzlos. Er kann weder übertragen noch abgegolten werden.

   Ab 1.1.1992 entfällt die Regelung der Ziff. 8.

§ 8b Fachzeitschriften

Eine in der Apotheke vorhandene pharmazeutische Fachzeitschrift, in der die offiziellen Mitteilungen der Apotheker-Organisationen veröffentlicht werden, ist den Mitarbeitern auch außerhalb ihrer Dienstzeit baldmöglichst, spätestens innerhalb einer Woche nach Erscheinen, zur Lektüre zur Verfügung zu stellen.

§ 9 Ehrenamtliche Tätigkeit

Mitarbeitern, die zu einer Berufsorganisation delegiert sind oder deren Tätigkeit im öffentlichen Gesundheitswesen erwünscht ist, ist die hierzu notwendige Zeit als unbezahlte Freizeit zu gewähren, wenn eine ernsthafte Störung des Betriebes damit nicht verbunden ist. Von der Übernahme einer solchen Tätigkeit ist der Apothekenleiter zu unterrichten, sofern eine Belastung des Betriebes zu erwarten ist.

§ 10 Berufsjahre

1. Bei pharmazeutischen Mitarbeitern zählen als Berufsjahre die nachweislich im räumlichen Geltungsbereich dieses Tarifvertrages in Apotheken, Pharmazeutischen Zentren, Bezirksapothekeninspektionen, Berufsorganisationen, an PTA-Lehranstalten und der Pharmazieschule, Berufsschulen und pharmazeutischen Instituten als Doktoranden, Assistenten, Habilitanden oder Dozenten verbrachten Zeiten. Als Berufsjahre zählt auch der im räumlichen Geltungsbereich dieses Tarifvertrages abgeleistete Grundwehr- und Ersatzdienst.
2. Das erste Berufsjahr der Apothekenhelfer und der Apothekenfacharbeiter beginnt nach bestandener Abschlußprüfung. Es zählt nur Helfer-/Facharbeitertätigkeit im pharmazeutischen Bereich.
3. Zeiten, die ein pharmazeutisch-technischer Assistent als Apothekenhelfer im Sinne der obigen Ziff. 2 verbracht hat, werden auf seine PTA-Berufsjahre angerechnet, jedoch nicht mehr als drei

Jahre. Die Zeiten, die ein Pharmazie-Ingenieur als Apothekenassistent und ein Apothekenfacharbeiter als Apothekenhelfer verbracht hat, werden auf die Berufsjahre angerechnet.

4. a) Teilzeitbeschäftigung von mindestens 19 Wochenstunden wird voll auf die Berufsjahre angerechnet.

   b) Tätigkeit von 8 bis weniger als 19 Wochenstunden wird mit der entsprechenden Quote im Verhältnis zur vollen tariflichen Arbeitszeit gewertet.

   c) Tätigkeit von weniger als 8 Wochenstunden bleibt unberücksichtigt.

5. In Zweifels- und Härtefällen entscheiden die Vorstände der Tarifpartner gemeinsam.

§ 11 Vertreter

1. Als Vertretung gilt eine Beschäftigung zur Vertretung des Apothekenleiters im Sinne der Verordnung über den Betrieb von Apotheken.

2. Bei Vertretungen bis zu 15 ununterbrochenen Dienst-Tagen außerhalb des Wohnortes des Vertreters sind Hin- und Rückreise, D-Zug 1. Klasse, zu bezahlen sowie Reisespesen gemäß Ziff. 3 dieses Paragraphen. In jedem Fall werden nur die nachweislich entstandenen Fahrtkosten vergütet. Der Vertreter ist verpflichtet, die kürzeste Fahrtverbindung zu benutzen.

3. Die Reisespesen werden in Höhe der jeweils zulässigen steuerlichen Höchstsätze erstattet. Die Übernachtungskosten sind nach Beleg abzurechnen im Rahmen der jeweils zulässigen steuerlichen Höchstsätze. Reisetage gelten nicht als Dienst-Tage.

4. Die Vertretervergütung beträgt bei stundenweiser Vertretung unter Zugrundelegung einer wöchentlichen Arbeitszeit von

41 Stunden	1/178
40 Stunden	1/173
39,5 Stunden	1/171
39 Stunden	1/169
38,5 Stunden	1/167
38 Stunden	1/165
37,5 Stunden	1/163,

bei tageweiser Vertretung 1/25 des betreffenden Tarifgehaltes.

Für Vertretungen, die ununterbrochen mehr als 15 volle Tage dauern, ist das anteilige Tarifgehalt mit einem Zuschlag von 10 % zu zahlen. Der Monat ist mit 30 Tagen zu rechnen.

§ 12 Sachbezüge

Für Sachbezüge einschließlich Kost und Wohnung sind die für die Lohnsteuer jeweils gültigen Bewertungstabellen in Anrechnung zu bringen, jedoch nicht mehr als 50 % der monatlichen Bruttobezüge.

§ 12a Ausbildungsmittel

Der Apothekenleiter hat dem Auszubildenden kostenlos die Ausbildungsmittel, die zur Berufsausbildung und zur Ablegung von Zwischen- und Abschlußprüfungen erforderlich sind, in der Apotheke zur Verfügung zu stellen.

§ 13 Gehaltsfestsetzung

1. Für die Vergütung ist der Gehaltstarif in der jeweils gültigen Fassung zugrunde zu legen. Zum Gehalt treten gegebenenfalls die Leistungen der Gehaltsausgleichskasse.
2. Der Arbeitgeberanteil zur Sozialversicherung ist auch den Mitarbeitern zu gewähren, die die Befreiungsversicherung nach dem Angestelltenversicherungsgesetz nachweisen oder die von der Angestelltenversicherung aufgrund ihrer Zugehörigkeit zu einer berufsständischen Pflichtversicherung befreit sind.
3. Bei der Gehaltszahlung ist dem Mitarbeiter eine genaue Abrechnung unter Anführung des Entgeltes einschließlich der gewährten Sachbezüge sowie der einzelnen Abzüge auszuhändigen; die Zweitschrift der Abrechnung hat der Mitarbeiter gegenzuzeichnen.
4. Gehälter der Mitarbeiter gelten für die regelmäßige wöchentliche Arbeitszeit nach § 2. Für Teilzeitbeschäftigte gilt die entsprechende Regelung. Bei der Festsetzung der Gehälter nach Arbeitstagen errechnet sich das Arbeitsentgelt mit 1/25 je Arbeitstag.

   Bei der Festsetzung der Gehälter nach Stunden errechnet sich das Arbeitsentgelt wie folgt:

Bei einer Wochenarbeitszeit von	41 Stunden	1/178
	40 Stunden	1/173
	39,5 Stunden	1/171
	39 Stunden	1/169
	38,5 Stunden	1/167
	38 Stunden	1/165
	37,5 Stunden	1/163

   je Arbeitsstunde der tariflichen Monatssätze.

5. Die Auszahlung des Gehaltes erfolgt nachträglich, und zwar so, daß es dem Mitarbeiter spätestens am vorletzten Banktag eines jeden Monats während der Arbeitszeit zur Verfügung steht.
6. Zur Vermeidung sozialer Härten kann die Entlohnung eines minder leistungsfähigen Mitarbeiters unter den tariflichen Gehaltssätzen erfolgen. Die Minderentlohnung ist frei zu vereinbaren und bedarf zu ihrer Gültigkeit der Genehmigung durch die Vorstände der Tarifvertragsparteien.

§ 13a Sonderzahlung

1. Jeder Mitarbeiter erhält jährlich eine Sonderzahlung in Höhe seines tariflichen Monatsverdienstes. Bei Änderungen der Gehaltshöhe im Laufe des Kalenderjahres ist der Jahresdurchschnitt zugrunde zu legen. Das gilt nicht für Änderungen durch Neufestsetzung des Tarifgehaltes oder Einstufung in eine andere Berufsjahrgruppe. Für Pharmaziepraktikanten errechnet sich die Sonderzahlung aus dem Durchschnitt der während des Ausbildungsverhältnisses tariflich vorgesehenen Ausbildungsvergütung.
2. Dem Apothekenleiter bleibt die Festsetzung des Auszahlungszeitpunktes einschließlich Auszahlung in Teilbeträgen vorbehalten. Die Auszahlung erfolgt jedoch spätestens bis zum Ende der ersten Dezemberwoche des Jahres, für das die Sonderzahlung gilt.
3. Den vollen Betrag gemäß Ziff. 1 erhalten alle Mitarbeiter, deren Beschäftigungsverhältnis im Auszahlungszeitpunkt mindestens seit 12 Monaten bestand. Bei einer geringeren Betriebszugehörigkeit im Auszahlungszeitpunkt besteht ein Anspruch in Höhe von $1/12$ des vollen Betrages für jeden vollendeten Beschäftigungsmonat. Mitarbeiter, deren Dienstverhältnis nicht länger als 3 Monate besteht, haben keinen Anspruch auf die Sonderzahlung. Hat ein Mitarbeiter Erziehungsurlaub (§§ 15, 16 BErzGG) beziehungsweise Freistellung nach dem Wochenurlaub (§ 246 AGB) erhalten, ermäßigt sich die Sonderzahlung um $1/12$ für jeden vollen Monat des genommenen Urlaubs. Der Anspruch verringert sich ferner zeitanteilig für die Dauer eines unbezahlten Urlaubs sowie für krankheitsbedingte Fehlzeiten, für die gem. § 7 Gehaltsfortzahlung nicht zu leisten ist. Ausscheidende Mitarbeiter haben Anspruch auf $1/12$ des vollen Betrages für jeden vollendeten Beschäftigungsmonat des laufenden Kalenderjahres. In Abweichung von Ziff. 2 ist die Zahlung mit dem letzten Gehalt zu leisten. Soweit ein ausscheidender Mitarbeiter zuviel erhalten hat, ist er zur Rückzahlung verpflichtet.
4. Soweit Ansprüche irgendwelcher Art von der Höhe des Arbeitsentgelts abhängig sind, werden Zahlungen gemäß § 13a nicht mitgerechnet.

5. Während des Kalenderjahres aufgrund betrieblicher, einseitig vom Apothekenleiter festgelegter oder vereinbarter Regelungen bereits gezahlte oder noch zu zahlende Sondervergütungen, insbesondere Weihnachts- und Urlaubsgeld, Gratifikationen, Jahresabschlußvergütungen, Jahresprämien, Ergebnisbeteiligungen und dergleichen, können auf die Sonderzahlung gemäß § 13a angerechnet werden.

6. Im Beitrittsgebiet erhält jeder Mitarbeiter abweichend von Ziff. 1 Satz 1 für 1991 eine Sonderzahlung in Höhe von 60% und für 1992 eine Sonderzahlung in Höhe von 80% seines tariflichen Monatsverdienstes. Ab 1993 gilt Ziff. 1 Satz 1.

§ 14 Beendigung des Arbeitsverhältnisses

1. Die Kündigungsfrist beträgt beiderseits in den ersten 3 Jahren der Betriebszugehörigkeit 6 Wochen zum Vierteljahresschluß. Danach beträgt die Kündigungsfrist beiderseits 3 Monate zum Vierteljahresschluß. Im übrigen gelten die Regelungen des Gesetzes über die Fristen für die Kündigung von Angestellten. Ausbildungszeiten zählen nicht als Zeiten der Betriebszugehörigkeit.

2. Die ersten 3 Monate gelten als Probezeit. Während der Probezeit beträgt die Kündigungsfrist beiderseits einen Monat zum Monatsende.

3. Ein befristetes Arbeitsverhältnis kann nach 6 Monaten mit den sich aus Ziff. 1 ergebenden Fristen gekündigt werden. Das gilt nicht für Berufsausbildungsverhältnisse.

4. Für die fristlose Auflösung des Arbeitsverhältnisses gelten die gesetzlichen Bestimmungen über eine fristlose Kündigung (s. § 626 BGB). Unter anderem berechtigt die Ausführung fachlicher Arbeiten für eigene Rechnung oder für Rechnung anderer ohne Genehmigung des Apothekenleiters zur fristlosen Auflösung des Arbeitsverhältnisses.

5. Kündigungen müssen schriftlich erfolgen.

6. Dem Mitarbeiter, der mindestens ein halbes Jahr im Betrieb beschäftigt ist, darf aus Anlaß einer Arbeitsunterbrechung wegen Krankheit nicht gekündigt werden, es sei denn, daß die Arbeitsunterbrechung im betreffenden Kalenderjahr insgesamt länger als 3 Monate dauert oder die Krankheit Berufs- oder Erwerbsunfähigkeit des Mitarbeiters nach sich zieht.

7. Der Apothekenleiter ist verpflichtet, dem Mitarbeiter vor seinem Ausscheiden auf Wunsch ein vorläufiges Zeugnis, bei Beendigung des Arbeitsverhältnisses ein endgültiges Zeugnis auszustellen. Die Zeugnisse müssen auf Verlangen erschöpfende Angaben über

Art und Umfang der Tätigkeit sowie über Führung und Leistung enthalten.

8. Im Beitrittsgebiet beträgt die Kündigungsfrist bis zum 31. 12. 1991 einen Monat zum Monatsende. § 55 Abs. 2 Arbeitsgesetzbuch der ehemaligen DDR bleibt bis dahin unberührt.

§ 15 Schutzkleidung

1. Bei besonders schmutzigen Arbeiten ist dem Mitarbeiter auf Kosten des Betriebes Schutzkleidung zu stellen. Gleiches gilt für einen Arbeitskittel im Jahr. Berufskleidung ist von den Mitarbeitern zu stellen. Die Reinigung der Schutz- und Berufskleidung geht zu Lasten des Betriebes.
2. Für jeden Mitarbeiter muß eine Sitzgelegenheit vorhanden sein.

§ 16 Verwirkung von Ansprüchen

1. Ansprüche aus Mehrarbeit, Nacht-, Sonn- und Feiertagsarbeit und auf Zahlung von Zulagen jeder Art sind spätestens 2 Monate nach Fälligkeit schriftlich geltend zu machen. Dies gilt auch für Ansprüche der Mitarbeiter auf Vergütung der Notdienstbereitschaft (§ 4).
2. Nach Beendigung des Arbeitsverhältnisses sind alle gegenseitigen Ansprüche aus dem Arbeitsverhältnis innerhalb einer Frist von 2 Monaten schriftlich geltend zu machen.
3. Bei Nichteinhaltung der angeführten Fristen sind die Ansprüche verwirkt.

§ 17 Schiedsvertrag

1. Zur Beseitigung von bürgerlichen Rechtsstreitigkeiten zwischen den Parteien dieses Tarifvertrages aus dem Tarifvertrag wird ein Schiedsgericht gebildet. Dieses kann von den Tarifvertragsparteien auch einberufen werden bei Streitigkeiten über die Auslegung dieses Tarifvertrages.
2. Das Schiedsgericht besteht aus drei Personen, und zwar je einem von jeder Tarifvertragspartei benannten Beisitzer und einem Vorsitzenden. Nach Eingang des Antrages auf Durchführung eines Schiedsgerichtsverfahrens bei der anderen Partei hat jede Tarifvertragspartei innerhalb von 14 Tagen ihren Beisitzer der anderen Tarifpartei zu benennen. Benennt eine Partei ihren Beisitzer nicht oder nicht fristgerecht, so kann der Beisitzer der anderen Partei zusammen mit dem Vorsitzenden des Schiedsgerichts entscheiden.

Die benannten Beisitzer haben innerhalb von 14 Tagen nach ihrer Benennung den Vorsitzenden des Schiedsgerichts bekanntzugeben. Geschieht das nicht oder nicht fristgemäß, so kann jeder der Vorsitzenden der Vorstände der Tarifvertragsparteien den Präsidenten des Bundesarbeitsgerichts um Benennung eines Vorsitzenden des Schiedsgerichts bitten.

3. Der Vorsitzende bereitet die Verhandlung vor, sorgt für Zustellung der Schriftsätze, lädt Schiedsgericht und Parteien und leitet die Verhandlung. Die streitenden Parteien haben das Recht, vor dem Schiedsgericht gehört zu werden. Erscheinen sie nicht persönlich, so wird nach Aktenlage entschieden. Die Entscheidung des Schiedsgerichts ist für beide Parteien verbindlich. Sie wird schriftlich niedergelegt und beiden Parteien zugestellt.

4. Die Verfahrenskosten werden zu gleichen Teilen von den Tarifvertragsparteien, die persönlichen Aufwendungen von der jeweiligen Tarifvertragspartei getragen. Das Schiedsgericht kann eine anderweitige Festsetzung der Verfahrenskosten und der Auslagen beschließen.

§ 18 Schlußbestimmungen

1. Mit Inkrafttreten dieses Tarifvertrages treten für dessen Geltungsbereich alle früheren Bundesrahmen- und Rahmentarifverträge außer Kraft.

2. Rechtswirksam bestehende günstigere Einzelvereinbarungen werden durch den Abschluß dieses Tarifvertrages nicht berührt. Dieser Tarifvertrag tritt am 1. 1. 1991 in Kraft. Er kann mit einer Frist von 12 Monaten zum Jahresende gekündigt werden, und zwar erstmalig zum 31. 12. 1994.

Münster, den 17. Juli 1991

Literaturverzeichnis

ABDA: Zahlen – Daten – Fakten, 1992, Frankfurt a. M. 1993

Ampel, H. P. (1984): Marketing in der Apotheke, in: Der Apothekenberater 1984, S. 10ff.

Angermann, H. F. G. (1982): Unternehmensbewertung aus der Sicht des Unternehmensmaklers und -beraters, in: Betriebswirtschaftslehre der Klein- und Mittelbetriebe, hrsg. von Pfohl, H.-Ch., Berlin 1982, S. 342ff.

Beck, M., Hummel, Th. R., Zander, E. (1993): Aktuelle Aspekte der Lohn- und Gehaltspolitik im Verkauf, in: Schwalbe, H., Zander, E., Der Verkaufsberater, Bd. 4, 1993

Berger, W. (1981): Verkaufsgespräche richtig vorbereiten, in: Verkauf und Marketing 1981, Nr. 12

Carnegie, D. (1965): How to win friends and influence people, 75. Aufl., New York 1965

Cyran, W., Rotta, Chr. (1987): Apothekenbetriebsordnung – Kommentar, 4. Aufl. 1987

Formularvordruck „Vorstellungsverhandlung"*, hrsg. vom Rudolf Haufe Verlag (Best.-Nr. 91.10), Freiburg i. Br. 1990

Formularvordruck „Probezeitbeurteilung"*, hrsg. vom Rudolf Haufe Verlag (Best.-Nr. 92.05), Freiburg i. Br. 1990

Glaubrecht, H., Halberstadt, G., Zander, E. (1977): Betriebsverfassung in Recht und Praxis, Loseblatt, Freiburg i. Br. 1977ff.

Glaubrecht, H., Wagner, D., Zander, E. (1988): Arbeitszeit im Wandel, 3. Aufl., Freiburg i. Br. 1988

Herrmann, M. (1983): Der Apotheken-Partner im Gesundheitswesen, in: Apothekenreport 1983, Nr. 24

Hummel, Th., Zander, E., Ziehm, O. (1993): Erfolgreiche Zusammenarbeit mit Beratern in Klein- und Mittelbetrieben, 4. Aufl., Freiburg i. Br. 1993

Kirschbaum, G., Naujoks, W. (1994): Erfolgreich in die berufliche Selbständigkeit, 5. Aufl., Freiburg i. Br. 1994

* Die hier genannten Formulare sind beim Rudolf Haufe Verlag erhältlich und als Mustersammlung in einer Broschüre zusammengefaßt, die kostenlos vom Verlag angefordert werden kann.

Knebel, H., Zander, E. (1989): Arbeitsbewertung und Eingruppierung, Heidelberg 1989

Kölle, S., Schiedermair, R. (1968): Das pharmazeutische Paket 1968 unter der Lupe des Juristen, in: Pharmazeutische Zeitung 1968, Nr. 51/52 vom 19. 12. 1968

Kollenberg, G. (1993): In Krisenzeiten müssen alle an einem Strang ziehen! In: Beraten und Verkaufen 3/93

Kollenberg, G. (1993): Apothekenverpackung, in: Beraten und Verkaufen 5/93

Oeser, W., Sander, A. (1989): Grundregeln für die Herstellung von Arzneimitteln – Fortsetzungswerk, 3. Aufl., Stuttgart 1989

o. V. (1969): Das aktuelle Schaufenster, in: Deutsche Apotheker-Zeitung 1969, Nr. 10

o. V. (1993): Geld oder Leben, in: Status, Nr. 4/93

o. V. (1993): Wirtschaft und Handel, in: PZ Nr. 21 v. 27. 5. 1993

Posé, U. D. (1983): Das Signalsystem – Wie Menschen sich verstehen können, in: AJ 1983, Nr. 10

Rohr, S., Zander, E. (1993): Gehaltsstudie für den EDV-Bereich, Freiburg i. Br. 1993

Ruhleder, R. H. (1983): Wie verkürze ich mein Verkaufsgespräch?, in: Verkauf und Marketing 1983, Nr. 5

Schäuble, W. (1991): Der Apotheker – Freier Beruf in einem freien Staat, Apothekenreport 1991, Nr. 41

Schneider, H., Zander, E. (1993): Erfolgs- und Kapitalbeteiligung der Mitarbeiter in Klein- und Mittelbetrieben, 4. Aufl., Freiburg i. Br. 1993, in russisch 1993

Schwalbe, H. (1968): Die Werbekosten der Einzelhandelsbetriebe, Köln 1968

Schwalbe, H. (1977): PR und Imagepflege, Zürich 1977

Schwalbe, H. (1993): Marketingpraxis für Klein- und Mittelbetriebe, 7. Aufl., Freiburg 1993

Schwalbe, H., Zander, E. (1989): Vertrauen ist besser, Wiesbaden 1989

Stippel, P. (1993): Apotheken: Im Kern gesund, in: Absatzwirtschaft, Nr. 4/93

Trommsdorff, V. (1981): Warum muß kaufen und verkaufen so anstrengend sein?, in: Verkauf und Marketing 1981, Nr. 12

Urban, M. H. (1989): Motivieren Sie Ihre Mitarbeiter durch eine Erfolgsbeteiligung, in: Beraten und Verkaufen 1989, Heft 4

Weinhold, H. (1980): Marketing, Heerbrugg 1980

Werther, J. (1989): Ihre Kunden, die 30- bis 50jährigen, in: Apotheken-Praxis 1989, Nr. 21

Wöhe, G. (1986): Einführung in die Allgemeine Betriebswirtschaftslehre, 16. Aufl., München 1986

Zander, E. (1981): Arbeiter = Angestellte, 2. Aufl., Freiburg i. Br. 1981

Zander, E. (1990 a): Handbuch der Gehaltsfestsetzung, 5. Aufl., München 1990

Stichwortverzeichnis